गैर-दलित

गैर-दलित

डॉ. शरणकुमार लिंबाले

अनुवाद

डॉ. जिभाऊ शा. मोरे

वाणी प्रकाशन

वाणी प्रकाशन
4695, 21-ए, दरियागंज, नयी दिल्ली 110 002
शाखा
अशोक राजपथ, पटना 800 004
फ़ोन : +91 11 23273167 फ़ैक्स : +91 11 23275710
www.vaniprakashan.in
vaniprakashan@gmail.com
sales@vaniprakashan.in

GAIR-DALIT
by Dr. Sharan Kumar Limbale
Translated by Dr. Jibhao Sa. More

ISBN : 978-93-86799-10-4
Dalit Literature

प्रथम संस्करण

मूल्य : ₹ 450

सिटी प्रेस, दिल्ली-110 095 में मुद्रित

वाणी प्रकाशन का लोगो मक़बूल फ़िदा हुसेन की कूची से

आदरणीय सूर्यनारायण रणसुभे जी को

अनुवादक की ओर से

दलित साहित्य एवं दलित चेतना मेरी रुचि के विषय हैं, क्योंकि दलित होने का दुःख और पीड़ा कुछ हद तक मैंने भी अनुभव की है। इसलिए यह मेरी रुचि का ही नहीं बल्कि चिन्ता का भी विष्य है। यही कारण है कि पिछले कुछ वर्षों से मेरा ध्यान इस विषय पर लगातार टिका रहा है। इसी विषय से सम्बद्ध संगोष्ठियों में जाता रहता हूँ। ऐसी ही एक संगोष्ठी में जब डॉ. शरणकुमार लिंबाले जी को सुना, तब उनकी कड़वी किन्तु यथार्थ बातों ने न केवल प्रभावित किया बल्कि मेरी आँखें भी खोल दीं। डॉ. लिंबाले मराठी के न केवल एक चर्चित आत्मकथा-लेखक हैं बल्कि एक विद्वान आलोचक भी हैं, यह तब पता चला जब आदरणीय डॉ. सूर्य नारायण रणसुभे जी से उनके 'ब्राह्मण्य' शीर्षक आलोचनात्मक ग्रन्थ के बारे में सुना। मैंने डॉ. रणसुभे जी से अनुरोध किया था कि मैं अनुवाद-कार्य में रुचि रखता हूँ और किसी चर्चित मराठी कृति का हिन्दी अनुवाद करना चाहता हूँ। उन्हीं के निर्देश पर जब मैंने 'ब्राह्मण्य' पढ़ी तो सन्न रह गया। हिन्दी उपन्यास सम्राट प्रेमचन्द या मराठी के विख्यात कथाकार श्री कृ. कोल्हटकर अथवा माड़खोल कर और शिवराम कारंत जैसे अनेक श्रेष्ठ भारतीय साहित्यकार प्रगतिशील कहलाते हुए भी किस तरह अपनी तथाकथित सवर्ण सोच से पूर्णतया दूर नहीं जा सके। किस तरह उनके साहित्य में यह जातिवादी सोच बीच-बीच में झाँकती है, इसका पर्दाफाश डॉ. लिंबाले ने प्रस्तुत मराठी ग्रन्थ में बखूबी किया है। सचमुच उनके भीतरी आलोचक की पैनी दृष्टि काबिले तारीफ है।

अब अनुवाद के सम्बन्ध में कुछ कहना चाहूँगा। 'ब्राह्मण्य' के अनुवाद-कार्य के दौरान मैंने कतिपय बातें अनुभव कीं। इसमें मुझे कई बार दिक्कतें भी आईं। डॉ. लिंबाले मराठी के वर्तमान समय के एक नामवर साहित्यकार, विचारक एवं आलोचक हैं। अतः उनकी प्रस्तुत आलोचनात्मक कृति में जहाँ-जहाँ तात्त्विक विवेचन हुआ है, वहाँ हिन्दी अनुवाद करते समय मुझे कठिनाई महसूस होती थी। मराठी और हिन्दी यद्यपि एक ही भाषा (संस्कृत) से उत्पन्न भाषा-बहनें हैं फिर भी दोनों में व्याकरणिक समानता के बावजूद कुछ व्याकरणिक विषमताएँ भी हैं। अतः कुछ स्थलों पर सटीक

अनुवाद के लिए अनेक सन्दर्भ देखने पड़े। उदाहरण के लिए मराठी में–**'कळीचा मुद्दा'**, 'साने गुरुजींच्यां' 'श्याम ची आई' ची **'दखल घेतली गेली', मन-मेंदुला गवसण ी** घालपांरी, 'चकवकीचा **रस रस लेला काळ'** जैसे अनेक प्रयोगों के अनुवाद में निश्चय ही कठिनाइयाँ आती थीं। डॉ. लिंबाले के प्रस्तुत ग्रन्थ में सन् 1925 ई. में प्रकाशित मराठी उपन्यास 'श्यामसुन्दर' से लेकर सन् 1984 में प्रकाशित मराठी आत्मकथा 'मुझे ध्वस्त होना है' तक लगभग 60 वर्षों तक के भारतीय साहित्य की आलोचना है। इतने दीर्घ काल तक मराठी आदि भारतीय भाषाओं के साहित्य में प्रयुक्त भाषाई सन्दर्भ, प्रादेशिक-सांस्कृतिक आदि विभिन्नताओं को दर्शाने वाले सन्दर्भों को हिन्दी में अनुवादित करने के दौरान उलझन एवं द्वन्द्व पैदा होता था। विशेषतया बोल चाल की मराठी में प्रयुक्त ग्रामीण जीवन से सम्बद्ध गतिविधियाँ, खेती-बाड़ी के काम, परम्पराएँ, अन्धविश्वास, पारम्परिक प्रतीक, बिम्ब, जातियों के नाम, गाली-गलौज, मुहावरे, कहावतें, लोकोक्तियाँ आदि से सम्बद्ध अनेक उद्धरण प्रस्तुत ग्रन्थ में आए हैं। 'दलित अवधारणा और 'दलित चेतना' से सम्बद्ध कतिपय संकल्पनाओं के अनुवाद में मराठी-हिन्दी दलित साहित्य मूर्धन्य विद्वान और अनुवादक आदरणीय डॉ. सूर्यनारायण रणसुभे जी से मूल्यवान सहयोग प्राप्त हुआ। उदाहरण के लिए 'गैर-दलित', 'गैर ब्राह्मण', 'यथास्थितिवादी' 'प्रस्थापित','सनातनी' जैसी संकल्पनाओं को अनूदित करने में आसानी हुई। उनके प्रति कृतज्ञता ज्ञापित कर मैं उनके एहसानों से मुक्त नहीं होना चाहता।

इस अनुवाद के लिए प्रस्तुत ग्रन्थ के रचयिता आदरणीय डॉ. शरणकुमार लिंबाले ने अनुमति देकर मुझे उपकृत किया। उनके प्रति आभार। यह अनुवाद-कार्य मेरे लिए एक सुअवसर से कम नहीं था। इसलिए अनुवाद-कार्य के दौरान कई दिक्कतों और विकल्प हीनता से गुजरने के बावजूद भी मैंने सुख ही अनुभव किया है। इससे यदि पाठकों, शोधार्थियों, छात्र-छात्राओं को कुछ लाभ हुआ तो मैं स्वयं को भाग्यशाली महसूस करूँगा।

धन्यवाद।

–डॉ. जिभाऊ शा. मोरे

येवला
22 मई, 2015

अनुक्रम

प्रस्तावना

प्रो. एफ .एच. बैन्नूर

डॉ. शरणकुमार लिंबाले ने अब तक सम्पादन के रूप में तथा स्वतन्त्र रूप में यह जो विचारात्मक लेखन किया है, उसमें सन् 2007 में प्रकाशित उनकी 'ब्राह्मण्य' शीर्षक आलोचनात्मक पुस्तक कई दृष्टियों से महत्त्वपूर्ण है। प्रस्तुत ग्रन्थ के माध्यम से डॉ. लिंबाले ने कई बुनियादी सवाल खड़े किये हैं। कुल मिलाकर अठारह सवर्ण लेखकों ने दलितों पर अर्थात् हिन्दू समाज व्यवस्था में 'अस्पृश्य' अथवा 'अतिशूद्र' माने गये समाज का प्रतिनिधित्व करने वाले व्यक्तियों पर जो कहानी-उपन्यास लिखे हैं, उनकी आलोचना डॉ. लिंबाले ने इस ग्रन्थ में की है। विश्लेषण की सुविधा की दृष्टि से यहाँ 'दलित' शब्द का प्रयोग पूर्वकाल के 'अस्पृश्य' या 'अतिशूद्र' के अर्थ में किया गया है। सवर्ण अथवा गैर-दलित लेखकों का चयन करते हुए डॉ. लिंबाले ने मात्र ब्राह्मण लेखकों को ही स्थान नहीं दिया, बल्कि सुप्रतिष्ठित ब्राह्मणेतर साहित्यकारों को भी चुना है। डॉ. लिंबाले को गैर-दलित लेखकों की मानसिकता जैसे महसूस हुई, उसे उसी रूप में यहाँ प्रस्तुत करने की चेष्टा की गयी है। दलित और दलित-जीवन के सम्बन्ध में लिखते समय सवर्ण लेखकों की वैचारिक तथा भावात्मक भूमिका क्या होती है? उनके मन की वैचारिक स्थिति, सामाजिक, राजनीतिक दर्शन क्या होता है, यह एक महत्त्वपूर्ण सवाल है। उनके मन-मस्तिष्क में सामाजिक रचना का ढाँचा कैसा होता है, उनके लेखन के जरिये वह कैसे व्यक्त होता है, उनके लेखन सम्बन्धी प्रयोजन और उद्देश्य क्या होते हैं तथा किन राजनीतिक-सामाजिक परिस्थितियों के दबाव से वे लिख पाये यह देखना भी आवश्यक होता है। इन सभी सवालों के समाधान को ढूँढ़ने का प्रयत्न डॉ. लिंबाले ने प्रस्तुत ग्रन्थ के माध्यम से किया है।

विगत कई सालों से दलित लेखकों एवं विचारकों के द्वारा गैर-दलित लेखकों के लेखन पर यह आपत्ति उठाई जाती रही है कि गैर-दलित लेखक दलितों की (अतिशूद्रों की) वेदना, उन पर होने वाले अत्याचार, दलितों के अस्तित्व पर हिन्दू समाज व्यवस्था द्वारा लगाये गये प्रश्न-चिह्नों को किस हद तक समझ सकते हैं? क्या अतिशूद्रों का जीना वे समझ सकते हैं? डॉ. बाबासाहब आम्बेडकर ने भी यह सवाल

खड़ा किया था। कुछ लोगों के अनुसार गैर-दलित लेखकों पर उठाई जाने वाली यह आपत्ति अतिवादी प्रतीत होती है। किन्तु मुझे ऐसा प्रतीत होता है कि इस आपत्ति में सच्चाई है। क्योंकि वैसे भी अतिशूद्र अर्थात् महार (हरिजन), मातंग, इन्हें असल में जिस तरह का जीवन जीना पड़ता है, हिन्दू समाज व्यवस्था में स्थित शोषण तन्त्र ने जो दरिद्रता, भूख, भीखमंगी और गन्दगी से युक्त जिन्दगी उन्हें परोसी है, सवर्ण लेखक ऐसे जीवन से कोसों दूर होते हैं। उनका देखना या समझ दूर से होती है। उसी तरह उनके द्वारा दलितों के प्रश्न या समस्याओं को उठाने की कई वजहें होती हैं। उनकी जाति, राजनीतिक आकांक्षा, समाज में स्थित उनके स्वार्थ इन वजहों को निर्धारित करते हैं। वैसे किसी का भी लेखन निरपेक्ष नहीं होता। तटस्थ होने की भी कुछ सीमाएँ होती हैं। दूसरे, सदियों की समाज रचना में स्थित मूल्य व्यवस्था उनके मन और समझ को बनाती है। वांशिक एवं जातीय रचना उनके भीतरी रेशे पर अपना प्रभाव डालती है। यही कारण है कि गैर-दलित लेखकों के लेखन पर दलित लेखकों द्वारा उठायी गयी आपत्ति या आलोचना को भी समझ लेना पड़ता है। क्योंकि यह सवाल भी ध्यान देने योग्य है कि क्या मानवतावाद प्रगतिशीलता अथवा सहानुभूति के बल पर किया गया लेखन समाज-व्यवस्था में स्थित समस्याओं के समाधान ढूँढ़ पाने में समर्थ होता है या नहीं।

असल में किसी भी चेतना, सोच अथवा मानसिकता का विश्लेषण एक कठिनतम प्रक्रिया है। चेतना या सोच से भी और बढ़कर होती है अवचेतन की प्रक्रिया। अभिव्यक्त होने वाली चेतना का विश्लेषण करते हुए जानने की प्रक्रिया के कार्यरत होने को भुलाया नहीं जा सकता। जहाँ पर 'चेतना का स्वरूप' द्वंद्वात्मक और विलक्षण होता है। व्यक्ति मन के भीतर सुप्त रूप में बैठी 'जानने की प्रक्रिया' को खोज पाना और अधिक कठिन बन जाता है। डॉ. लिंबाले ने इस आलोचनात्मक ग्रन्थ के अन्तिम अध्याय में अपने ढंग से गैरदलितों की समझ, उसका स्वरूप एवं विशेषताएँ विशद की हैं। उनके द्वारा निकाले गये निष्कर्ष में गैरदलितों की 'समझ' पर गाँधीवाद एवं साम्यवादी विचारों का प्रभाव देखा गया है। साथ ही यह कहा गया है कि मानवतावाद और प्रगतिशील भूमिका से उनका लेखन हुआ है। लेखकों के मस्तिष्क पर हावी 'ब्राह्मण्य' की पड़ताल भी उन्होंने की है।

उसी अध्याय में उन्होंने यह भी कहा है कि 'भारतीय समाज व्यवस्था' पर इस्लाम और ईसाईं धर्म द्वारा प्रचंड आक्रमण किये गये हैं, ये दोनों धर्म विजेताओं के धर्म के रूप में प्रविष्ट हुए थे। अतः इन धर्मों के प्रचार-प्रसार को तत्कालीन राज्यकर्ताओं का समर्थन प्राप्त हुआ था। ऐसा प्रतीत होता है कि यह लिखते हुए उन्हें भारत पर हुए इस्लाम और ईसाईं धर्मों के असर (प्रभाव) तथा दलितों से धर्मान्तर के कारण हिन्दू समाज धुरीनों में छायी बेचैनी का उल्लेख करना है।

इस सन्दर्भ में दो-एक बातों का स्पष्टीकरण आवश्यक है। प्रथम बात यह कि भारत पर इस्लाम और ईसाईं धर्म ने आक्रमण नहीं किया था। बल्कि इस्लाम धर्मीय तुर्क, पठान, मुगल राज्यकर्ताओं ने और बाद में यूरोप के ईसाईं राज्यकर्ताओं ने आक्रमण किया था। उन्होंने सत्ता की खातिर अपने-अपने धर्म का गैर इस्तेमाल किया था। दूसरी बात, ब्रिटिश एवं पुर्तगालियों के आने से पूर्व कई सालों से ईसाईं धर्म गुरु धर्म प्रसार हेतु द. भारत तथा गुजरात में आते रहे थे। जहाँगीर के काल में तो उन्होंने मुगल दरबार में भी उपस्थिति दर्शायी थी। कुछ अध्येताओं के अनुसार इस्लाम महमूद गजनवी के आक्रमण के कई वर्ष पूर्व 8वीं सदी में और कुछ के अनुसार 7वीं सदी के मध्य से द. भारत के पूर्व एवं पश्चिम सीमा पर अरबी एवं मुस्लिम साधुओं के रूप में आया था। यही नहीं बल्कि इस्लाम पूर्व काल से गुजरात एवं द. भारत के साथ अरबी व्यापारियों के ताल्लुकात थे।

कुछ अध्येताओं के अनुसार उसमें प्राच्यविशारद भांडारकर का समावेश है। आदि शंकराचार्य के जन्म के समय हिन्दू धर्म में हुए परिवर्तन ईसाईं धर्म प्रचार का नतीजा थे। इसका मतलब यह कि 8वीं सदी से ही ईसाईं धर्म ने हिन्दू धर्म को ललकारा था। प्रसिद्ध इतिहासकार ताराचन्द के मत से उस काल में द. भारत में ईसाईं धर्म प्रचारकों की संख्या और कार्य (न के बराबर था) अत्यन्त मामूली तरह का था। किन्तु आदि शंकराचार्य के जन्म स्थान के आस-पास मुस्लिम सूफी सन्तों का कार्य बड़ी मात्रा में आरम्भ हो गया था। अरबों के जहाज और किश्तियों का पास के भूभाग में आगमन बरकरार था। इतना ही नहीं, बल्कि शंकराचार्य के समीपवर्ती राज्य के हिन्दू राजा ने इस्लाम को स्वीकार भी किया था। ताराचन्द कहते हैं कि आदि शंकराचार्य के धर्म प्रसार का आन्दोलन इस प्रक्रिया का ही एक परिणाम होगा।

तब इस्लाम और ईसाईं धर्मों ने विजेताओं के रूप में प्रवेश किया था। डॉ. लिंबाले का यह प्रतिपादन गलत है। ब्राह्मणी इतिहास विज्ञान उनकी 'जानने की प्रक्रिया' से (उनके) अनजाने व्यक्त हुआ है। 9वीं सदी में केरल के चेरामन पेरुमल नामक राजा द्वारा इस्लाम के स्वीकार की बात इतिहासकार कहते हैं। तब ईसाईं धर्म गुरु और मुस्लिम सूफी सन्तों ने 'समता, बन्धुता तथा मनुष्य-मनुष्य में ऊँच-नीच की भावना नहीं होती, जैसे विचारों का प्रसार किया। उन्होंने ब्राह्मणों के प्रभुत्व एवं चातुर्वर्ण्य की व्यवस्था को ललकारा। तब से ब्राह्मणी पुरोहित वर्ग इन दोनों धर्मों के खिलाफ है। निम्न जाति-जनजातियों द्वारा किये गये धर्मान्तर का गुस्सा उनके दिलो-दिमाग में भरा हुआ है। 13वीं सदी से विजेता के रूप में आये तुर्की एवं पठानी टोलियों के राजाओं द्वारा की गयी जबरदस्ती के कारण यदि धर्मान्तर हुए हैं, तो भी जन-जन में उस बलात् धर्मान्तर के गलत परिणाम दिखाई पड़ते हैं। बाद के काल में ईसाईं सत्ता के आने के बाद भी वैसा ही हुआ। ब्राह्मणी सोच पर उसके परिणाम हुए हैं।

बीसवीं सदी के आरम्भ से ही धर्म के साथ राष्ट्रवाद का सम्बन्ध जोड़े जाने से धर्मान्तर राष्ट्रवाद का विरोधी तत्त्व बना। यह समूची मानसिकता ब्राह्मणी लेखकों के जेहन में गयी है। डॉ. लिंबाले द्वारा चुने गये लेखक सावरकर वा. म. जोशी, माडखोलकर, र. वा. दिघे, मधु मंगेश कर्णिक आदि के लेखन में से वह खुल कर व्यक्त हुई है।

हिन्दी के सुविख्यात लेखक प्रेमचन्द का 'रंगभूमि' दलित नायक की जीवन कथा सुनाने वाला उपन्यास है। यह उपन्यास सन् 1925 में प्रकाशित हुआ। दलित जीवन का चित्रण करने वाला और गाँधी-विचारधारा से प्रेरित यह उपन्यास प्रेमचन्द की मानसिकता तथा जानने की प्रक्रिया पर प्रकाश डालता है। प्रेमचन्द नास्तिक थे। उन्होंने दलितों के जीवन पर और जातिगत विषमता का विरोध करने वाली कई कहानियाँ लिखी। डॉ. आम्बेडकर के कई वर्ष पहले अस्पृश्यता का समर्थन करने वाले शास्त्र और ग्रन्थों को जलाकर राख करने की बात अपने लेखन द्वारा कही। डॉ. लिंबाले ने उन प्रेमचन्द की दलित विषयक समझ पर सवालिया निशान लगाया है। कुछ दिन पहले दलित साहित्य अकादमी ने प्रेमचन्द के इस उपन्यास की प्रतियाँ जलाने के कारण हिन्दी जगत में सनसनी मच गयी थी।

प्रेमचन्द ने इस उपन्यास का नाम 'रंगभूमि' रखा है। मानव जीवन रंगभूमि पर खेले जाने वाले नाटक की भाँति होता है, इस शेक्सपियर प्रणीत विचार का प्रभाव उन पर स्पष्ट रूप में देखा जा सकता है। 'प्रेमचन्द जब इस उपन्यास का नामकरण 'रंगभूमि' करते हैं, तब वे उसके कथ्यगत विषय और घटनाक्रम को किस दृष्टि से देखते हैं; यह स्पष्ट होता है। उनका यह शेक्सपियर प्रणीत दृष्टिकोण चातुर्वर्ण्याधिष्ठित भारतीय समाज में होने वाले अतिशूद्रों के अत्यधिक शोषण और दुःख को पकड़ पाने में अक्षम प्रतीत होता है। सूरदास नामक अन्धे चमार की कथा कहते समय प्रेमचन्द अतिशूद्रों तथा उनके समाज का दुःख चित्रित नहीं कर पाये हैं। यही नहीं उनके उपन्यास में अतिशूद्र कहलाने वाली विभिन्न जातियों के लोगों पर होने वाले अन्याय और अत्याचार का चित्रण ही नहीं आता है। इतना ही नहीं बल्कि डॉ. लिंबाले के मुताबिक उस सूरदास को अस्पृश्यता के मरणप्राय अनुभवों की मालूमात ही नहीं है। ऐसी स्थिति में इस उपन्यास को दलित जीवन का उपन्यास क्यों कहें? प्रेमचन्द जैसे साहित्यकार के मानस में ऐसा क्यों हुआ होगा? यदि ऐसा कहें कि उन पर गाँधीवाद का प्रभाव था तो फिर गाँधी जी ने अस्पृश्यों के दुःख तथा उन पर होने वाले अत्याचारों का बखान करने या फिर उसके खिलाफ लड़ने को क्या मना किया था? 'रंगभूमि' को पढ़ने के बाद प्रेमचन्द का यह उपन्यास गाँधी जी के विचारों पर आधारित है, इस बात को समझने में मुझे कठिनाई हुई। क्योंकि इसमें गाँधी प्रणीत अहिंसात्मक विद्रोह कहीं भी अभिव्यक्त नहीं हुआ है।

प्रेमचन्द का यह उपन्यास यथार्थवादी न होकर रोमांटिसिज्म का प्रतिबिम्ब है। समूचे उपन्यास में कहीं भी अछूतों पर किये जाने वाले अत्याचारों अथवा भारत में स्थित विषम समाज व्यवस्था का चित्रण नहीं है। उलटे प्रेमचन्द ने सूरदास को महात्मा या औलिया दिखाने का प्रयास किया है। यह बात प्रेमचन्द की कौन-सी समझ और सोच स्पष्ट करती है? डॉ. लिंबाले के कथन के मुताबिक सूरदास पर कितने ही अन्याय एवं अत्याचार होते हैं फिर भी वह उनके खिलाफ खड़ा नहीं होता। यह व्यवस्था की शरण जाना है। सूरदास अपनी झोंपड़ी बचाने के लिए सत्याग्रह का रास्ता चुनता है। कथा में उसकी झोंपड़ी ब्रिटिश विरोधी संघर्ष का प्रतीक बनती है। यही नहीं सूरदास का समूचा संघर्ष अपनी झोंपड़ी एवं जमीन बचाने के लिए अधिकारियों और ब्रिटिशों के खिलाफ किया गया संघर्ष है। क्या गाँधी ऐसा कह रहे थे, कि समाज में फैली अस्पृश्यता के खिलाफ लड़ने की बजाय ब्रिटिशों से लड़े? यह गाँधी के विचारों का विकृतीकरण है। ब्राह्मणी धर्म द्वारा अछूतों पर लादी हुई गुलामी के इस उपन्यास में कहीं भी दर्शन नहीं होते। अन्धे सूरदास को भी उसके खिलाफ लड़ते नहीं देखा जा सकता। ऐसा मान लेने पर भी कि प्रेमचन्द पर गाँधी-विचारों का प्रभाव है, इस उपन्यास में अस्पृश्यता उन्मूलन के कार्यक्रम का जिक्र नहीं आता। ब्राह्मणी धर्म की जम कर आलोचना भी इसमें नहीं है। उलटे प्रेमचन्द पाण्डेपुर नामक काल्पनिक बस्ती का लुभावना चित्रण करते हैं। इससे क्या अर्थ निकलता है? ऐसा मान लेने पर भी कि प्रेमचन्द की जिज्ञासाएँ गाँधीवाद या उदारमतवाद से प्रभावित थीं, फिर भी वे जिज्ञासाएँ कहीं भी अभिव्यक्त नहीं होती हैं। पाण्डेपुर का लुभावना चित्रण, सूरदास को औलिया ठहराने का प्रयत्न करना और 'सोफिया ईसाई नहीं होती तो विनय के साथ उसका ब्याह कर दिया होता', ऐसा कहना, ये सभी बातें प्रेमचन्द की समझ को ले कर सवाल खड़े करती हैं। उनकी समझ में निहित ब्राह्मण्य उनके भीतरी आदर्शवाद पर हावी हुआ है। क्योंकि नास्तिक होना बुद्धिवाद का लक्षण है, फिर भी अस्पृश्यता का सवाल उससे भी परे को था या है। शोषण एवं शोषण के लिए बनाये गये धार्मिक मूल्यों की व्यूहरचना को ले कर कम से कम इस उपन्यास में प्रेमचन्द कोई हस्तक्षेप नहीं करते, वे कल्पना में रमते पाये जाते हैं। उनका कल्पना में रममान होना ब्राह्मण्य का आविष्कार है।

सन् 1925 के दरमियान प्रकाशित श्री पाद कृष्ण कोल्हटकर के 'श्यामसुन्दर' नामक मराठी उपन्यास का लेखा-जोखा डॉ. लिंबाले लेते हैं। डॉ. लिंबाले के कथन के मुताबिक कोल्हटकर के इस उपन्यास की सच में बहुत अधिक उपेक्षा हुई है। कुल मराठी साहित्य पर मध्यवर्गीय ब्राह्मणी विचार हावी होने के कारण अस्पृश्यता की समस्या पर 1925 में लिखे गये साहित्य की उपेक्षा स्वाभाविक है। इस उपन्यास में कोल्हटकर ने राजनीतिक संघर्ष की अपेक्षा सामाजिक संघर्ष को वरीयता दी है।

ब्राह्मण, ब्राह्मण्य, शूद्र एवं अतिशूद्र के भीतरी संघर्ष का चित्रण किया है। प्रेमचन्द के 'रंगभूमि' की अपेक्षा 'श्यामसुन्दर' उपन्यास कई गुना बढ़ कर है।

'श्यामसन्दुर' उपन्यास कई दृष्टियों से विशिष्ट है। महात्मा फुले द्वारा प्रवर्तित 'सत्यशोधक आन्दोलन', महाराज शाहू के काल में शुरू हुए 'ब्राह्मणेतर आन्दोलन' तथा 1922 से म. गाँधी द्वारा हाथ में लिए गये 'अस्पृश्यता निर्मूलन' जैसे सभी आन्दोलनों की गूँज प्रस्तुत उपन्यास में ध्वनित होती है। गाँधी-विचारों से प्रेरणा पा कर कोल्हटकर ने अस्पृश्यता की समस्या को छूने वाला कथ्य रचा है। परन्तु जिस तरह म. गाँधी जातिविरहित दृष्टिकोण के साथ हिन्दुस्तान की जाति एवं अस्पृश्यता की समस्या की ओर देख रहे थे, कोल्हटकर वैसा नहीं कर पाये। परन्तु उसी के साथ-साथ वा. म. जोशी, सावरकर, माडखोलकर, र. वा. दिघे की भाँति मुस्लिमों द्वारा किया गया धर्मान्तरण, हिन्दू धर्म का श्रेष्ठत्व और हिन्दू राष्ट्रवाद जैसी बातें भी नहीं घुसेड़ते हैं। कोल्हटकर पर्याप्त सेक्युलर और प्रगतिशील प्रतीत होते हैं। इतना ही नहीं उनके लेखन में जान-बूझकर मुस्लिम द्वेष नहीं उपस्थित किया जाता।

दूसरे, उनका लेखन पर्याप्त यथार्थवादी एवं तत्कालीन महाराष्ट्र के सामाजिक संघर्ष को व्यक्त करने वाला है। उनके द्वारा सृजित 'चिमणी' नामक नायिका का चरित्र महत्त्वपूर्ण है। चिमणी के मुँह से उन्होंने तत्कालीन समस्याओं को उठाया है। चिमणी के जरिये उन्होनें आलोचना की है कि तत्कालीन जन देशहित की ओर ध्यान देने की बजाय जातीय लाभ पर ध्यान देते हैं। उन्हें भिन्न-भिन्न जातियाँ भिन्न-भिन्न देश की भाँति प्रतीत होती हैं। ऐसे चित्रण द्वारा जातीय समस्या को उजागर करने का प्रयत्न उन्होंने किया है। चिमणी के ही द्वारा उन्होंने यह भी विशद किया है कि दलितों के लिए शिक्षा के किवाड़ खोलने के कारण वे अपने अधिकारों के बारे में सोचने लगे हैं। विशेषतया धर्म एवं संस्कृति के स्तर पर भिन्न विदेशी लोगों द्वारा हस्तांदोलन न किये जाने पर हम नाराज हो जाते हैं, परन्तु स्वदेशी लोगों से हस्तांदोलन तो दूर की बात उनकी छाया भी हमें अपवित्र प्रतीत होती है। दलित जाति के व्यक्ति का उबटन लगाकर अभ्यंग स्नान कर तथा साफ-सुथरे कपड़े पहनने के बावजूद भी हम उन्हें स्पर्श करने के लिए तैयार नहीं होते। बैल की पीठ पर लदा पानी हम पी सकते हैं, इस तरह की प्रखर आलोचना भी की है। ब्राह्मण और शूद्रों में एकता लाने के लिए उपन्यास की कथावस्तु में उन्होंने 'ऐक्यवर्धक' नामक संस्था की स्थापना की है। उनका नायक श्याम ब्राह्मण है, किन्तु अनुत्तीर्ण हो जाने के कारण वह घर छोड़ कर भाग जाता है और नाना मराठे नाम धारण कर मराठा परिवार में शामिल हो जाता है। और भजनी मण्डल के जरिये शूद्र और मराठों को ब्राह्मणी संस्कार पढ़ाने का प्रयास करता है। उसका मधुर बोलना तथा विनम्रतापूर्ण व्यवहार का कोल्हटकर उल्लेख करते हैं। यह उनके भीतरी ब्राह्मणी

श्रेष्ठत्व के एहसास का आविष्कार है। उन्होंने चिमणी के मुख से ब्राह्मण श्रेष्ठ होते हैं की बात कहलवाई है। सहभोज के जरिये ब्राह्मण एवं शूद्रों में ऐक्य लाने का सुधारवादी कार्यक्रम भी उन्होंने कथ्य में रखा है। विशेष बात यह है कि वे इस पूरे उपन्यास में शूद्रों के सम्बन्ध में ही बोलते रहे हैं। उनके द्वारा निर्मित नायक ब्राह्मण के रूप में खुल कर सुधारवादी आन्दोलन में हिस्सा नहीं लेता। शूद्र मराठा बनता है और अतिशूद्र मौनी बाबा। तत्कालीन परिस्थितियों के कारण शूद्र एवं अतिशूद्र के साथ काम करने वाले ब्राह्मण युवा को खुल कर दिखाना उन्हें सम्भव नहीं हुआ।

तत्कालीन समय एवं परिस्थितियों में कोल्हटकर कृत यह उपन्यास काफी निडर और क्रान्तिकारी प्रतीत होता है। किन्तु आरम्भ में कहे अनुसार उनका भीतरी ब्राह्मण्य उनके लेखन में निरन्तर ध्वनित होता रहा है। बातचीत में मधुरता, बुद्धि का तेज होना जैसे ब्राह्मणी गुणों के उल्लेख समूचे उपन्यास में भरे पड़े हैं। अतिशूद्रों के सम्बन्ध में—हरिजनों के साथ सहभोज करने जैसी स्थिति तक वे आ पहुँचते हैं। उनके द्वारा दिखाया गया ब्राह्मण एवं ब्राह्मणेतरों का संघर्ष तत्कालीन वास्तविकता का चित्रण है। उस काल में यह समस्या महाराष्ट्र में खलबली फैलाने वाली समस्या बनी हुई थी। उन्होंने लिखा है कि ब्राह्मणेतर आन्दोलनों के कारण अन्य जातियों को अछूत समझने वाले ब्राह्मण खुद अछूत न बन जायें जैसा सकारण भय उत्पन्न होने लगा। नतीजा बेचारों की हालत बड़ी नाजुक और विचित्र बन गयी है। कोल्हटकर यहाँ ब्राह्मणों की इस हालत का कारण नहीं बताते। उस काल में ब्राह्मणों ने काल को न पहचानकर अतिवादी कर्मठ रुख अपनाया था। वह काल शूद्र, मराठा एवं ब्राह्मणों के भीतरी सत्ता-संघर्ष का काल था। वस्तुस्थिति को बयान करते-करते ही इस वाक्य से उनका भीतरी नाराज ब्राह्मण्य व्यक्त होता है। वे कहते हैं—'ब्राह्मण है इसलिए कुर्मी-मराठों में सुधार आया।' श्याम कहता है, ब्राह्मणेतर आन्दोलन का उद्‌गम ब्राह्मणों के प्रति द्वेष के भीतर से ही हुआ। ऐसे विधान उनके भीतरी इकहरे ब्राह्मणवाद को सूचित करते हैं। मरहट्टों का भेस धारण करने वाला श्याम दलितों के घर खाना खाता है, मगर शूद्र अर्थात् ब्राह्मणेतर गोपाळराव अथवा हैबती दलितों के घर खाना नहीं खाते, जैसी बातें चित्रित कर ब्राह्मणों की श्रेष्ठता का बयान करते हैं। एक बात सही है कि ब्राह्मणेतर आन्दोलन का पूरा ध्यान ब्राह्मणों की तानाशाही पर ही केंद्रित हुआ था। अतिशूद्रों के बारे में वे पूर्णतया मुक्त नहीं हुए थे। कोल्हटकर ने तत्कालीन ब्राह्मणेतर आन्दोलनों के दोष भी दिखाये हैं। इस सम्बन्ध में यह भुलाया नहीं जा सकता कि मराठा और कुर्मी जातियों पर ब्राह्मणी मूल्यों का ही प्रभाव था। किन्तु शूद्रों को बेखटके व्यसनी और दुर्वर्तनी दिखाते जैसी बातें उनके भीतरी ब्राह्मण्य को ही उभार कर सामने लाती हैं।

कोल्हटकर द्वारा फुले, शाहू महाराज एवं गाँधी आम्बेडकर की विचारधारा का

स्पर्श किये जाने के बावजूद भी समता और बन्धुता पर आधृत समूचे समाज-परिवर्तन का विचार पूरे उपन्यास में कहीं भी नहीं आ पाता। उनके लेखन के भीतर से ब्राह्मणी श्रेष्ठता की सोच स्वाभाविक रूप में उतर आयी है, जो साहूकारों की भाँति घमण्डी और आक्रामक न होकर सरल है। उनके द्वारा चित्रित श्याम का व्यक्तित्व ब्राह्मणी समाज से डर कर प्राप्त किया हुआ पलायनवाद है। वह उसका सहभोज दलितों के साथ, उनके साथ घुलना-मिलना, उन्हें सफाई के मन्त्र पढ़ाना जैसे सुधारों के बारे में लिखते हैं। किन्तु अतिशूद्रों के अधिकार, उनकी आजादी और मनुष्य का भीतरी भाईचारा जैसे विषयों पर नहीं लिखते हैं। उन्हें प्रगतिशील ब्राह्मण, प्रगतिशील साहित्यकार कहा जा सकता है। उनका लेखन काल की सीमाओं में बँधा लेखन है।

डॉ. शरणकुमार लिंबाले ने प्रस्तुत आलोचनात्मक ग्रन्थ में तत्कालीन ब्राह्मणी साहित्यिक वा. म. जोशी, वि. दा. सावरकर, माडखोलकर, विभावरी शिरूरकर, र. वा. दिघे द्वारा शूद्रों की समस्याओं पर लिखे गये उपन्यासों की पड़ताल की है। साथ ही उसके बाद के मराठी उपन्यासकार गोदावरी परुळेकर, मधु मंगेश कर्णिक तथा विजय तेन्डुलकर के ग्रन्थों की भी चर्चा की है। माडखोलकर, र. वा. दिघे तो सीधे सावरकर प्रणीत हिन्दुत्ववादी होने के कारण इन तीनों के ग्रन्थों की सम्मिलित चर्चा यहाँ की जा रही है। अन्य मराठी साहित्यकार ब्राह्मण होकर भी अति हिन्दुत्ववादी नहीं हैं। इस वर्गीकरण के साथ शरणकुमार द्वारा की गयी उनकी आलोचना प्रस्तुत कर रहा हूँ।

कोल्हटकर के पश्चात् उस कालखण्ड के एक सिद्धहस्त उपन्यासकार वा. म. जोशी के लेखन की जो आलोचना डॉ. लिंबाले ने की है, उसका परीक्षण मैं करूँगा। उसके बाद सावरकर, माडखोलकर तथा दिघे के लेखन का पुनरावलोकन करूँगा। वा. म. जोशी का पत्र-शैली में लिखित और किसी कालखण्ड में काफी चर्चित उपन्यास 'इन्दु काळे एवं सरला भोळे' का लिंबाले ने अपने ढंग से जायजा लिया है। मराठी साहित्य में वा. म. जोशी एक बड़ा नाम है। उन्हें प्रगतिशील लेखक के रूप में जाना जाता है। ऐसा कहा जाता है कि उनके लेखन पर तत्कालीन सुधारवाद एवं अस्पृश्यता निर्मूलन का बड़ा प्रभाव था। विनायकराव भोळे और काळे परिवार की इस कहानी में विनायकराव अपनी पत्नी के साथ देहात जाते हैं। वहाँ स्कूल चलाते हुए अस्पृश्यता निर्मूलन का काम शुरू करते हैं। वा. म. जोशी ने मराठा एवं दलितों के चेंच तथा ब्राह्मण से सम्बद्ध प्रतिमाएँ साँचे में ढली प्रतिमाओं की तरह स्थान-स्थान पर मानो बो दी हैं। उनके स्कूल में सवर्ण एवं दलितों के बच्चे पढ़ते हुए एक साथ जाते हैं। ब्राह्मण लड़कों का उल्लेख नहीं है। दलित एवं मराठों के बच्चे अश्लील हरकतें करते पाये जाते हैं। ऐसी साँचे में ढली प्रतिमाएँ गालियाँ देते हुए पाठकों तक पहुँचाने के पीछे जोशी जी का क्या उद्देश्य था, यह अलग से बताने की

आवश्यकता नहीं है। वा. म. जोशी के लेखन का मनोविश्लेषणात्मक परीक्षण करना महत्त्वपूर्ण सिद्ध होगा। बारह वर्षीय चिंगी नामक दलित लड़की भोळे के स्कूल में आती है। वह उनके साथ लाड़-प्यार से नखरे करते हुए पेश आती है, जिससे उसके प्रति भोळे के मन में लज्जा एवं वासना उभरती दिखती है। समय बिताने के उद्देश्य से गाना एवं हार्मोनियम सिखती इन्दु काळे पर उसका मास्टर म्हसकर जबरदस्ती करता दिखता है। इस बात का इन्दु को बिल्कुल बुरा नहीं लगता। उपन्यास में इन दोनों के प्यार के नखरे दिखाये गये हैं। कथ्य में उपन्यासकार ने ये बातें क्यों चित्रित की हैं? पाठकों के मनोरंजन के लिए? इस तरह की बातों का चित्रण करने वाले जोशी जी की किस तरह की मानसिकता सूचित होती है? चिंगी के प्रति भोळे में द्रष्टव्य वासना की कारण मीमांसा कैसे करें?

चिंगी तथा उसके साथ आने वाली अन्य दलित लड़कियों को देखकर भोळे को लगा कि वे ब्राह्मणों की कुछ लड़कियों से भी गोरी और सुन्दर हैं। इन सुन्दर लड़कियों की माताएँ व्यभिचारी होंगी। उन्होंने ब्राह्मणों के साथ कुकर्म किया होगा। आगे चल कर वा. म. जोशी तत्सम्बद्ध प्रमाण प्रस्तुत करते जाते हैं, जिससे ब्राह्मण किस तरह दलित महिलाओं का लैंगिक शोषण कर रहे थे, यह उपन्यासकार के अनजाने में प्रकट हो गया है। उसे लेकर उपन्यासकार कहीं भी निषेध व्यक्त नहीं करता। यहाँ उपन्यासकार ब्राह्मणों की मनमानी चित्रित करना चाहते हैं या उनके अधिकारों का समर्थन करते हैं? या फिर लैंगिक आकर्षण से सम्बद्ध कहानियाँ सुना कर पाठकों का मनोरंजन करते हैं? यह स्पष्ट नहीं होता। किन्तु उपन्यास लेखक के मन में कहीं तो लैंगिक वासनाएँ अंकित हैं, जो इस तरह उपन्यास में उनके जाने-अनजाने व्यक्त हुई हैं।

अछूतोद्धार-कार्य में अछूतों के हाथ से पानी पीने के कारण विनायकराव भोळे का बहिष्कार किया जाता है। उन्हें दलितों की बस्ती में जाकर रहना पड़ता है। अछूतों के कुएँ का अशुद्ध जल पीने से उनके बच्चे मरते हैं और बाद में उन मरे हुए बच्चों को ब्राह्मणों के श्मशान में जलाने से ब्राह्मण इनकार करते हैं। इस तरह का कथानक पूर्णतया मेलोड्रॅमॅटिक एवं अतिकृत्रिम है। इसमें ब्राह्मणों के बारे में लिखा गया है। विनायकराव ब्राह्मणों का निषेध भी नहीं कर पाते, उलटे लाचार होते दिखते हैं। विनायकराव के जरिये वा. म. जोशी ने हिन्दू समाज व्यवस्था और धर्म के सम्बन्ध में कुछ नहीं कहलवाया है। अछूतों के कुएँ का अशुद्ध पानी जैसी बात भी परम्परागत एवं कलुषित सोच व्यक्त करने के निमित्त जैसा है। वे विनायकराव भोळे को धर्म-सुधार सम्बन्धी कोई भी कार्यक्रम करने हेतु बाध्य नहीं करते। यहाँ यह प्रश्न कायम रहता है कि ब्राह्मण पुरुष एवं अछूत स्त्री के व्यभिचार की कथा बताकर वे क्या हासिल करना चाहते हैं? ब्राह्मण्य उनके लेखन में हमेशा दिखाई

पड़ता है, साथ ही उसमें न तो ठीक यथार्थ चित्रण है और न ही सुधारवाद। इस तरह का त्रिशंकु टाइप का यह लेखन है।

कोल्हटकर तथा वा. म. जोशी के पश्चात् हिन्दू राष्ट्रवाद के ज्वलन्त पक्षधर वि. दा. सावरकर द्वारा लिखित 'संगीत उःशाप' नाटक की चर्चा डॉ. लिंबाले ने की है। सावरकर के इस नाटक का दलित सन्त चोखामेळा पर लिखा जाना बिल्कुल स्वाभाविक था। किन्तु सावरकर ने उसे 'संगीत उःशाप' नाम क्यों दिया, यह स्पष्ट नहीं होता। क्योंकि महार नामक दलित जाति में जीना ही अपने आप में एक अभिशाप था। फिर चोखामेळा के सन्दर्भ में उःशाप क्या था, यह वे नहीं बताते हैं। सन्त चोखामेळा की भक्ति से खुश होकर स्वयं भगवान श्रीकृष्ण प्रकट होकर उसे पुष्पमाला पहनाते हैं। शायद यही उःशाप होगा। यानी महार हमेशा गन्दगी ढोये और अपने आपको विट्ठल-भक्ति में समर्पित करें, तभी भगवान उन पर प्रसन्न होकर उन्हें मुक्ति दिलाता है। इसमें से यही ध्वनित होता है।

असल में सन्त चोखामेळा का व्यक्तित्व और तथाकथित सन्तत्व जैसी बातें प्रश्नचिह्न खड़ा करने वाली हैं। यह जूठा खाना खाने का अधिकार माँगने वाला पेटभरू और रीढ़ की हड्डीविहीन महार सन्त है। यह सन्तत्त्व उसे ब्राह्मणी व्यवस्था द्वारा प्रदान किया गया है। मंगळवेढा में जन्मा यह सन्त इतना विवश क्यों? विवशता एवं जूठन खाने में प्रसन्नता मानने वाला यह मंगळवेढा का सन्त सैकड़ों शंकाएँ उपस्थित करता है। क्योंकि इसी मंगळवेढा गाँव में 12वीं सदी में जिस महात्मा बसवेश्वर ने हिन्दू धर्म एवं वर्ण व्यवस्था को ललकारा, समता एवं बन्धुत्व पर आधृत समाज-परिवर्तन का विचार रखा, अस्पृश्यता-निर्मूलन कार्यक्रम को अंजाम दिया, मनुष्य-मनुष्य में भेदभाव को चुनौती दी और उसके लिए हौतात्म्य का अंगीकार किया, उसी मंगळवेढा गाँव में अछूत होने में खुशी मानने वाला चोखामेळा का जन्म होता है, इसे काल का प्रतिशोध कहें या फिर ब्राह्मणी व्यवस्था द्वारा की गयी प्रतिक्रान्ति कहे? इसलिए यह अलग से समझाने की जरूरत नहीं है कि सन्त चोखा इन्हीं कारणों से सावरकर के नाटक का नायक बनता है!

सावरकर का यह नायक काफी स्पष्ट है। बुद्धिवाद एवं ज्ञान के एवरेस्ट समझे जाने वाले सावरकर का यह नाटक निरर्थक बातें, भूत कथा, चमत्कार एवं मुस्लिम विषयक परम द्वेष से युक्त नाटक है। ऐसा कहा जाता है कि सावरकर छूआछूत के खिलाफ थे, हिन्दू धर्म सुधारवादी थे, परन्तु ऐसा ही कहना पड़ता है कि यह नाटक उन्होंने छूआछूत का समर्थन करने के लिए ही लिखा है। इस नाटक में चोखामेळा का यह संवाद "अतिशूद्र भी जो काम नहीं करेंगे, वह मेरे हिस्से में आया है, इसे मैं अपना सौभाग्य मानता हूँ। अतः मेरी खुदा से विनती है कि वह मुझे हर जन्म में दलित ही बनाएँ।" किस बात का समर्थन करता है? यह चोखा नामक दलित सन्त

मात्र व्यवस्था के आगे ही घुटने नहीं टेकता बल्कि ब्राह्मणी व्यवस्था कायम रखने के लिए खुदा से प्रार्थना करता है कि वह उसे हर जन्म में दलित बनायें। ब्राह्मणी व्यवस्था का इतना नग्न समर्थन दूसरा नहीं हो सकता।

चोखामेळा आगे चलकर अपने बेटे से कहता है–"बेटा ब्राह्मणों के सम्बन्ध में ऐसे शब्द बोल कर तू अपनी ज़बान को अपवित्र मत कर। हमारे हिन्दू धर्म के महादेव का तृतीय ज्ञाननेत्र ही ब्राह्मण होता है। ब्राह्मण था इसीलिए संसार में ब्रह्मज्ञान शेष रहा।" चोखोबा का यह कथन बड़ा स्पष्ट है। अतः यह कहना पड़ता है कि सावरकर के उन्मत्त ब्राह्मणी घमण्ड का शब्द रूप ही यह 'संगीत उःशाप' नाटक है। ब्राह्मणों को अपनी उच्चता कायम रखने के लिए गन्दगी ढोने वाले दलित चाहिए। दूसरों को पवित्र एवं शुचिर्भूत रखने के लिए गन्दगी में काम करने वाले दलित उन्हें बड़े प्रतीत होते हैं। छूआछूत एवं वर्णव्यवस्था का यह खुला समर्थन सावरकर के तथाकथित समाज-सुधारक रूप पर प्रकाश डालता है।

इस नाटक के दो उद्देश्य हैं। एक हिन्दू धर्म तथा ब्राह्मणों का श्रेष्ठत्व रेखांकित कर वर्णव्यवस्था का समर्थन करना और जनमानस में हर दर्जे का मुस्लिम द्वेष पैदा करना और विशेषतया अछूत जाति-जनजातियों में मुस्लिमों के प्रति शत्रुता निर्माण करना ताकि वे धर्मान्तर की ओर न मुड़ें। सावरकर बैरिस्टर थे, विद्वान थे, किन्तु साम्राज्यवादी ईसाई इतिहास ने उनका पूरा 'ब्रेन वॉशिंग' किया था अथवा अपनी विचारधारा के अनुपूरक के रूप में उसे स्वीकार किया था और अन्य यूरोपियन लेखकों द्वारा क्रूसेड प्रणीत नफरत से चित्रित इस्लाम तथा मुस्लिमों के विकृत इतिहास का भूत उनके दिमाग पर हावी था। प्रस्तुत नाटक से यही साबित होता है कि हर दर्जे के मुस्लिम द्वेष पर आधारित हिन्दू राष्ट्रवादी दर्शन के समर्थक सावरकर वस्तुनिष्ठ विचार कर ही नहीं सकते।

इतिहास की कल्पित कथा कहते-कहते वे चोखामेळा के कथ्य में मुस्लिम सूबेदार का पात्र गठित करते हैं। स्वयं की जान बचानी है, तो वह मुस्लिम बन जाये। फिर वह दुष्ट मुस्लिम सूबेदार चोखा के सम्मुख यह विकल्प रखता है कि इसके उत्तर में मुस्लिम धर्म के तत्त्वों के रूप में जो लिखा है, वह सब विकृत एवं गलत है। चोखोबा कहता है–"मुस्लिम धर्म में काफिर का स्पर्श नहीं करते। काफिर का पुनर्जन्म नहीं होता, उसे मुक्ति नहीं फिर उससे तो हिन्दू धर्म ठीक है आदि आदि...।" (तो ऐसा कहें कि पुनर्जन्म ले कर दलित नहीं बन सकता इसलिए मुस्लिम धर्म नहीं चाहिए।) सावरकर का यह प्रतिपादन नितान्त गलत है। मुस्लिमों में छूआछूत बिल्कुल नहीं होती। यही नहीं बल्कि शव को छूना, मरणाशौच जैसी बातों को वे अशुभ मानते हैं। आगे सावरकर दिखाते हैं कि इस्लाम में पुनर्जन्म तो किसी को भी नहीं मिलता। चोखोबा द्वारा धर्मान्तर न किये जाने पर मुस्लिम सैनिक उसे जान से मारने की

कोशिश करते हैं, तब, भगवान कृष्ण उसे बचाते हैं। ऐसा माना जाता है कि गाँव के बाहर की दीवार के गिरने से चोखोबा की मृत्यु हुई। कुछेक के मतानुसार उसे जान से मारा गया। परन्तु सावरकर उसकी मृत्यु की जिम्मेदारी मुस्लिम सैनिक के माथे मढ़ने का प्रयत्न करते हैं। उसके बाद के पूरे कथ्य में असंख्य औरतों का भोग करने वाला मुस्लिम सूबेदार, मुसलमान सैनिकों द्वारा भ्रष्टता का उद्योग, शंकर का सिकंदर बनना, नारी लम्पट नारभट देवी सिंह, इब्राहिम, कमलिनी का सूबेदार को कटार भोंककर मारना जैसी बातों की भरमार उन्होंने की है। इनसे सावरकर की सोच स्पष्ट होती है। सूबेदार बंगशखान का एक संवाद देखिए—"मैंने आजतक इतनी हिन्दू लड़कियों को भ्रष्ट किया है, कि सैंकड़ो मुसलमान मुझे इस्लाम का प्रचारक एवं इस्लामी सन्तान बढ़ाने वाला नया धर्मवीर मानने लगे हैं। यह संवाद सावरकर की सोच को स्पष्ट करता है। भड़कीले एवं अतिरंजनतापूर्ण वक्तव्यों द्वारा मुस्लिम विषयक शत्रुता बढ़ाने जैसे हिन्दुत्ववादी टेकनीक का आरम्भ सावरकर ने ही किया। यही कारण है कि वे हिन्दूत्ववादियों के ईश्वर बने हुए हैं।

मुस्लिम राज्यकर्ताओं के वर्णन के अनुसार वे लगातार दूसरों को (हिन्दुओं को) भ्रष्ट करते ही जा रहे थे, लेकिन ऐसी स्थिति नहीं थी। सावरकर का मुस्लिम द्वेष एक विकृति बन गयी है। मुस्लिम पात्रों के चित्रण में वे अपना विवेक और मानसिक सन्तुलन खो चुके हैं। नाटक चोखोबा के विषय में और उसमें मुस्लिम पात्रों को घुसेड़ कर भड़कीला और हद दर्जे का जातिवाद कायम करने का प्रयास किया है। तत्कालीन महाराष्ट्र की परिस्थितियाँ भिन्न थी। 16वीं सदी के सन्त शेख सलीम ने कहा है कि 'हम जाति से ब्राह्मण हमारे सगे साईं मुसलमान।' अन्य कवि लतीफ शाह कहते हैं कि 'लतीफ शाह मुसलमान परम श्रद्धालु वैष्णवजन', ऐसी हकीकत के होते हुए भी सावरकर ने नाटक में मंगळवेढा में ईसाई-धर्मांतर के प्रसंगों को घुसेड़ा है। 16वीं सदी से महाराष्ट्र में जन-जीवन के स्तर पर भक्ति आन्दोलन के रूप में मिश्र संस्कृति का आरम्भ हुआ था; इस बात का उन्हें विस्मरण हुआ है। हद दर्जे की धर्मवादी विकृति के चलते विद्वान मनुष्य कैसे सन्तुलन खोता है इसका सावरकर बड़ा उदाहरण है। सावरकर के मनोविश्लेषणात्मक अध्ययन के लिए यह नाटक उपयोगी है। डॉ. लिंबाले ने उस पर प्रकाश डालकर बड़ा महत्त्वपूर्ण काम किया है।

सावरकर के पश्चात् विदर्भ के प्रख्यात उपन्यासकार म. त्र्यं. माडखोलकर कृत 'चन्दनवाड़ी' शीर्षक उपन्यास को जान लेना उद्बोधक सिद्ध होगा। डॉ. लिंबाले द्वारा चुना गया यह उपन्यास ब्राह्मणी सोच की पड़ताल के लिए महत्त्वपूर्ण है और उन्होंने अपने ढंग से माडखोलकर के ब्राह्मण्य पर प्रकाश डाला है। किन्तु इसमें कुछ महत्त्वपूर्ण बातें छूट गयी हैं। माडखोलकर का यह उपन्यास छूआछूत निर्मूलन

को लेकर हिन्दू समाज व्यवस्था के सम्बन्ध में कोई भी मत व्यक्त नहीं करता। हिन्दुत्ववादी माडखोलकर द्वारा तो वह सम्भव ही नहीं। रखमा नामक एक किसान की बेटी चन्दन तथा उसकी दलित सहेली हीरा और मालगुजार देशपाण्डे का बेटा अवधूत की यह कथा है। उस काल में अर्थात् सन् 1940 के दरमियान आम्बेडकर आन्दोलन के नाम से जो विचार चर्चा में थे, उन्हें दलित अभिमन्यु की ज़बान से कहलवाया गया है। इसी के लिए माडखोलकर ने हीरा नामक दलित लड़की का पात्र खड़ा किया है और उसके भाई अभिमन्यु को इस कथा में लाया है।

माडखोलकर का यह उपन्यास छुआछूत एवं अछूतों पर होने वाले अत्याचारों पर अधिक भाष्य नहीं करता। इस उपन्यास का मुख्य उद्देश्य हिन्दू धर्म सुधार न होकर हिन्दू धर्म में स्थित अस्पृश्यता के कारण हुए धर्मान्तर हैं। उसी तरह अछूतों पर अन्याय बरकरार रह कर फिर देश विभाजन न हो, इसलिए हिन्दुओं को अछूतों पर अन्याय की रोकथाम जरूरी प्रतीत होती है। यानी कि उसका प्रमुख उद्देश्य धार्मिक अल्पसंख्यकों के कारण भारतीय हिन्दू राष्ट्रवाद के सम्मुख पैदा हुई चुनौतियों पर चर्चा करना है। 'चन्दनवाड़ी' में कहीं भी दलितों की स्वतन्त्रता, समता आदि पर बहस नहीं है। उलटे हिन्दू, मुस्लिम, दलित ईसाई पात्र तत्कालीन राष्ट्रवाद के सामने स्थित खतरों को सवालों के रूप में उभार कर लाते हैं। लेखक के हिन्दुत्ववादी होने के कारण उसमें मुस्लिम और ईसाई पात्र आयेंगे ही, यह परम्परा माडखोलकर ने कायम रखी है।

अतः 'चन्दनवाड़ी' दलितों के प्रश्न उभारने वाला उपन्यास न होकर धर्म एवं राष्ट्रवाद की बहस करने वाला उपन्यास है। यह ब्राह्मणी तथा हिन्दू धर्म के मूल्यों की सिफारिश करने वाला उपन्यास है। कोल्हटकर के जैसा सुधारवाद भी उसमें नहीं है। उसी तरह एक ओर दलित अभिमन्यु आम्बेडकरी विचार व्यक्त करता दिखता है। वह पूछता है—"हिन्दूत्व का ऐसा कौन-सा अधिकार हमें मिला है कि जिसकी अभिलाषा में हम स्वयं को हिन्दू कहलवायें।" आगे वह कहता है, 'मुस्लिमों का जैसा अलग देश है, वैसे दलित भी अलग राष्ट्र है।' अभिमन्यु ऊपर से आम्बेडकर का अनुयायी प्रतीत होता हुआ भी उसकी वाणी से हिन्दुत्ववादी माडखोलकर ही बोल रहे हैं। वह कहता है, 'एक ही गाँव में रहने वाले हिन्दू और मुसलमान जितने परस्पर दूर एवं स्वतन्त्र होते हैं, उतने ही हम विभक्त हैं।' यहाँ माडखोलकर सीधे-सीधे धर्म जैसे जनसमूह निर्माण करते हैं। अलग-अलग धर्म के जनसमूह परस्पर पूर्णतया अलग होते हैं, हिन्दूत्ववादियों का यह चहेता मोनोलिथ का सिद्धान्त उनके मुँह से निकला है। अभिमन्यु कहता है, 'भ्रष्ट होकर पराये धर्म में जाने वाला प्रत्येक अछूत अपने धर्म का, संस्कृति का तथा देश का कमोबेश शत्रु बनता है, हिन्दू इसे नहीं समझते, ऐसी उनकी अप्रत्यक्ष शिकायत है। इसका मतलब क्या होता है। यानी कि

हिन्दुस्तान के जिन शूद्र तथा अतिशूद्रों के धर्मान्तर हुए, वे सभी भ्रष्ट बनवाए गये। भ्रष्ट करवाने का विधान मुखर है।

दूसरी बात यह है कि अन्य धर्म जिसमें धर्मान्तर हुआ, वह हिन्दू धर्म का शत्रु बनता है। हिन्दुत्ववादियों का यह चहेता समीकरण उसमें निहित है। वह जनसमूह हिन्दू धर्म का शत्रु क्यों बनता है, यह इस उपन्यास में नहीं बताया गया है। किन्तु यह सूचित होता है कि दूसरे धर्म हिन्दू धर्म की जान लेने पर तुले हुए हैं। धर्म और धर्म की शत्रुता का सिद्धान्त हिन्दुत्ववादियों का चहेता सिद्धान्त है। आगे एक स्थल पर अभिमन्यु कहता है–'मुस्लिम एवं ईसाईं इन दोनों धर्मों का आक्रमण हमारी जाति पर कई तरह से बड़ी मात्रा में चल रहा है, यहाँ पर दलित के मुँह से माडखोलकर यह कहलवाते हैं कि ये धर्म अछूत पर आक्रमण कर रहे हैं तथा धर्मान्तर ही भारत के विभाजन का कारण है। दलितों को धर्मान्तर नहीं करना चाहिए, अन्यथा देश के सम्भाव्य खतरों को देखते हुए छुआछूत खत्म करने की बात दलित के मुँह से कहलवाते हैं। और यों एक पत्थर से कई पंछियों का शिकार करते प्रतीत होते हैं। वे यह भी कहते हैं कि धर्मान्तर अछूतों पर आक्रमण सदृश है। वे यह छिपाते हैं कि ब्राह्मणी अत्याचारों से मुक्ति के लिए धर्मान्तर हुए तथा समता और बन्धुत्व के लिए नहीं बल्कि देश की एकता के लिए अस्पृश्यता को खत्म करने की बात कहते हैं। हिन्दू समाज व्यवस्था के तत्त्वों के कायम होते हुए अस्पृश्यता कैसे खत्म होगी। यानी माडखोलकर कृत 'चन्दनवाड़ी' सावरकर प्रणीत ब्राह्मणी हिन्दू राष्ट्रवाद का प्रस्तुतिकरण करने वाला उपन्यास है। इसी कारण इसका दलित पात्र अभिमन्यु ऊपरी तौर पर आम्बेडकरी विचारों का अनुयायी प्रतीत होता है, फिर भी वह असल में ब्राह्मणी मूल्यों का समर्थन करने वाला व्यवस्था समर्थक दलित है।

डॉ. लिंबाले ने अपने आलोचनात्मक ग्रन्थ में विदर्भ के एक और उपन्यासकार र. वा. दिघे द्वारा सन् 1966 में लिखित 'कार्तिकी' शीर्षक उपन्यास की पड़ताल की है। डॉ. आम्बेडकर के धर्मान्तर एवं बौद्ध धर्म के अंगीकार की पृष्ठभूमि में लिखित तथा उसके दलित पात्र द्वारा बौद्ध धर्म के स्वीकार का चित्रण होने से डॉ. लिंबाले को यह उपन्यास अन्य उपन्यासों की तुलना में बेहतर प्रतीत होता है। किन्तु डॉ. लिंबाले की दृष्टि में र. वा. दिघे के आम्बेडकरी विचारों से प्रभावित होने के बावजूद भी उनके इस उपन्यास में ब्राह्मणी मूल्यों के श्रेष्ठत्व का एहसास माडखोलकर की तुलना में अधिक तीव्र है। यह ब्राह्मण आबासाहब इनामदार का बेटा हेरंब तथा कान्हया नामक बुजुर्ग दलित की कार्तिकी नामक अति सुन्दर बेटी की कहानी है, जिसमें हिन्दू-मुस्लिम तथा धर्मान्तर की समस्या का अन्तर्भाव करने हेतु दिघे ने मुसलमानों की पीरवाड़ी, मुसलमान बूढ़ा सेठ, उसका बेटा नासिर, जबरदस्ती करने वाले गुनहगार मुसलमान जैसी बातें घुसेड़ दी हैं। यहाँ मुसलमानों से सम्बद्ध प्रसंगों

से इस बात की प्रतीति होती है कि सांचे में ढली विकृत प्रतिमाएँ प्रस्तुत कर धार्मिक संघर्ष चित्रित किये बगैर हिन्दुत्ववादियों का कोई भी लेखन पूरा नहीं होता। इसी कारण लेखक यह दिखा सका है कि इस्लाम की अपेक्षा बौद्ध धर्म में हुआ धर्मान्तर बेहतर होता है।

डॉ. लिंबाले ने दिघे के लेखन में व्यक्त होता ब्राह्मण्य, कार्तिकी को देखकर 'वह कैसे बनिया-ब्राह्मणों की तरह दिखती है? 'उसकी माँ पारसी के यहाँ नौकरी करती थी अतः वह सुन्दर दिखेगी ही' जैसे संवाद ब्राह्मण पात्रों के मुँह से सुनाई पड़ते हैं। यानी यह समझाना चाहा है कि दलित महिलाएँ व्यभिचारी ही हैं। इन जैसी बातों पर डॉ. लिंबाले ने प्रकाश डाला है। दिघे ने कार्तिकी के दलित बाप को लाचार एवं व्यवस्था शरण दिखाया है। चोखामेळा की भाँति कितने भी अत्याचार क्यों न हों, वह हिन्दू धर्म-त्याग नहीं करता। ब्राह्मण हेरंब जब कार्तिकी को पकड़ने का प्रयास करता है, तब कार्तिकी का बाप सुरक्षा के उद्देश्य से उसे पीरवाड़ी स्थित बूढ़ा सेठ के घर काम करने के लिए भेजता है, जिससे हिन्दुओं का माथा भड़कता है। उन्हें यह बात सालती है कि मुसलमान कार्तिकी को भोगे बगैर नहीं छोड़ेंगे। इसका मतलब क्या है? हिन्दू उसका भोग करें, तो चल सकता है, क्योंकि सवर्ण होने के नाते यह उनका अधिकार है। मुसलमानों द्वारा उनका यह अधिकार न छीन लिया जाये, इसलिए वे उसके बाप को फटकारने के लिए दलित-बस्ती में जाते हैं और फिर आगे दलित बस्ती का अत्यन्त गन्दा चित्रण दिघे ने किया है। वहाँ पर मरे हुए बैल को टँगा दिखाना, उसका मांस घर ले जाते हुए दलितों का चित्रण, हाड़की* की गन्दी बंजर भूमि आदि को दिखाना। वजह स्पष्ट है, लेखक यही दिखाना चाहता है कि दलित कितने गन्दे होते हैं? कान्हया बेरोजगारी के हालातों में मजबूरन कार्तिकी को फिर से इनामदार की कोठी पर काम के लिए भेजने लगता है। कार्तिकी और हेरंब का प्रेम प्रकरण आरम्भ होता है और कार्तिकी को भोगने का अवसर हेरंब को मिल ही जाता है। यानी ब्राह्मण अपना जन्मसिद्ध अधिकार पाकर रहता है। कथा में धर्मान्तर हिन्दू-मुस्लिम समस्या को लाना भी आसान बन जाता है। हेरंब के बर्ताव से यह स्पष्ट होता है कि वह किस तरह पुरुषी प्रभुत्व एवं ब्राह्मणी सोच का नमूना है। विशेषतया कार्तिकी को भोगने के बाद उसे उसकी जाति का स्मरण हो आता है, तब तक नहीं। फिर वह अपने द्वारा हुए इस पातक पर शल्य महसूस करता है। यह पातक कार्तिकी पर किये गये बलात्कार का नहीं है, बल्कि अछूत औरत को भोगने से अपनी देह की हुई अपवित्रता से उपजा है। अपनी देह अपवित्र बन जाने

---

* महाराष्ट्र में महार नामक दलित जनित के लोगों को गाँव के बाहर भेंट स्वरूप प्राप्त भूमि को हाड़की कहते हैं।

का शल्य हेरंब को महसूस होता रहता है। जबकि एक अछूत युवती की जिन्दगी से किये गये खिलवाड़ का उसे जरा भी पछतावा नहीं होता। इस तरह का लेखन करने वाले र. वा. दिघे क्या आम्बेडकरी विचारों के लेखक लगते हैं?

उससे भी भयावह बात यह है कि कार्तिकी को अपने से अधिक चिन्ता ब्राह्मण हेरंब के कुल की है। वह उसे कहती है कि 'मैं तुम्हारी बरबादी सहन नहीं कर सकती।' उसका बाप भी उसे कहता है, 'उनके बेटे को भ्रष्ट मत कर, उनकी बिरादरी को अपवित्र न कर।' हेरंब की रक्षा के लिए वह कहती है कि उसके पेट में मुसलमान का बच्चा पल रहा है। दलित कान्हया और उसकी जवान बेटी कार्तिकी की यह व्यवस्था शरणता उनकी लाचारी और असहाय स्थिति न होकर, ब्राह्मणी हिन्दू धर्म द्वारा उन पर लादी गयी दासता किस तरह उनके दिलों-दिमाग में घुल-मिल गयी है, यह स्पष्ट कर देती है। उपन्यासकार दिघे यह तो नहीं दिखाना चाहते कि दलित किस तरह ब्राह्मणों के समर्थक हैं। यहाँ सवाल यह है कि विदर्भ में हुए आम्बेडकरी आन्दोलन के पश्चात् क्या दलितों की मानसिकता इतनी गुलाम थी कि यहाँ यह सन्देह भी पैदा होता है कि क्या दिघे प्रति-क्रान्ति की सोच पैदा करने की कोशिश कर रहे हैं? यद्यपि यह सच है कि अनेक दलित परिवारों में विट्ठल-भक्ति होती है, फिर भी वस्तुस्थिति यह है कि आम्बेडकरी आन्दोलन के बाद दलित ब्राह्मणों के हिमायती नहीं रहे। उपन्यासकार र. वा. दिघे का भीतरी ब्राह्मण इस वस्तुस्थिति को स्वीकार नहीं कर पाया है।

डॉ. लिंबाले ने प्रस्तुत आलोचनात्मक ग्रन्थ में दक्षिण भारत के प्रसिद्ध लेखकों के उपन्यासों की चर्चा भी की है। वे उपन्यास हैं—मलयालम भाषा के लेखक तकषी शिवशंकर पिल्लै कृत 'चिंगारी' और कन्नड़ लेखक शिवराम कारंत कृत उपन्यास 'चोमा महार'। ये दोनों लेखक ज्ञानपीठ से गौरवान्वित हुए हैं। डॉ. लिंबाले ने उनके उपन्यासों में व्यक्त सोच की चर्चा की है। 'चिंगारी' उपन्यास में पिल्लै ने भंगी समाज के जीवन का यथार्थ चित्रण तटस्थता के साथ किया है। पिल्लै ने भंगी पात्रों के चित्रण में ब्राह्मणी मूल्यों को घुसेड़ने का प्रयत्न नहीं किया है। हमारे मतानुसार इस आलोचनात्मक संग्रह का यह सर्वाधिक सकारात्मक एवं यथार्थवादी उपन्यास है। ऐसा प्रतीत होता है कि पिल्लै ने भंगियों का जीवन, उनका जीना-मरना बहुत नजदीक से देखा-परखा है। कथारूप में उसको विश्लेषित करते हुए वे कहीं भी उस पर अपनी सोच को हावी नहीं होने देते।

मलयालम समाज दक्षिण भारत के अन्य प्रदेशों की तुलना में काफी भिन्न हैं, फिर भी वहाँ कई प्रगतिशील विचार एवं आन्दोलनों का उदय हुआ है। इसलिए पिल्लै का यह उपन्यास अतिशूद्रों का जीवन जीने वाले भंगियों के जीवन पर स्पष्ट प्रकाश डालता है। अत्यन्त गन्दा काम करने वाले भंगियों की तीन पीढ़ियों की कथा

उसमें है। इशुकमुतू नामक एक भंगी अपने बेटे की नौकरी के लिए ओवरसियर को एक माह के वेतन की घूस देकर नौकरी दिलवाता है। सदैव गन्दा काम करने से उसके बेटे चुडलमुतु के नाक एवं होंठ के स्नायु ऊपर की ओर खींचे जैसे हो जाते हैं। उसे यह चिन्ता है कि क्या अपना मुँह ऐसा ही टेढ़ा हो जायेगा? जोसेफ नामक एक धर्मांतरित ईसाई भंगी भी उपन्यासकार ने दिखाया है। यानी धर्मान्तर कर ईसाईं बनने के बावजूद भी वह भंगी ही बना हुआ है। यह त्रासद वस्तुस्थिति उपन्यासकार ने प्रस्तुत की है। उनके गन्दे काम को लेकर लोगों में कोई सहानुभूति नहीं है। उलटे उनकी शिकायत है कि भंगी अच्छा काम नहीं करते। भंगी कहते हैं कि लोगों को उनके घर में स्थित शौचालय का एहसास कराये बगैर भंगी की महत्ता उनकी समझ में नहीं आएगी। भंगियों का शोषण इस हद तक है कि उन्हें काम पाने के लिए नगर निगम के अधिकारियों को घूस देनी पड़ती है। अपना वेतन क्या है यह उन्हें पता नहीं। अपने अधिकारों के लिए वे यूनियन की स्थापना करते हैं। जिन्दगी में बहुत अधिक पाने की महत्त्वाकांक्षा रखने वाला चुडलमुतु यूनियन से अपने को दूर नहीं रखता है। नगर निगम के अधिकारी उसका इस्तेमाल कर भंगियों की यूनियन में फूट पैदा करते हैं। उसके द्वारा जमा किये गये रुपये माँग कर उसका विश्वासघात करने की साजिश रचते हैं और बाद में नगर निगम ही भंगियों के संगठन की स्थापना करती है। इस घटनाक्रम के जरिये उपन्यासकार भंगियों के शोषण के सभी पहलू चित्रित करते हैं। कालान्तर में चुडमुतु का ब्याह होता है।

भंगी होने के बावजूद चुडलमुतु सफेदपोश जीवन का स्वप्न देखता है। उसकी पत्नी सिल्क की साड़ी पहन कर एर्नाकुलम की खाड़ी के किनारे टहलने जाती है। हनीमून से लौटने के पश्चात् वह रुपयों के पीछे दौड़ता है। अन्य भंगियों को सूद पर रुपये उधार देने लगता है और अन्य भंगियों का शोषण करता है ऐसी अनेक बातें लेखक ने दिखाई हैं। वह इस बात से चिन्तित है कि 'जिन हाथों से मैं शौच सफाई का काम करता हूँ क्या उन्हीं हाथों से अपने बच्चे को उठाया जाये?' वह तय करता है कि अपने बेटे को भंगी नहीं बनने देगा। स्कूल में अन्य नाम से प्रविष्ट होने के बावजूद उसके अध्यापक भी उसे भंगी कहकर नाक-भौं सिकोड़ते हैं। अन्त में कॉलरा की महामारी में माँ-बाप की मृत्यु के बाद (चुडलमुतु का बेटा मोहन) भंगी का ही काम करने लगता है। यह काम करते-करते भंगी यूनियन का अध्यक्ष बनता है और भंगियों को संगठित करता है। उन्हें पूरी तनख़्वाह मिलने के लिए प्रबन्ध करता है। यूनियन के काम के फलस्वरूप वे सुबह भंगियों का काम करते हैं और संध्याकाल में स्वच्छ कपड़े पहनकर समुद्र तट पर घूमने जाते हैं। डॉ. लिंबाले ने इस सम्बन्ध में कुछ प्रश्न खड़े किये हैं। उनके अनुसार क्या केवल पूरी तनख़्वाह पाना, सिगारेट के कश लगाना और समुद्र तट पर घूमना यही भंगियों के जीवन

का अन्तिम उद्देश्य हो सकता है? मैला ढोने जैसे निन्दनीय काम का क्या? लिंबाले द्वारा खड़े किये गये उक्त सवालों के महत्त्वपूर्ण होने के बावजूद 1947 में लिखे गये इस उपन्यास में वर्णित स्थितियों में अब भी विशेष फर्क नहीं पड़ा है। सोलापुर में ओ.बी.सी. आन्दोलन में काम करते हुए पिल्लै द्वारा चित्रित विभिन्न बातें ही देखने में आयीं। भंगी ही भंगियों का शोषण करते दिखे। भंगियों में शिक्षा की स्थिति अत्यल्प है। हिन्दू भंगी और मुस्लिम भंगी का भेद शासन करता है। हिन्दू भंगियों को संरक्षण मिलता है, पर वह भंगियों के काम के सम्बन्ध में ही मिलता है। आजादी के साठ साल बाद भी उनकी स्थितियाँ, उनके हालात कायम हैं। आरम्भ में कहे अनुसार भंगियों का जीवन, उनकी सोच, सुख-दुःख के सम्बन्ध में उनकी मानसिकता को पाठकों के समक्ष रखना पिल्लै का उद्देश्य है।

भंगियों द्वारा यूनियन की स्थापना के बाद सवर्णों के बीच उत्पन्न भय का चित्रण भी पिल्लै ने तटस्थता के साथ किया है। सवर्ण सोचते हैं कि हमारे मन में डर है इन सभी (भंगी) की धधकती भावनाओं का। हमारे मन में उत्पन्न यह भय क्या केवल भय है? क्या हम ऐसा कह सकते हैं कि उन पर किये गये अन्याय के प्रति अपराध भाव उसके पीछे बिल्कुल नहीं है? उपन्यासकार द्वारा खड़े किये गये ये सवाल महत्त्वपूर्ण हैं, जिनके द्वारा सवर्णों का अपराध भाव स्पष्ट रूप में व्यक्त हुआ है। पिल्लै सूचित करते हैं कि इस प्रश्न की ओर सीमित अर्थ में नहीं देखना चाहिए। जैसाकि डॉ. लिंबाले कहते हैं यदि इस जागे हुए ज्वालामुखी के साथ समता का व्यवहार न किया गया तो जो विस्फोट होगा उसमें व्यवस्था खाक बन जायेगी। यही निर्देश उपन्यासकार पिल्लै देते हैं। यानी कि पिल्लै ने सवर्णों द्वारा किये जा रहे भयावह जुल्म का एहसास कराने का प्रयास किया है। लिंबाले के मुताबिक इस उपन्यास में से स्व-संरक्षण का इरादा नहीं व्यक्त हुआ है। उनका यह मत कि 'अपराध बोध सुरक्षा के कारण ही प्रकट होता है', मुझे उचित प्रतीत नहीं होता। ऐसा प्रतीत होता है कि अब भी समता की स्थापना को रोकने पर क्या होगा, इसका एहसास कराने का प्रयत्न पिल्लै ने किया है। इस सन्दर्भ में डॉ. लिंबाले ने उलटे-सीधे मत व्यक्त किये हैं। एक बार वे कहते हैं कि यह उपन्यास सूचित करता है कि इतिहास में हुई गलतियों को गम्भीरता से समझें और उन्हें सुधारें। स्थापित समाज इस सूचना को गम्भीरतापूर्वक लें, इसलिए मोहन नगरपाल की इमारत में आग लगाता दिखता है। यह कहकर लिंबाले आगे लिखते हैं कि यह उपन्यास एक ओर स्थापितों को सावधान करने तथा दूसरी ओर भंगियों को अपना काम करते रहने की सलाह देता है। डॉ. लिंबाले का यह निष्कर्ष उपन्यासकार पर अन्याय करने वाला है। उलटे उपन्यासकार ने यह सूचित किया है कि यह अन्यायकारी प्रथा बन्द नहीं हुई तो ज्वालामुखी का विस्फोट होगा। पूरे उपन्यास में पिल्लै ने कहीं भी

हिन्दू समाज व्यवस्था अथवा भंगियों के काम का समर्थन नहीं किया है। उन्होंने इसमें भंगी-जीवन की लाचारी ही दिखाई है। सोलापुर में काम करने के दौरान सन् 2000 के बाद भी भंगियों के कार्यकर्ता हमारे पास इस शिकायत को लेकर आते थे कि महापालिका के अधिकारी गली के भंगियों को काम देना टालते हैं और बाहर के भंगियों को काम देते हैं। इसी यथार्थ का चित्रण उपन्यासकार पिल्लै ने किया है। यह उपन्यास सवर्णों को चेतावनी देता है और भंगियों की लाचारी दर्शाता है।

दलितेतर लेखक द्वारा दलित जीवन को केन्द्र में रखकर लिखा गया 'चोमा महार' नामक बहुचर्चित उपन्यास ज्ञानपीठ विजेता लेखक शिवराम कारंत का है। डॉ. लिंबाले ने इस उपन्यास में स्थान-स्थान पर व्यक्त ब्राह्मणी सोच की चीर-फाड़ की है। गाँवों की दलित बस्ती में कॉफी के खेत में बेगारी के दौरान महारों का किया जाने वाला शोषण यह उपन्यास दिखाता है। किन्तु यद्यपि कारंत ने दक्षिण कन्नड जिले में होने वाले छुआछूत के सवाल को इसमें उठाया है, फिर भी मलयालम रचनाकार पिल्लै की भाँति स्वजाति से परे नहीं जा पाये हैं। यहाँ तक कि नायक 'चोमा महार' का चरित्र-चित्रण भी व्यवस्था शरणवादी के रूप में हुआ है। चोमा को जंगल मे दो बछड़े मिलते हैं। दो बैलों के मिलने से वह किसान बनने के बारे में सोचता रहता है। उसका मालिक उसे परती भूमि भी नहीं देता, यहाँ तक कि काश्तकारी के लिए भी उसे भूमि नहीं मिलती। उसका मालकि कहता है कि यह उसके भाग्य का दोष है। मालिक भूमि नहीं देता और सरकारी भूमि मिलने पर मालिक की चाकरी जायेगी इस डर से वह जमानत नहीं करता। ईसाईं पादरी चोमा के ईसाईं बनने पर उसे भूमि देने को तैयार है किन्तु चोमा धर्मांतर के लिए राजी नहीं होता। अपनी पीड़ा को वह ढोल बजा कर उसकी आवाज में डुबो देता है। इस उपन्यास में मन्वेल नामक धर्मांतरित ईसाईं का चित्रण है, उसे भी महारों का शोषण करते दिखाया है।

चोमा का बेटा लुखा धर्मान्तर करता है। मारी के साथ शादी कर चला जाता है। उसके दूसरे बेटे चनिया की मृत्यु हो जाने के पश्चात् चोमा अपनी जवान बेटी बेल्ली को मन्वेल के घर मजदूरी के लिए भेज देता है। मन्वेल बेल्ली का लैंगिक शोषण करता है। कॉफी की खेती का मालिक मिंगळे साहब भी उसका शोषण करता है। बेल्ली इतनी अधिक व्यवस्था शरण बन गयी है कि अपना शरीर दूसरों को सौंपने में उसे कतई संकोच नहीं होता। उलटे वह इस खुशी में है कि इस तरह वह पिता का पितृऋण अदा कर रही है। चोमा के नदी में डूबते बच्चों को केवल स्पर्श के भय से कोई भी नहीं बचाता। ऐसे संकटों एवं प्रसंगों में चोमा ढोल पीटता रहता है। इस उपन्यास में लेखक ने मात्र लाचार, बेबस एवं व्यवस्था शरण दलितों को दिखाया है। यह स्पष्ट नहीं होता कि वह मात्र यथार्थ का चित्रण करना चाहता है या फिर वर्ग व्यवस्था पर आधारित समाज को दिखाना चाहता है? एक ओर

यथार्थवादी प्रतीत होने वाला यह उपन्यास शिवराम कारंत की बेबस सोच को भी स्पष्ट करता है। वे बेबस हैं या ब्राह्मणवादी ग्रह भी स्पष्ट नहीं होता। उनके दलित पात्र शादी और खेती के लिए धर्मान्तर करते रहते हैं। चोमा की बेटी भी धर्मान्तर के ही बारे में सोचती रहती है। बेटी के आचरण के बारे में जानने के बाद चोमा उसकी गला दबाकर हत्या कर देता है। जी-जान से पाले हुए बैलों को जंगल में छोड़ देता है। हल जला देता है और दम टूटने तक ढोल पीटता रहता है। यह समूचा चित्रण अति नाटकीयता से पूर्ण है। शिवराम कारंत ने ढोल बजाने का नाट्य उसमें शामिल किया है। जैसाकि डॉ. लिंबाले ने कहा है, दलितों की समस्या की अपेक्षा उपन्यासकार के लिए नाटकीयता अधिक महत्त्वपूर्ण है। कारंत का यह उपन्यास पाठकों के सम्मुख समाज-परिवर्तन का कोई विचार नहीं रखता। उलटे इस बात पर जोर देता है कि ईसाई लोग किस तरह व्यभिचारी होते हैं। धर्मान्तर की समस्या को हिन्दू व्यवस्था के खिलाफ विद्रोह के रूप में न दिखाकर हिन्दुत्ववादियों का यह प्रिय समीकरण सिद्ध करने का प्रयत्न है कि दलित व्यक्ति स्वार्थ सिद्धि के लिए ही धर्मान्तर करते हैं। डॉ. लिंबाले ठीक इसी बात पर उंगली उठाते हैं। इस तरह शिवराम कारंत का अनभिज्ञता में स्थित ब्राह्मण्य उनके इस बहुचर्चित उपन्यास में से टपकता हुआ प्रतीत होता है।

प्रस्तुत आलोचनात्मक ग्रन्थ में ज्ञानपीठ पाने वाले कर्नाटक के दूसरे लेखक अनन्तमूर्ति के 'संस्कार' शीर्षक उपन्यास की चर्चा भी डॉ. लिंबाले ने की है। 'संस्कार' उपन्यास को ज्ञानपीठ पुरस्कार मिला है। यह उपन्यास दलित केन्द्रित न होकर ब्राह्मण समाज में व्याप्त भ्रष्टाचार एवं ब्राह्मण धर्म के दोष दिखाने वाला उपन्यास है। इसमें ब्राह्मणों के धर्माचरण, परम्परानिष्ठा, रूढ़िवादिता, कर्मकाण्ड, दकियानूसी एवं कट्टरपन्थी वृत्ति पर कसकर प्रहार किया है। ब्राह्मणों की व्यभिचारी वृत्ति और स्वार्थ पर उन्होंने बहुत खुल कर और बड़े ढाढ़स के साथ प्रकाश डाला है। ब्राह्मण-व्यवस्था कितनी सड़ी हुई है, यह दिखाया गया है इसमें। इन सभी कारणों से ही इस उपन्यास को ज्ञानपीठ पुरस्कार मिला होगा। इस उपन्यास में उच्च कुल के ब्राह्मण हैं, हीन कुल के ब्राह्मण हैं। उसमें से एक नारणप्पा ब्राह्मणी कट्टरता एवं रूढ़िवादिता को ललकारते हुए शराब पीता है, मांस-भक्षण करता है, वेश्यागमन करता है। प्लेग की महामारी आने पर ब्राह्मण उस पर उपाय-योजना करने की बजाय धर्म-ग्रन्थ खोजते बैठते हैं। प्लेग से मरे नारणप्पा का अन्तिम संस्कार नहीं करते। उसका अन्तिम संस्कार कौन करे? इस बात को लेकर विवाद पैदा होता है और इधर उसका शव सड़ जाता है और उधर ब्राह्मण धर्म-ग्रन्थों में उसका समाधान ढूँढ़ने बैठते हैं। एक भी ब्राह्मण उसका अन्तिम संस्कार नहीं करता। नारणप्पा की रखैल चन्द्री उसके अन्तिम संस्कार के लिए अपने सारे गहने निकाल कर ब्राह्मणों के

सम्मुख रखती है। ब्राह्मणों को सोना तो चाहिए मगर अन्तिम संस्कार के लिए कोई राजी नहीं है। अनन्तमूर्ति ने दिखाया है कि प्राणेशाचार्य असहाय चन्द्री को भोगता है और बाद में उन यादों में रम जाता है।

'संस्कार' उपन्यास में किये गये पक्षपात पूर्ण लेखन पर डॉ. लिंबाले ने हल्ला-बोल किया है। इस उपन्यास में चित्रित सभी रखैल औरतें दलित ही हैं। पियक्कड ब्राह्मण और मुसलमान को एक ही पंक्ति में बैठाया गया है। लेखक ने ब्राह्मण के मुख से पुरातन काल के ऋषि मुनियों के इतिहास के प्रमाण देते हुए दलित औरतों को भोगने का समर्थन ही किया है। अनन्तमूर्ति ने 'संस्कार' में यद्यपि सड़ी हुई ब्राह्मणी व्यवस्था पर प्रकाश डालने की कोशिश तो की है, परन्तु इसमें ब्राह्मणी-व्यवस्था के परिवर्तन का विचार प्रस्तुत नहीं किया गया है। यहाँ यह प्रश्न भी सताता है कि लैंगिक वासनांध ब्राह्मणों पर जोर देने का क्या कारण हो सकता है? बल्कि जैसाकि डॉ. लिंबाले कहते हैं, पूरे उपन्यास में केवल दलित औरतों को 'सेक्सी' दिखाया गया है। इसकी क्या वजह हो सकती है? ऐसा प्रतीत होता है कि शायद अनन्तमूर्ति के अवचेतन में ही लैंगिकता व्याप्त है। क्योंकि अनन्तमूर्ति इस उपन्यास में ब्राह्मण्य के सुधार के उपाय भी नहीं बताते, केवल चित्रण करते जाते हैं। 1973 में लिखे गये इस उपन्यास में घटित घटनाओं का काल भी स्पष्ट नहीं होता। इसमें मात्र ब्राह्मण्य की आलोचना के उद्देश्य से ये घटनाएँ आती हैं। अनन्तमूर्ति का भीतरी ब्राह्मण्य क्रान्तिकारी कदम उठाने को तैयार नहीं है। ब्राह्मणों की आलोचना करने के ढाढ़स को देखकर ही उन्हें ज्ञानपीठ पुरस्कार दिया गया होगा।

डॉ. लिंबाले ने अपने समीक्षात्मक ग्रन्थ में सुविख्यात बंगला लेखक शरतचन्द्र चट्टोपाध्याय द्वारा 1921 में लिखित 'ब्राह्मण की बेटी' शीर्षक उपन्यास की चर्चा की है। शरत के उपन्यासों में स्त्रियों के दुःख एवं पीड़ा को प्रभावशाली ढंग से चित्रित किया गया है। जिस काल में शरत लिख रहे थे, उस काल की तुलना में उनका लेखन निश्चय ही क्रान्तिकारी था। उन्होंने अपने उपन्यासों में स्त्रियों पर होने वाले अत्याचारों पर जोर दिया है। अपने साहित्य के माध्यम से उन्होंने तत्कालीन ब्राह्मणी एवं जमींदारी व्यवस्था की तीखी आलोचना की है। इसके बाचजूद उनका साहित्य ब्राह्मणी-व्यवस्था के खिलाफ जाकर हिन्दू समाज व्यवस्था का पुनर्विचार नहीं करता। डॉ. लिंबाले ने यह बड़े प्रभावशाली ढंग से स्पष्ट किया है कि शरत के लेखन में काल एवं ब्राह्मणी सोच की सीमाएँ हैं।

'ब्राह्मण की बेटी' उपन्यास में ब्राह्मणों में मौजूद उपजातियाँ, ऊँच-नीच का भेद, ब्राह्मणों की व्यभिचारी वृत्ति, अनमेल विवाह, बाल विवाह आदि कुप्रथाओं को उठाया गया है। पश्चिम बंगाल के बूढ़े ब्राह्मण कई छोटी उम्र की लड़कियों के साथ ब्याह करते थे और हर एक घर जाकर उसकी कीमत वसूल करते थे। इस बर्बर प्रथा की

शिकार औरत की यह कहानी है। उपन्यास में स्थान-स्थान पर स्त्रियों पर होने वाले अत्याचारों का वर्णन है। यह स्त्रियों की असुरक्षा का ज्वलन्त चित्रण है। शरत के लेखन में तत्कालीन ब्राह्मणी समाज व्यवस्था का यथार्थवादी चित्रण दिखता है। उसके परे वे नहीं जा पाते। ब्राह्मणी व्यवस्था को वे ललकार नहीं सकते। 'शेष प्रश्न' उपन्यास की क्रान्तिकारी व्यक्तित्व वाली नायिका कमल उर्फ शिवानी के जरिये उन्होंने पुरुष सत्ता व ब्राह्मणी व्यवस्था पर हल्ला-बोल किया था। उस अपवाद को छोड़ें तो उनके शेष उपन्यास मात्र व्यवस्था का ही चित्रण प्रस्तुत करते हैं। वे व्यवस्था के सम्मुख विवश नायिका एवं नायकों को दिखाते हैं। यह एक विचारणीय प्रश्न है कि तत्कालीन धर्म परम्परा इनके लेखन को तटस्थतापूर्वक किया गया यथार्थवादी लेखन कहे या फिर उनका भीतरी ब्राह्मण्य उन पर हावी था, ऐसा कहे। डॉ. लिंबाले ने लेखकों के इस रूप का पर्दाफाश किया है। डा. लिंबाले के प्रस्तुत आलोचनात्मक ग्रन्थ में महाराष्ट्र की दो विख्यात मराठी लेखिकाओं—विभावरी शिरूरकर एवं गोदावरी परुळेकर द्वारा लिखित क्रमशः 'बलि' एवं 'जब मनुष्य जागता है' शीर्षक दो उपन्यासों की चर्चा की गयी है। ये दोनों मराठी की सिद्धहस्त लेखिकाएँ हैं और हिन्दुत्ववादी लकीर से बाहर हैं। विभावरी शिरूरकर ने अपने 'बलि' उपन्यास में सोलापुर स्थित गुनहगारों की कालोनी समझी जाने वाली तथा 'सेटलमेंट' के नाम से परिचित गुनहगारी पेशा 'माँग-गारूडी' जनजाति का चित्रण किया है। ये दोनों अपने-अपने काल में मराठी के चर्चित उपन्यास थे। दोनों लेखिकाएँ आन्दोलन से सम्बद्ध होकर दलितों की पक्षधर बनकर लिखती दिखाई देती हैं।

विभावरी शिरूरकर का सन् 1950 में प्रकाशित 'वलि' सोलापुर की अपराधी जनजातियों के जीवन का चित्रण करने वाला उपन्यास है। ब्रिटिश कालखण्ड में डकैती एवं अपराध पेशा खानाबदोश एवं अन्य जनजातियों को सुधार हेतु एकत्रित कर उनकी बस्तियाँ बसायी गयीं। बाड़ बनाकर उन्हें रखा गया। स्कूलों की स्थापना कर उनके सुधार के प्रयत्न किये गये। इस उपन्यास का 'आबा गायकवाड' माँग-गारूडी है, जो हर रोज स्कूल नहीं जाता। उसका चाचा उसे सेवाग्राम ले जाकर रखता है। सेवाग्राम में 12 वर्ष रहकर वह गाँव लौटता है। कुछ इस तरह की कथा इस उपन्यास में है। कथा की प्रस्तुति के दौरान लेखिका डकैतों के शोषण पर भी प्रकाश डालती है। उनके साथ बरती जाने वाली सख्ती, दमनतन्त्र, अंग्रेज अधिकारियों का अशिष्ट एवं भ्रष्ट बर्ताव पर भी प्रकाश डाला गया है। और यह भी दिखाया गया है कि वे किस तरह व्यवस्था एवं शासकों के शिकार बनते हैं।

इस उपन्यास में ब्रिटिशकालीन घटनाओं का चित्रण हुआ है। सेटलमेंट के सुधार हेतु ब्रिटिश शासन द्वारा ईसाईं मिशनरी तथा सरकारी अधिकारी नियुक्त किये गये थे। डगन नामक एक ईसाईं औरत स्कूल का कामकाज देखती है। आबा गायकवाड

के चाचा उसे सुधारने हेतु सेवाग्राम भेजने के नतीजे पर पहुँचते हैं। डगन मैडम इस बात से नाराज होकर आबा के माँ-बाप को काम से निकाल देती है। आबा द्वारा सेवाग्राम से पढ़कर लौटने पर अंग्रेज अधिकारी उसे नौकरी भी नहीं देते। सवर्ण समाज भी उसको स्वीकार नहीं करते। सेवाग्राम से लौटा आबा बदला हुआ है। उसे इस बात का शल्य है कि वह चोर जाति में जन्मा है। भलाई से पेश आने पर भी सोलापुर में अन्यत्र भी उसे नौकरी नहीं मिलती। अपनी जाति छिपाकर वह एक मिल में मजदूर बन जाता है, परन्तु वहाँ भी जाति का रहस्य खुलने पर पिटाई कर निकाल दिया जाता है। मारपीट के जुल्म में उसी पर केस दर्ज किया जाता है तथा उसे सजा दी जाती है। आबा बदला, साफ सुथरा बनकर सवर्णों की तरह रहने लगा, फिर भी उसकी जाति उसका पीछा नहीं छोड़ती। वह गुस्से में कहता है—"गाँधी सेवा मण्डल में क्यों हमारे समाने भलाई की दुनिया खड़ी की गयी? मैं माँग-गारूडी हूँ, कूड़े-करकट में लोटने के लिए पैदा हुआ एक कीड़ा हूँ मैं! इस एहसास के साथ जीऊँगा तभी...मेरा जीना सुखी बनेगा।" 'बलि' उपन्यास में यह दिखाया गया है कि माँग-गारूडी सुधरने के बावजूद भी सवर्ण समाज उनके साथ कैसा बर्ताव करता है? फिर वह 'लाल बावटा आन्दोलन' में शामिल होता है। मजदूर आन्दोलन का नेता बाद में उसकी मदद करता है। वह 'प्रजा' नामक साप्ताहिक-पत्रिका शुरू करता है और उसके जरिये पारधी, भाट, कैकाडी, वडार, माँग आदि जातियों की समस्याओं पर प्रकाश डालता है। नतीजा—कांग्रेस और प्रजा जागते हैं। अपराध पेशा जातियों पर किये जाने वाले अन्याय के खिलाफ आन्दोलन शुरू करते हैं। ब्रिटिश सरकार सेटलमेंट कानून में सुधार करती है। पुलिस-अत्याचार कम होते हैं। ये बातें लेखिका ने जिस तरह चित्रित की हैं, वैसे ही सेटलमेंट की झंझटें, चोरी के केसेस तथा अन्य कई गुत्थियाँ दिखाई गयी हैं।

लेखिका विभावरी शिरूरकर सेटलमेंट में कई साल व्यवस्थापक के पद पर कार्यरत थीं। विश्राम बेडेकर जैसे विख्यात लेखक की पत्नी होकर भी तत्कालीन औरतों की समस्याएँ तथा अछूत जाति-जनजातियों के प्रश्नों के प्रति उन्हें बड़ी आस्था थी। इस सम्बन्ध में उनके अपने पति के तत्कालीन ब्राह्मण समाज से भी मतभेद थे। सेटलमेंट में स्थित जाति-जनजातियों के प्रति उनमें सकारात्मक भावनाएँ थीं। उन्होंने वहाँ जो देखा और अनुभव किया, उसी को उपन्यास में पात्रों के नाम बदलकर लिखा है। माँग-गारूडी मनुष्य द्वारा सेवाग्राम जाकर तथा गाँधी विचारों के संस्कार पाकर सुधरने की कोशिश करने पर क्या होता है, 'लाल बावटा आन्दोलन' में काम करने पर कम से कम कांग्रेस का आन्दोलन तो हुआ। इसका भी विदारक चित्रण है कि इन जनजातियों पर अस्पृश्यता के कारण और 'चोर जाति' के नाम से लगायी गयी मुहर के कारण इन लोगों के सम्मुख भीख माँगने के सिवा कोई और

चारा नहीं बचता। उलटे समाज के भद्र लोग ही चोरी करते हैं और इनको उसमें उलझा देते हैं या चोरी करने पर मजबूर करते हैं। उस काल का यह कटु यथार्थ लेखिका ने उजागर किया है। ये सन् 1950 के पूर्व की स्थितियाँ थीं।

इन स्थितियों को समझे बिना डॉ. लिंबाले ने लेखिका पर आरोप किये हैं। लेखिका का ब्राह्मण होना तथा आबा का 'गाँधी आश्रम सेवाग्राम' हो आना, इन बातों का असर लिंबाले की मानसिकता से झाँकता प्रतीत होता है। 1969 में यानी आजादी के बीस साल बाद एक सर्वेक्षण के निमित्त सोलापुर स्थित सेटलमेंट के घर-घर में जाकर वहाँ की स्थितियों को जानने, उन जनजातियों की पुरानी तथा नयी पीढ़ी से बातचीत का अवसर मुझे मिला था। बीस सालों में तार से बना बाड़ा और पुलिस चौकी में होने वाली हाजिरी कम हुई थी। कुछ युवक महाविद्यालयी शिक्षा की ओर उन्मुख हुए थे। वहाँ के लड़के हमारे कॉलेज में पढ़ने आते थे। सर्वेक्षण के निमित्त मैंने 'बलि' उपन्यास फिर पढ़ा था। तब मैंने पाया था कि लेखिका द्वारा किया गया चित्रण यथार्थवादी है। लेखिका को जानने वाली पुरानी पीढ़ी के लोगों का भी यही मत था। 2006 में वहाँ की स्थितियों में बहुत परिवर्तन आया है। डॉ. लिंबाले ने 2006 की स्थितियों का चश्मा पहनकर आलोचना की है। आबा का यह कहना कि 'माँग-गारूडी होने से प्रजा ने मुझे दूर रखा' सही था।

पात्रों के मुँह से उद्धृत वक्तव्यों का आधार लेकर डॉ. लिंबाले द्वारा निकाले गये श्लेष और निष्कर्ष परिस्थितियों के विपरीत हैं। सुधरने के प्रयास करने के बावजूद भी जब समाज ऐसे व्यक्ति को स्वीकार करने के बजाय उसे जाति एवं अपराध के गर्त में ढकेलता है, तब कोई और उपाय न पाकर वह व्यक्ति अपराध की ओर मुड़ता है। यह स्थिति लेखिका ने दिखाई है। वह 'कथ्य की जरूरत' न होकर तत्कालीन स्थिति पर लेखिका द्वारा की गयी आलोचना है। इस ओर डॉ. लिंबाले ने ध्यान नहीं दिया है। उपन्यास में गाँधी आश्रम के उल्लेख इसलिए हैं कि तत्कालीन समाज गाँधी जी के छुआछूत सम्बन्धी विचारों को स्वीकारने के लिए तैयार नहीं था। समाज की जड़ों में जमी छुआछूत जाति-भेद का तिरस्कार आदि के दर्शन लेखिका ने करवाये हैं। डॉ. लिंबाले आम्बेडकरवादी हैं। आम्बेडकरवादियों में गाँधी-विचार के प्रति व्याप्त मत डॉ. लिंबाले के मत प्रदर्शन में व्यक्त हुए हैं। लेखिका ने यह दिखाना चाहा है कि माँग-गारूडी और कैकाडियों का चोर और अछूत माना गया यह समाज किस तरह हिन्दू समाज-व्यवस्था का शिकार था। परिस्थितियों का शिकार समाज किस तरह भाग्यवादी बन जाता है, यह दिखाने के लिए उपन्यास के पात्रों के मन में भाग्य, भाग्यवाद, पाप-पुण्य जैसे विचार आते रहते हैं और समाज की मानसिकता में अन्ध-श्रद्धा एवं भाग्यवाद छा जाते हैं। वह लेखिका की सोच न होकर उस समाज में छायी अन्ध श्रद्धा का चित्रण है। उपन्यास में गाँधी और सेवाग्राम का

उल्लेख होने से डॉ. लिंबाले की ओलाचना की दिशा कुछ भटक गयी है। उदाहरण के लिए—जिस चोखोबा का उल्लेख डॉ. लिंबाले ने किया है, उसी तरह आबा भी परिस्थितियों का शिकार है। चोखोबा और आबा द्वारा की गयी भगवान की प्रार्थना में बहुत अन्तर नहीं है। गाँधी सेवा मण्डल में जाने के कारण वे भगवान की प्रार्थना करने वाले आबा की आलोचना करते हैं और बेबस होकर भगवान की प्रार्थना करने वाले चोखोबा के पक्षधर बनते हैं। परन्तु असल में इन दोनों की पुकार बेबसी के कारण ही है। अतः ऐसा कहना पड़ेगा कि 'बलि' उपन्यास की आलोचना करते हुए डॉ. लिंबाले ने तत्कालीन यथार्थ पर ध्यान नहीं दिया है। दूसरों की मानसिकता पर भाष्य करते हुए खुद तटस्थ हुए बगैर न्याय नहीं किया जा सकता।

'जब मनुष्य जागता है', थाना जिले के वारली नामक आदिवासी जनजाति के जीवन को केन्द्र में रखकर लिखा गया गोदावरी परुळेकर का एक चर्चित उपन्यास है। गोदावरी परुळेकर महाराष्ट्र के कम्युनिस्ट आन्दोलन की एक बड़ी नेता रहीं। उन्होंने अपने आपको कम्युनिस्ट आन्दोलन को समर्पित कर दिया था।

उन्होंने 'वारली जनजाति' और 'जब मनुष्य जाग जाता है' ये दो महत्त्वपूर्ण पुस्तकें लिखीं। उन्होंने वारली जनजाति के बीच रहकर अत्यन्त समर्पित भाव से कार्य किया। उन्होंने दूर रहकर काम करने की बजाय स्वयं उस जनजाति के लोगों के बीच रहकर काम करना स्वीकार किया। उनके सुख-दुःख को समझने की कोशिश की तथा उन पर होने वाले अन्याय, शोषण, उनके दुःख और गरीबी को दुनिया के सम्मुख रखा। मात्र उनके बीच रहकर अपने अनुभवों का कथन ही नहीं किया, बल्कि उन्होंने उस आदिवासी जनजाति का अनुशासनबद्ध ढंग से अध्ययन भी किया। उनके इस उपन्यास से ही आदिवासियों का भयावह जीवन महाराष्ट्र के सवर्णों तक पहुँच पाया। ये सब लिखते हुए उन्होंने भोगे हुए कष्ट, उनकी परेशानी, सवर्ण होने के कारण उभरी समस्याओं, उनके मन और जीवन के स्तर पर निर्मित संघर्ष आदि का प्रामाणिक चित्रण इस ग्रन्थ में किया है।

गोदावरी परुळेकर ने आदिवासियों की समस्याओं को लेकर व्यवस्था और सरकार से दो हाथ किये, संघर्ष किया तथा पुलिस और जमींदारों के पिट्ठुओं से बचने के लिए उन्हें भूमिगत भी होना पड़ा। उन्हें देशनिकाला और जेल की हवा भी खानी पड़ी। उन्होंने इन सभी घटनाओं का अत्यन्त प्रामाणिक चित्रण किया है। वारली जनजाति के लिए उनके द्वारा किया गया कार्य अपूर्व है। वारली जनजाति से वे एकाकार हो गयी थीं। यह सही है कि उनके इस कार्य के फलस्वरूप ही आदिवासियों की समस्या पर सबका ध्यान केन्द्रित हुआ।

ये सब सही होने के बावजूद भी गोदावरी परुळेकर की सोच में स्थित उच्चवर्णियों की चेतना उपन्यास में स्थान-स्थान पर व्यक्त हुई है। विभावरी शिरूरकर

की भाँति वे अपनी जाति एवं वर्ग के स्तर पर तटस्थ नहीं हो पायी हैं। उस पर डॉ. लिंबाले ने उचित ढंग से प्रकाश डाला है। डॉ. लिंबाले गोदावरी मैडम के व्यक्ति-माहात्म्य के सम्बन्ध में बोलकर ही रुक गये हैं। परन्तु उन्होंने ब्राह्मण व्यक्ति में स्थित व्यक्ति-श्रेष्ठत्व की भावना का विचार नहीं किया है। गोदावरी जी कम्युनिस्ट आन्दोलन में थीं परन्तु वे यह भूल गयी हैं कि परिवर्तन भौतिक परिस्थिति और समाज में स्थित द्वन्द्व के कारण होते हैं। इसलिए वे लिखती हैं कि परिवर्तन अपने कार्य के ही फलस्वरूप हुए हैं। ब्राह्मणी विचार-व्यूह में व्यक्ति समाज का केन्द्र होता है। 'यह सब मैंने किया' के रूप में उनका प्रतिपादन यह दर्शाता है कि कम्युनिस्ट होने के बावजूद भी वे अपनी ब्राह्मणी सोच को नहीं त्याग पायी थीं।

प्रस्तुत समीक्षा संग्रह की तीसरी महिला लेखिका हैं अरुंधती रॉय। उनके विश्वविख्यात उपन्यास 'द गॉड ऑफ स्मॉल स्थिंग्ज' की आलोचना डॉ. लिंबाले ने की है। डॉ. लिंबाले ने समीक्षा हेतु इस उपन्यास का चयन क्यों किया, यही सवाल मुझे सता रहा है। क्योंकि पाश्चात्य जगत को भारत सम्बन्धी जो बातें मालूम नहीं है, ऐसी ही चटपटी बातें लिखकर नाम कमाने वाले भारतीय अंग्रेजी लेखकों का एक नया गुट आगे आया है। उसी में से एक हैं अरुंधती राय। इस उपन्यास में केरल में स्थित एक ग्रामीण पर्यटन-स्थल को लिया है। एक ईसाई पादरी परिवार की गतिविधियाँ यहाँ चित्रित हैं। उपन्यास में केरल का सुन्दर चित्रण है तथा आसाम के चाय के खेतों में स्त्री-पुरुषों के लैंगिक सम्बन्ध, अमेरिका, इंग्लैंड के ऑक्सफर्ड, न्यूयार्क स्थित भारतीय रेस्टॉरेंट तथा केरल का ग्राम जीवन आदि का चित्रण है। इसमें लेखिका ने छुआछूत भी घुसेड़ दी है। ईसाई परिवार है तो उसके साथ चर्च और धर्मगुरु आएँगे ही। चर्च और धर्मगुरु हैं तो अछूतों के लिए स्कूल शुरू करना, हिन्दू धर्म की आलोचना जैसी बातें भी आयेंगी। इन सभी बातों को लेखिका ने कथ्य में ढाला है। खास बात यह है कि उपन्यास का केन्द्रीय आयपे परिवार मूल हिन्दू परिवार था जो धर्मान्तर के बाद ईसाई बना है। इस आयपे परिवार की पीढ़ियाँ नीतिभ्रष्ट, संस्कारहीन और अधःपतित होती जाती हैं। लेखिका ने दिखाया है कि मुलीगन नामक हिन्दू धर्म द्वेष्टा आयरिश फादर हिन्दू बनता है। डॉ. लिंबाले द्वारा इस सम्बन्ध में उपस्थित किया गया सवाल उचित है। वह यह कि इस उपन्यास से लेखिका की हिन्दू सोच स्पष्ट दिखायी देती है। ईसाई बनने के बाद भी आयपे परिवार की हिन्दू सोच नहीं बदली है। उलटे उनकी स्थिति 'घर का ना घाट का' जैसी हुई है। क्या, लेखिका यही तो नहीं कहना चाहती? दूसरे, इस उपन्यास में वामपन्थी आन्दोलन की चर्चा भी है। इसमें वामपन्थी कॉमरेड पिल्लै का विपरीत चित्रण किया है। कई आलोचकों के मतानुसार इस उपन्यास द्वारा द्वारा वामपन्थी आन्दोलन को बदनाम करने का प्रयत्न किया गया है। लेखिका रॉय द्वारा लिखित

यह उपन्यास परस्पर विरोधी बातों की खिचड़ी है। उसी तरह उच्च वर्गीय लेखक की भाँति सवर्ण पुरुष द्वारा दलित स्त्रियों के साथ बनाये गये शारीरिक सम्बन्धों का चित्रण है। उपन्यास में परित्यक्ता हैं। अछूत औरतों का कामुक वर्णन है। हिन्दी फिल्मों की भाँति पुलिस की अमानुष मारपीट है। इस उपन्यास को पढ़ने के बाद मेरा स्पष्ट मत बना कि स्तरीयता की दृष्टि से यह अत्यन्त साधारण उपन्यास है। मात्र लेखिका की शैली, उसके द्वारा किया गया प्रभावपूर्ण चरित्र-चित्रण, प्रभावी वर्णन को छोड़कर इसमें और कुछ भी नहीं है। ईसाई धर्म, हिन्दू धर्म एवं अछूत स्त्रियों के साथ होने वाले शारीरिक सम्बन्ध जैसी बातों से लेखिका की ब्राह्मणी सोच स्पष्टता से अभिव्यक्त हुई है। इसके अलावा और कुछ नहीं कहा जा सकता।

मधु मंगेश कर्णिक मराठी के एक महत्त्वपूर्ण साहित्यकार हैं। उनका उपन्यास 'रोटी और फूल' कोंकण को पृष्ठभूमि बनाकर तथा सन् 1947 से 1972 तक के 25 वर्षों के स्वतन्त्रताकालीन दलित जीवन को केन्द्र में रखकर लिखा गया उपन्यास है। उनकी दलील है कि दलितेतर लेखक को दलितों के जीवन पर लिखने का अधिकार है। यही नहीं दलित लेखक की भाँति यथार्थ चित्रण दलितेतर लेखक भी कर सकता है। उन्होंने सन् 1947 से 1972 तक के कालखण्ड के दलित परिवारों की घटनाओं और प्रसंगों को प्रस्तुत उपन्यास में रखा है। ये घटनाएँ कोंकण में घटित होती हैं, इसलिए उपन्यास में आधा खोत हैं, गुख हैं, रामेश्वर का मन्दिर है, मन्दिर-प्रवेश का प्रसंग है। अछूतों के खिलाफ भड़काने वाला येशा बामन है। गाँधी-हत्या प्रकरण है। सन् 1956 में डॉ. आम्बेडकर द्वारा किया गया धर्मान्तर और दलित समाज पर उसका जो असर हुआ वह भी है। रिपब्लिकन दल है। दलित युवा पाण्डुरंग के नौकरी के प्रयास हैं। बी.सी. एवं नॉन बी.सी. जैसा विवाद भी है। दलित पुरुष और ब्राह्मण महिलाएँ हैं। काटे नामक दलित द्वारा ब्राह्मण औरतों के सम्बन्ध में उच्चारित अश्लील वक्तव्य हैं। पढ़-लिखकर नौकरी पाने के बाद शादी-ब्याह कर परिवार बसाने वाले और आन्दोलन छेड़ने वाले दलित भी हैं। दलितों द्वारा अपनी पत्नियों के लिए रखे गये ब्राह्मणी नाम हैं। आम्बेडकरी कार्यकर्ताओं का मध्यवर्गीय बनना है। केवल मुँह से भड़कीले वक्तव्य करने वाला भी और खुद की बहन पर बलात्कार होने के बाद भी कुछ न करने वाला दलित कार्यकर्ता भी है।

कर्णिकजी ने स्वान्तत्र्योत्तर काल में दलित समाज में घटित होने वाली घटनाओं का चित्रण किया है। अनपढ़ महारों की आन्तरिक विवशता और शिक्षित महारों के मन में स्थित विद्रोह चित्रित किया है। यह सब सही है, फिर भी कर्णिक समाज-परिवर्तन का विचार नहीं रखते। यह आम्बेडकरी विचारों का समर्थन करने वाला उपन्यास नहीं है और संक्रमणकालीन महारों के रोजमर्रे की जीवन-सम्बन्धी समस्याओं को भी ठीक तरह से नहीं रख पाता। साथ ही यथार्थ का तटस्थता से चित्रण भी नहीं

करता। चित्रण के नाम पर शिक्षित युवकों का मध्यवर्गीय बनना, मात्र आम्बेडकरी आन्दोलन सम्बन्धी परिवर्तन की बातें रटना—इतना ही वे कर पाए हैं। एक ओर लेखक का भीतरी ब्राह्मणत्व समाज में बदलती परिस्थितियों को देखकर अस्वस्थ होता है तो दूसरी ओर परिवर्तन की अनिवार्यता को ताड़कर दलितों की समस्याओं को उठाता प्रतीत होता है। मन्दिर प्रवेश से लेकर धर्मान्तर की समस्या को लेकर उसका दब्बूपन लेखकीय ब्राह्मणी-चेतना का परिणाम है।

प्रस्तुत आलोचनात्मक ग्रन्थ में डॉ. लिंबाले ने तीन ब्राह्मण नाटककारों द्वारा लिखे गये नाटकों का परीक्षण कर उनकी ब्राह्मणी मानसिकता पर भी प्रकाश डाला है। वे नाटककार हैं—सावरकर, जयवन्त दळवी और विजय तेन्डुलकर। तीनों में मात्र तेन्डुलकर ही चर्चित नाटककार हैं। शेष दोनों ने अपनी अन्तस्थल बेचैनी को व्यक्त करने हेतु नाटक का माध्यम चुना है।

जयवन्त दळवी मराठी के प्रसिद्ध कथाकार थे। उन्होंने महाराष्ट्र में दलित पैन्थर और आम्बेडकरी आन्दोलन के जरिए औरंगाबाद स्थित मराठवाडा विश्वविद्यालय को डॉ. आम्बेडकर का नाम देने हेतु आन्दोलन की शुरुआत की। इस आन्दोलन के दौरान दलितों पर बड़ी मात्रा में अत्याचार हुए। दलित-मराठा संघर्ष खड़ा हुआ। दलित कार्यकर्ताओं की आँखें खींच ली गयीं, हाथ-पैर तोड़ दिये गये। महिलाओं पर बलात्कार हुए। दलित कार्यकर्ता भी क्षुब्ध हुए। उनकी ओर से भी हिंसापूर्ण प्रतिक्रियाएँ हुईं। इसी पृष्ठभूमि के आधार पर दळवी ने 'पुरुष' नामक क्षोभ उत्पन्न करने वाला नाटक लिखा। महिलाओं पर होने वाले बलात्कारों को इस नाटक के केन्द्र में रखा गया है। उसमें बलात्कार विषयक प्रक्षोभक प्रस्तुति है। बलात्कारी पुरुषों का अतिरेकी चित्रण है। प्रतिशोध, सत्ता एवं सम्पति-धन-रुपयों की राजनीति है। ऊपर से देखने पर प्रतीत होता है कि औरत दलित हो या ब्राह्मण—सधन, सवर्ण और सत्ताधीश पुरुष उसका बलात्कार करते हैं। दलित स्त्री के साथ बलात्कार होने पर क्या होता है और ब्राह्मण स्त्री के साथ बलात्कार होने पर क्या नहीं होता, इसका विवरण नाटक में है। ऊपर से देखने पर यह नाटक स्त्रीवादी प्रतीत होता है। क्योंकि उसमें भ्रष्ट और अपराधी प्रवृत्ति वाले राजनेताओं का चित्रण है।

परन्तु डॉ. लिंबाले ने नाटककार दळवी के नाटक में स्थित दलित विरोधी एजेंडा अचूक शब्दों में प्रस्तुत किया है। जैसाकि डॉ. लिंबाले ने कहा है, नाटककार का उद्देश्य यह दिखाना है कि सिद्धार्थ नामक दलित कार्यकर्ता किस तरह सवर्णों को ठगता है और अपनी होने वाली पत्नी से कैसे रुपये उड़ाता है। यही नहीं, अपनी भावी पत्नी पर बलात्कार होने के बाद भी वह कुछ नहीं करता। सिद्धार्थ को समूचे दलित कार्यकर्ताओं का प्रतिनिधि दिखाकर नाटककार ने दर्शाना चाहा है कि दलित कार्यकर्ता भ्रष्ट होते हैं और दूसरों पर होने वाले अत्याचारों का उन्हें जरा भी दुःख

नहीं होता। जैसाकि डॉ. लिंबाले ने कहा है, यह दलित कार्यकर्ताओं की बदनामी है। 'दलित पैन्थर' आन्दोलन के काल में कई तरह के दलित युवा इस आन्दोलन में शामिल हुए थे। उनमें से कइयों को डॉ. आम्बेडकर की विचारधारा से न कुछ लेना था और न ही कुछ देना। यह सही है कि उसमें से कुछ अपराधी प्रवृत्ति के थे, परन्तु सभी वैसे नहीं थे। कुछेक के मन में तो परिवर्तन की दुर्दम्य इच्छा भी थी। जैसा कि नाटककार दळवी ने दिखाया है—अपनी होने वाली पत्नी का बलात्कार होने के बावजूद भी कुछ किये बगैर वह (दलित कार्यकर्ता) मात्र रुपयों के पीछे दौड़ता रहता है—दलित कार्यकर्ता इतना विकृत नहीं हो सकता। नाटककार दळवी दिखाना चाहते हैं कि अन्याय के खिलाफ दलितों की यह लड़ाई समग्र लड़ाई न होकर मात्र जातीय दायरे के भीतर की लड़ाई है। नाटक के जरिए दळवी ने यद्यपि यह दिखावा किया है कि यह महिलाओं के साथ होने वाले बलात्कार का निषेध करने वाला नाटक है, फिर भी दलित कार्यकर्ताओं का भ्रष्ट और विवेकहीन बर्ताव समाज के सामने रखना ही उनका मुख्य उद्देश्य है। डॉ. लिंबाले ने प्रस्तुत ब्राह्मणी नाटककार का पर्दाफाश व्यवस्थित ढंग से किया है।

इसके पश्चात डॉ. लिंबाले ने शाहीर अमर शेख की बेटी मलिका अमर शेख द्वारा लिखित 'मुझे ध्वस्त होना है' शीर्षक आत्मकथा के परीक्षण का विचार किया है। मलिका अमर शेख के आत्मवृत्त पर कलम चलाते समय डॉ. लिंबाले ने कुछ बातों की ओर ध्यान नहीं दिया है। उनका सारा ध्यान दलित चेतना से सम्पन्न नामदेव ढसाळे नामक उस प्रसिद्ध कवि के समर्थन की ओर रहा है, जिनके साथ मलिका अमर शेख ने शादी की है। इसलिए यहाँ डॉ. लिंबाले की आलोचना कुछ एकांगी बन गयी है।

डॉ. लिंबाले ने ही कहा है कि मलिका को समझने के लिए उनके रुझान को समझ लेना आवश्यक था। और ऐसा करते हुए लिंबाले ने कहा है कि मलिका ने अपने सपनों का और आन्तरिक कल्पनाओं का चित्रण किया है। उन्होंने यह भी कहा है कि उसका स्वभाव रोमांटिक है। परन्तु हमारे मत से डॉ. लिंबाले ने मलिका की पारिवारिक स्थितियों को दुर्लक्षित किया है। मलिका के पिता शाहीर अमर शेख सभी दृष्टियों से कम्युनिस्ट कार्यकर्ता थे। अपने ध्येयवादी स्वभाव के कारण उनका पारिवारिक जीवन अत्यधिक अभावग्रस्त था। घर का माहौल बुद्धिवादी, वामपन्थी आन्दोलन का था। मूलभूत जरूरतें भी पूरी नहीं हो पाती थीं। ऐसे माहौल में अमर शेख की दोनों बेटियाँ बड़ी हुईं। दोनों बेटियाँ प्रतिभावान् थीं। मलिका का स्वप्न-रंजन उसी अभाव का नतीजा है। उसके भीतर अपवर्ड मोबिलिटी यानी सवर्णों की भाँति सुखमय जीवन जीने की अभिलाषा कायम है। और उसी के साथ-साथ उसे वामपन्थी आन्दोलन के प्रभाव से जीवन में व्याप्त दुःख का भी एहसास है। मलिका मुख्यतया कवि-हृदय और स्वप्न-रंजन में डूब जाने वाला व्यक्तित्व है। यही कारण है कि उस

दौर के दलित कार्यकर्ताओं में सर्वाधिक लड़ाकू आक्रामक वक्ता, कवि और प्रचंड ऊर्जावान युवक नामदेव ढसाळ उसका 'हीरो' बना और इसीलिए उसने नामदेव ढसाळ से शादी की। नामदेव ढसाळ का आक्रामक ध्येयवाद, वामपन्थी विचारधारा, दलित आन्दोलन के केन्द्र में होना आदि कारणों से वह सभी का 'हीरो' था। नामदेव ढसाळ सरीखा आक्रामक और विलक्षण प्रतिभावान कवि दूसरा नहीं, ऐसा कहें तो अत्युक्ति नहीं होगी, परन्तु नामदेव ढसाळ का व्यक्तित्व कई तरह की प्रवृतियों से युक्त है। एक साथ आक्रामक, ध्येयवादी कवि, आम्बेडकरवादी संगठक और नेता, आम्बेडकरवादी होकर भी वामपन्थी विचारों को प्रस्तुत करने वाला नेता, इन गुणों के साथ ही उसके व्यक्तित्व में व्याप्त 'लुंपेन वृत्ति' (लुंपेनिज़्म) सर्वहारा, परन्तु लुंपेन सर्वहारा ऐसे मिश्रण से युक्त नामदेव ढसाळ।

शादी के पश्चात् नामदेव से अत्यधिक प्रेम होकर भी मलिका को अपने हीरो में स्थित इन पेचिदा तत्त्वों का एहसास ध्वस्त करने वाला लगा है। उसका असर दोनों के जीवन पर हुआ है। लिंबाले नामदेव ढसाळ की ऐतिहासिक जिम्मेदारी पर वक्तव्य तो करते हैं, किन्तु शिवसेना जैसे संगठन से साँठ-गाँठ कर उन्होंने कौन-सी जिम्मेदारी निभाई यह नहीं बताते। नामदेव के जरिए दलित कार्यकर्ता को कैसे समझे यह कठिन प्रश्न है। क्योंकि नामदेव यानी अनगिनत समझौते और लुंपेन में स्थित सभी तत्त्वों का प्रतिनिधि। डॉ. लिंबाले कहते हैं नामदेव के जीवन का अग्रक्रम आन्दोलन है। नामदेव के आन्दोलन ने आम्बेडकारी ध्येय की कौन-सी बातें साध्य की हैं? उस सम्बन्ध में मलिका द्वारा दिखाए गये उसके दोष उसे बदनाम करने के लिए न होकर अपने सपने के 'हीरो' की त्रासदी व्यक्त करने के प्रयास हैं। खुद मलिका ने कहा है कि दलित समाज ने ही कम्युनिस्ट कहकर नामदेव के रास्ते में गतिरोध पैदा किये। उस गतिरोध का असर नामदेव पर ही हुआ है। नामदेव की त्रासदी 'ग्रीक ट्रैजड़ी' के नायक की त्रासदी है। मार्क्सवाद का द्वेष करने वाले आम्बेडकरवादी इसके जिम्मेदार हैं। वामपन्थी विचार आम्बेडकर विरोधी है, ऐसा मानकर 'दलित पैन्थर' के अन्य नेताओं ने अपनी नेतृत्व स्पर्धा के लिए नामदेव के रास्ते में गतिरोध पैदा किये। उसी में से इस त्रासदी का जन्म हुआ है। मलिका भी उसमें स्थित एक 'त्रासद पात्र' है। इन सभी बातों का विचार न कर डॉ. लिंबाले ने मलिका की आलोचना की है। वैसे देखा जाए तो डॉ. लिंबाले मलिका अमर शेख और नामदेव ढसाळ दोनों को उचित ढंग से नहीं समझ सके हैं।

ऐसा कहा जाता है कि विजय तेन्डुलकर ने 'कन्यादान' नाटक की रचना मलिका और नामदेव के प्रकरण के बाद की है। इसमें सच्चाई कितनी है यह मैं नहीं जानता। परन्तु यदि यह नाटक उन दोनों पर लिखा गया है तो ऐसा कहना पड़ता है कि यह उन दोनों की अत्यधिक बदनामी करने वाला नाटक है। जब तेन्डुलकर

ने नामदेव ढसाळ के 'गोलपिठा' नामक चर्चित कविता संग्रह की प्रस्तावना लिखी थी, तब उन्हें दलित कार्यकर्ता के मन-मांनस में चल रहे तूफान की अच्छी मालूमात थी। तब दलितों का ऐसा नकारात्मक चित्रण करने वाला नाटक उन्होंने क्यों लिखा, यह सवाल उपस्थित होता है। स्वयं तेन्डुलकर एक पेचिदा व्यक्तित्व था। उनके समग्र साहित्य का मनोविश्लेषणात्मक परीक्षण किया जाना जरूरी है। डॉ. लिंबाले ने नाटककार तेन्डुलकर द्वारा अरुण आठवले नामक नायक की ज़बान पर जो गन्दे संवाद रखे गये हैं उन पर प्रकाश डाला है। तेन्डुलकर ने दिखाया है कि सुशिक्षित पत्रकार और लेखक के रूप में दलित कार्यकर्ता हमेशा गन्दा और वीभत्स ही बोलता रहता है। उसे पियक्कड़ दिखाया गया है। जिस काल में दलित साहित्य की बड़ी जोर-शोर से चर्चा हो रही थी, उस काल में यह नाटक लिखकर तेन्डुलकर ने छँटे हुए साम्यवादी, ब्राह्मण और उद्धत महार के बीच टक्कर लगाई है। तेन्डुलकर ने हिटलर एवं अरबियों पर अत्याचार करने वाले इस्यायली ज्यू के उदाहरण लेकर एक सिद्धान्त विकसित किया है, वह यह कि 'कल का पीड़ित समाज आज का पीड़क समाज बनता है। यानी 'कन्यादान' नाटक के माध्यम से तेन्डुलकर को यह दिखाना है कि आज का दलित समाज ब्राह्मण समाज का शोषण करने वाला अत्याचारी समाज बन गया है। उनका यह निष्कर्ष भयावह है। क्योंकि ब्राह्मणों द्वारा दलित एवं शूद्र तथा अल्पसंख्यकों का शोषण बिल्कुल कम नहीं हुआ है। उलटे उच्चशिक्षित ब्राह्मणों ने खुद को पूँजीवादी इकाईयों में तब्दील कर लिया है। उन्होंने भारत में स्थित पूँजीवादी उच्चवर्गीय शक्ति से तथा अमेरिकी नेतृत्व के मातहत वैश्विक पूँजीवादियों से साँठ-गाँठ की है। भारत की समूची सत्ता ही उन्होंने अपने हाथ में ले ली है।

कुल मिलाकर डॉ. शरणकुमार लिंबाले द्वारा लिखित 'गैर-दलित' समीक्षा ग्रन्थ केवल मराठी साहित्य में ही नहीं, बल्कि भारतीय साहित्य में महत्त्वपूर्ण वृद्धि करने वाला है। गैर-दलित और विशेषतया ब्राह्मणी लेखकों के चेतन और अवचेतन में ब्राह्मण्य कैसे व्याप्त है, इसका दिग्दर्शन करने वाला यह समीक्षा ग्रन्थ है। इस ग्रन्थ को पढ़ने के बाद भारत में हो रही सामाजिक क्रान्ति की अपूर्णता ध्यान में आती है और यह एहसास भी तीव्र होता है कि बदली हुई भौतिक परिस्थितियों में मात्र अस्मिता और संस्कृति की राजनीति न कर भौतिक परिवर्तन की राजनीति तथा समाजनीति की शुरुआत किये बगैर समताधिष्ठित समाज का निर्माण नहीं होगा।

रंगभूमि

(प्रेमचन्द)

प्रेमचन्द के एक सौ पच्चीसवें जन्मदिवस 31 जुलाई 2004 को दिल्ली में दलित साहित्य अकादेमी ने प्रेमचन्द कृत 'रंगभूमि' उपन्यास की प्रतियाँ जलाईं। इस घटना से हिन्दी साहित्य जगत हिल उठा। प्रेमचन्द की महानता इतनी है कि उन्हें भारतीय साहित्य का पितामह कहा जा सकता है। प्रेमचन्द ने सन् 1921 में ब्रिटिश नौकरी से त्यागपत्र दिया और अपने साहित्य के जरिए पाठकों के भीतर राष्ट्रीयता की भावना जगाने का महान कार्य किया। प्रेमचन्द राष्ट्रवादी लेखक हैं। वे जाति-व्यवस्था और जातिवाद के खिलाफ थे। उन्होंने अपनी 'हंस' पत्रिका के मुखपृष्ठ पर बाबासाहब आम्बेडकर का चित्र छापा था। इधर लोकमान्य तिलक ने पैसे चुकाने के बावजूद भी बाबासाहब आम्बेडकर के समाचार-पत्र का विज्ञापन छापने से इनकार कर दिया था। इस पृष्ठभूमि में प्रेमचन्द का बड़प्पन रेखांकित होगा।

प्रेमचन्द के लेखन पर जैसा गाँधीवाद का प्रभाव है, वैसा साम्यवाद का भी प्रभाव है। यही नहीं, बल्कि उनके लेखन में कहीं कहीं पारम्परिक हिन्दू मानसिकता भी प्रकट होती दिखती है। प्रेमचन्द ब्राह्मणवाद के कट्टर विरोधी थे। हमें दिखाई देगा कि उन्होंने अपने लेखन से ब्राह्मण पर जमकर हल्ला बोल किया है। काशी के ब्राह्मणों ने उन पर कोर्ट केस किया था। जातिवाद के खिलाफ खड़े प्रेमचन्द जैसे महान लेखक के सम्बन्ध में दलित शिकायत करें, यह कइयों की समझ से परे है।

प्रेमचन्द ने 'रंगभूमि' उपन्यास का लेखन 1922-24 के दरमियान किया है। असल में यह उपन्यास प्रेमचन्द ने पहले उर्दू में 'चौगाने हस्ती' नाम से लिखा, और फिर उसका हिन्दी रूपान्तर प्रस्तुत किया। हिन्दी में इस उपन्यास का प्रथम संस्करण सन् 1925 में निकला। 'रंगभूमि' उपन्यास सूरदास नामक अन्धे चमार के जीवन पर आधारित है। प्रेमचन्द ने उस काल में पहली बार एक दलित को अपने उपन्यास का नायक बनाया। इससे हजारों वर्ष पूर्व ऐसा प्रयास नहीं हुआ था। इसी कारण 'रंगभूमि' उपन्यास को ऐतिहासिक महत्त्व प्राप्त हुआ दिखता है। प्रेमचन्द ने यह उपन्यास दो खण्डों में लिखा है, जिसका कथ्य बिखराव के माध्यम से विकसित हुआ

है। इस उपन्यास में कथानक और उपकथानकों की भीड़ दिखाई देती है। यह एक महाकाय उपन्यास होकर कई पात्रों की भीड़ से युक्त है। यह स्वतन्त्रता पूर्ववर्ती काल के जन-आन्दोलन का जायजा लेने वाला उपन्यास है।

'रंगभूमि' उपन्यास के प्रथम खण्ड में ब्रिटिश शासकों द्वारा सूरदास की जमीन हड़प ली जाती है, तो दूसरे खण्ड में उसकी झोंपड़ी हड़पने का प्रयत्न किया जाता है जिसका सूरदास प्राणपन से विरोध करता दिखता है। उपन्यास के दोनों खण्डों में सूरदास एवं सूरदास जैसे असंख्य पात्र ताकतवर ब्रिटिश शासन के खिलाफ संघर्षरत दिखते हैं। प्रेमचन्द आम आदमी को संघर्ष के केन्द्र में लाकर खड़ा करते हैं। रंगभूमि में सेवादल नामक युवकों का समाज सेवी संगठन है, जो न्याय और जनसेवा के उद्देश्य से कार्य करता हुआ दिखाई देता है। उपन्यास के अध्यायों के कथ्य को प्रवाहपूर्ण बनाए रखने का कार्य यह संगठन करता है। 'रंगभूमि' का प्रमुख स्वर उसका ब्रिटिश विरोधी होना है। पराधीनता के काल खण्ड में निर्भयता से आजादी का उच्चारण करने वाली यह कृति है। यह उपन्यास जिस तरह ब्रिटिश सल्तनत के खिलाफ गदर की हकीकत है, उसी तरह ब्रिटिशकालीन भारत में सामाजिक लड़ाई का साहित्यिक आरम्भ भी है।

सूरदास नामक अन्धा चमार काशी जैसे रूढ़िवादी एवं धार्मिक नगर के पाण्डेपुर नामक काल्पनिक बस्ती में रहने वाला भिखारी है। सूरदास गंगा किनारे या मन्दिर के सामने बैठकर भीख नहीं माँगता, बल्कि रस्ते में बैठकर आने-जाने वाले से भीख माँगता है। अन्धा होकर भी सूरदास अपनी कुटिया में खुद खाना पकाता है। भीख पाने के लिए लोगों के पीछे मिलों तक दौड़ता दिखाई देता है। दुबला-पतला होकर भी जिस तरह वह अपने भाई के दस-बारह वर्षीय मिट्ठू नामक बच्चे को उठाकर चलता दिखता है, उसी तरह बजरंगी जैसे हट्टे-कट्टे आदमी को हाथापाई में जमीं पर सुलाता भी है। सूरदास बाह्य रूप से अन्धा होकर भी आन्तरिक दृष्टि से अन्धा नहीं है प्रेमचन्द ने सूरदास को अन्धा क्यों दिखाया है? सूरदास के पास पुरखों से मिली दस बीघा जमीन और चांदी के पाँच सौ सिक्के हैं। फिर भी वह भीख क्यों माँगता है? यह समझ में नहीं आता। उसे भिखारी दिखाने के लिए प्रेमचन्द ने अन्धा बनाया होगा। सूरदास जिस पाण्डेपुर में रहता है, वह मिश्र जाति के लोगों की बस्ती है। वहाँ नायक राम दयागिरी जैसे ब्राह्मण रहते हैं। सूरदास, भैरों जैसे अछूत भी रहते हैं। मिनई वाला जगधर, दूध वाला बजरंगी, ताड़ी बेचने वाला भैरों, पान बेचने वाला ठाकुरदीन, ताहिर अली नामक मुसलमान जैसे विभिन्न जातियों के लोगों की यह बस्ती है। सूरदास चमरौटी में रहने वाला चमार नहीं है। वह मिश्र जाति की बस्ती में रहने वाला चमार है। वह अछूत न होकर स्पृश्य है। अस्पृश्यता के जानलेवा अनुभवों से उसका परिचय नहीं है। जिस काल में अछूतों का मन्दिर-प्रवेश का आन्दोलन नहीं

था, उस काल में सूरदास सभी जातियों के लोगों के साथ मन्दिर में बैठकर गाता हुआ दिखाई देता है। भैरों जैसे अछूत को भी मन्दिर में आने की मनाही नहीं है। मात्र स्नान करके मन्दिर में आए इतनी ही सीमित अपेक्षा उससे है। प्रेमचन्द द्वारा अपने काल में देखा गया भव्य सपना यानी यह उपन्यास है। काशी में स्वातन्त्र्योत्तर काल में भारत सरकार में मन्त्री पद पर नियुक्त जगजीवन राम के हाथों डॉ. सम्पूर्णानन्द के पुतले के लोकार्पण के बाद दूध और गंगाजल से उसी पुतले का शुद्धिकरण किया गया था। उसी काशी में प्रेमचन्द ने परतन्त्रता के काल में एक भिखारी चमार को महानायक बनाया है, यह प्रेमचन्द का बड़प्पन है। सूरदास यदि चमरौटी या चमारों की बस्ती में रहा होता, तो प्रेमचन्द के लिए समस्या खड़ी हो जाती। इस उपन्यास का कथ्य आगे नहीं जा पाता। उपन्यास के कथ्य के लिए उपन्यासकार ने सूरदास के रहने का स्थान बदला है।

सूरदास न्यायप्रिय एवं धार्मिक है। वह अहिंसा का पुजारी है। सूरदास औलिया है, महामानव है। सभी लोग उसे महापुरुष के रूप में जानते है। सूरदास जैसे अछूतों का प्रतिनिधि नहीं लगता, वैसे वह जन साधारण का प्रतिनिधि भी नहीं लगता। वह दुनिया में निराला और लाखों में एक प्रतीत होता है। यही कारण है कि वह चमार होकर भी चमार नहीं लगता। सूरदास पर कितने भी अन्याय, अत्याचार हो फिर भी वह झल्लाकर उसके खिलाफ खड़ा नहीं होता। सूरदास गाँधीवाद की प्रतिमूर्ति है। वह वैचारिक स्तर पर महान प्रतीत होता है फिर भी वह हिन्दू धर्म के पाप-पुण्य के चक्र में फँसा हुआ है। उसकी ऐसी धारणा है कि हम जो दुःख भोग रहे हैं, वह पूर्वजन्म का पाप है। इसलिए सूरदास दलित साहित्य का नायक नहीं लगता। 'रंगभूमि' में दलितों की समस्या नहीं है। इस उपन्यास में सत्य-असत्य, धर्म-अधर्म, न्याय-अन्याय के लिए संघर्ष चल रहा है। सूरदास अपनी जमीन के लिए और फिर अपनी झोंपड़ी के लिए लड़ता दिखाई देता है। इसलिए उसकी लड़ाई को स्वराज्य आन्दोलन की उपमा नहीं दी जा सकती। सूरदास ने अपनी जमीन के लिए और मकान के लिए जो संघर्ष किया है। उसकी अपेक्षा उसके द्वारा सुभागी के लिए किया गया संघर्ष कई गुना महत्त्वपूर्ण है जिसकी चर्चा नहीं हुई है।

'रंगभूमि' उपन्यास का अधिकांश हिस्सा काशी से सम्बद्ध है। काशी के पाण्डेपुर में सूरदास रहता है। सिगरा में जॉन सेवक का बंगला है। गंगा किनारे कुँवर भरत सिंह की 'सेवा भवन' नामक विशाल हवेली है। कुँवर भरत सिंह का दामाद राजा महेन्द्र कुमार चतरा का राजा और काशी के कॉर्पोरेशन का सभापति है। कुँवर भरत सिंह की बेटी इन्दु राजा महेन्द्र कुमार की पत्नी है, तो बेटा विनय जॉन सेवक की बेटी सोफिया से प्यार करता है। इस तरह का यह चक्र है।

ईश्वर सेवक जॉन सेवक के पिता हैं, जो ब्रिटिश सेना से अवकाश ग्रहण कर

चुके हैं। जॉन सेवक धर्मांतरित ईसाई है, जो अपनी पत्नी मिसेज़ सेवक, बेटी सोफिया सेवक एवं बेटा प्रभु सेवक को लेकर अपने पिता के साथ रहता है। सूरदास की जमीन हड़प कर जॉन सेवक उस पर सिगरेट का कारखाना शुरू करना चाहता है। प्रभु सेवक विदेश से पढ़ाई पूरी कर लौटा है। वह कविता रचता है। सोफिया सेवक स्वतन्त्र प्रकृति की युवती है। वह ईसाई धर्म की आलोचना करते हुए तथा बाइबिल के वचनों को लेकर शंकाएँ उपस्थित करती दिखती है। मात्र कर्मकाण्ड के लिए चर्च में जाना उसे पसन्द नहीं है। एक और वह ईसाई धर्म का मजाक उड़ाती है तो दूसरी ओर हिन्दू धर्म की प्रशंसा करती है। प्रेमचन्द ईसाई धर्म और धर्मान्तर की आलोचना करते दिखाई देते हैं। 'डोम चमार जो गिरजा में जाकर खाना खा ले वही क्रिस्तान हो जाता है। वही बाद में कोट पतलून पहनकर साब बन जाता है।' (पृ. 114)

सोफिया की धर्म सम्बन्धी आलोचना के कारण उसके घर में बवाल खड़ा होता है। मिसेज़ सेवक को अपनी बेटी के ईसाई विरोधी विचार पसन्द नहीं। इस कारण उनके परिवार में विवाद शुरू होते हैं। इस विवाद से ऊबकर सोफिया गृहत्याग करती है। जहाँ रास्ता ले जाएगा, उधर जाती है और गंगा किनारे स्थित कुँवर भगतसिंह के 'सेवा भवन' नामक विशाल भवन के पास आकर रुकती है। इस प्रासाद के प्रांगण में 'सेवा दल' के युवक राष्ट्रीयतापरक गीत गाते दिखते हैं। राष्ट्रीय भावना से ओतप्रोत गीत सुनकर सोफिया वहीं ठिठकती है। उसे अपनी सहपाठी इन्दु की याद आती है।

कुँवर भरत सिंह ने लोगों की सेवा करने के लिए 'सेवा दल' की स्थापना की है। सेवा दल का काम कुँवर भरत सिंह का बेटा विनय देखता है, तो डॉ. गांगुली सेवा दल के युवाओं का बौद्धिक मार्गदर्शन करते हैं। सेवा दल के युवा समाज सेवा करते हैं। देशाटन कर लोगों में जागरण करते हैं। काशी में गंगा स्नान हेतु हजारों पर्यटक आने की सम्भावना होती है। उनकी व्यवस्था की जिम्मेदारी सेवा दल के युवाओं पर होती है। हजारों की संख्या में आने वाले श्रद्धालुओं की भीड़ के कारण किसी आपातकालीन गम्भीर प्रसंग की उपस्थिति में उस पर उपाय की दृष्टि से सेवा दल के युवाओं का अभ्यास चल रहा होता है। सेवादल के युवाओं के इम्तिहान के लिए कुँवर भरत सिंह अपने प्रासाद की एक झोंपड़ी को आग लगा देते हैं। राष्ट्रीयतापरक गीत गाने वाले युवा आग बुझाने के लिए दौड़ते हैं। जैसे ही आग काबू में आती है, उसी समय किसी के कुएँ में गिरने की चिल्लाहट सुनाई पड़ती है। सभी कुएँ की ओर दौड़ पड़ते हैं। अकेला विनय आग बुझाने की कोशिश करने लगा रहता है। अचानक आग का धमाका होकर विनय के जलने का खतरा पैदा होता है। यह देखकर सोफिया तुरन्त विनय की सहायता के लिए कूद पड़ती है। विनय आग से बच जाता है, परन्तु सोफिया जल कर मूर्च्छित हो जाती है। इतना जल कर भी उसका सौन्दर्य कम नहीं होता। सुध आने पर वह पूछती है कि 'मैं कहाँ हूँ?'

उपन्यास के कथ्य के लिए सोफिया को जहाँ आना था, वहाँ सकुशल पहुँचती है। यहीं से एक असफल प्रेम कहानी का जन्म होता दिखता है। सोफिया और विनय के प्यार ने इस पूरे उपन्यास के कथ्य को घेर लिया है।

कुँवर भरत सिंह और विनय की माँ जाह्नवी सोफिया की देखभाल करते हैं। क्योंकि सोफिया ने उनके वंश की रक्षा की थी। इस घटना की जानकारी मिलने पर इन्दु मायके आयी थी। सोफिया के स्वभाव और सौन्दर्य के कारण सभी उस पर मोहित होते हैं। विनय के मन में भी अपने प्राण बचाने वाली सोफिया के प्रति प्रेमांकुर फूट पड़ा था। सभी सोफिया की प्रशंसा करते दिखते हैं। 'यदि तुम क्रिश्चियन नहीं होती, तो विनय के साथ तुम्हारा ब्याह कर दिया होता', जाह्नवी और इन्दु इस तरह भावनाएँ प्रकट करती हैं। (पृ. 33, 76)

सोफिया को मिलने के लिए उसके माँ-बाप को सन्देश भेजा जाता है। सोफिया की माँ, पिता और भाई, सोफिया को ले जाने के लिए आते हैं। किन्तु सोफिया अपने घर वापस जाने से इनकार कर देती है। इस भेंट के दौरान जॉन सेवक कुँवर भरत सिंह को अपने सिगरेट के कारखाने में आधे शेयर का मालिक बना लेते हैं। जॉन सेवक धूर्त, झूठा और बाजारू आदमी है। प्रेमचन्द ने सिगरेट के कारखाने के बहाने औद्योगीकरण के लाभ-हानि की जैसी चर्चा की है उसी तरह विवाह संस्था एवं धर्म संस्था पर भी प्रहार किया है। प्रेमचन्द व्यक्ति स्वातन्त्र्य और न्याय का आदर करने वाले लेखक हैं।

कुछ दिनों बाद इन्दु ससुराल निकलती है, तब वह अपनी 'लेडी' के रूप में सोफिया को साथ ले जाना चाहती है। परन्तु राजा महेन्द्र कुमार इस बात के लिए तैयार नहीं होते। इन्दु कुछ नहीं कर पाती। जान्हवी सोफिया पर अपने प्राइवेट सेक्रेटरी की जिम्मेदारी सौंपती है। सोफिया जाह्नवी को समाचार-पत्र और प्रतिदिन आने वाले पत्र पढ़कर सुनाने का काम करती है। एक दिन सोफिया जाह्नवी के सम्मुख बैठकर समाचार-पत्र पढ़ रही होती है, तभी विनय भी वहाँ आकर बैठता है और सोफिया का ध्यान विंचलित होता है। जाह्नवी को सोफिया और विनय के आपसी प्यार का एहसास होता है। अपना बेटा समाज सेवा में रुचि रखने के बजाय प्रेम प्रकरण में फँसा है, इस बात का जाह्नवी को बुरा लगता है। वह सोफिया को दोष देती है। वह विनय और सोफिया के आपसी लगाव को तोड़ना चाहती है। इसके लिए वह विनय को कहती है कि वह 'सेवादल' के युवाओं के साथ देशाटन के लिए जाए। माँ की आज्ञा सर आँखों पर मानकर विनय भी 'सेवादल' के युवाओं के साथ देश भ्रमण के लिए निकल पड़ता है। विनय के जाने के बाद सोफिया अपने माँ-बाप के घर आती है। जब-जब सोफिया अपनी जगह बदलती है, तब-तब उपन्यास के कथ्य को नया मोड़ प्राप्त होता है।

जॉन सेवक अपनी सुन्दर बेटी का ब्याह ब्रिटिश जिलाधिकारी मिस्टर क्लार्क के साथ रचाने का प्रयत्न करता रहता है। अपनी बेटी का उपयोग कर वह सूरदास की जमीन हड़पना चाहता है। उधर मिस्टर क्लार्क सोफिया की सुन्दरता से घायल है। वह जॉन सेवक को खुश रखना चाहता है। इसलिए वह राजा महेन्द्र कुमार को सूचित करता है कि वह सूरदास की जमीन पर कब्जा करे। राजा महेन्द्र कुमार भी मिस्टर क्लार्क को खुश रखकर अपना पद कायम रखना चाहता है और फिर राजा महेन्द्र का श्वसुर जॉन सेवक का पार्टनर था। अतः उनके श्वसुर का भी लाभ होना निश्चित था। राजा महेन्द्र कुमार कॉर्पोरेशन की सभा में प्रस्ताव पारित कर सूरदास की जमीन पर कब्जा करता है और सूरदास को हरजाना दिया जाता है। सूरदास हरजाने की राशि लोगों में बाँट देता है और राजा महेन्द्र कुमार के खिलाफ प्रचार शुरू करता है। लोगों में चर्चा शुरू होती है कि राजा महेन्द्र कुमार ने अपने अधिकारों का गैर इस्तेमाल कर दीन-हीन अन्धे भिखारी की जमीन को हथिया लिया। इसमें राजा महेन्द्र कुमार की बहुत बदनामी होती है। सूरदास गली-गली में घूमकर स्वयं पर हुए अन्याय के बारे में लोगों को कहता रहता है। वह लोगों की सहानुभूति का पात्र बनता जाता है। सोफिया को भी अन्धे सूरदास पर दया आती है। और वह मिस्टर क्लार्क से कहती है कि वह सूरदास की जमीन वापस लौटाए। मिस्टर क्लार्क सोफिया का मन जीतना चाहता है। इसलिए वह राजा महेन्द्र कुमार द्वारा मंजूर आदेश रद्द करवाता है। इससे महेन्द्र कुमार झुँझला उठता है। उसकी बेइज्जती होती है। वह मिस्टर क्लार्क के खिलाफ ब्रिटिश गवर्नर के पास शिकायत करता है और प्रजा को मिस्टर क्लार्क के खिलाफ भड़काता है। स्थानीय जन मिस्टर क्लार्क के खिलाफ आन्दोलन करने लगते हैं।

इधर विनय सेवा दल के युवाओं के साथ देश भ्रमण करते हुए जसवन्त नगर नामक पहाड़ी इलाके में पहुँचता है। सेवा दल के युवा जसवन्तनगर के लोगों में जाकर उनकी सेवा करने लगते हैं। लोगों में जागृति होने लगती है। इसी इलाके में वीरपाल सिंह नामक क्रान्तिकारी भी सक्रिय होता है। जसवन्तनगर के सांस्थानिक नीलकंठ राव तथा ब्रिटिश अधिकारी हैरान थे। वीरपाल सिंह ने सरकारी खजाना लूटकर ब्रिटिश अधिकारी का खून किया था। विनय वीरपाल सिंह को उकसाता होगा ऐसा मानकर ब्रिटिश पुलिस विनय को गिरफ्तार करती है। उस पर अभियोग चला कर उसे जेल में बन्द करती है। विनय के जेल जाने के बाद इन्द्रदत्त सेवा दल के कार्य को आगे बढ़ाता है।

विनय के जेल जाने का समाचार पाकर कुँवर भरत सिंह चिन्तित हो जाते हैं। विनय को मुक्त करने की जिम्मेदारी नायकराम पर सौंपी जाती है। जेल के कर्मचारियों को फुसलाकर विनय की रिहाई की योजना बनायी जाती है। नायकराम भरपूर रुपये लेकर अपनी मुहिम पर निकलता है।

राजा महेन्द्र कुमार की शिकायत के कारण मिस्टर क्लार्क के तबादले का निर्णय किया जाता है। मिस्टर क्लार्क को तबादले के लिए कहा जाता है। विनय का जसवन्तनगर स्थित जेल में होना सोफिया जान जाती है। सोफिया मिस्टर क्लार्क पर अपना प्रभाव डालकर उसे यह सूचित करती है कि वह अपना तबादला जसवन्तनगर में करवाए। सोफिया क्लार्क के जरिए विनय की रिहाई चाहती है। यहाँ उपन्यास का प्रथम खण्ड खत्म होता है। जॉन सेवक सूरदास की जमीन हथियाने के लिए मिस्टर क्लार्क के पीछे पड़ता है, तो सोफिया विनय की जेल से मुक्ति के लिए मिस्टर क्लार्क को बहकाती है। सोफिया के प्रेम में पागल मिस्टर क्लार्क इस दाँव-पेंच को कभी नहीं समझ पाता। जसवन्तनगर के पोलिटिकल एजेंट के रूप में मिस्टर क्लार्क की नियुक्ति की जाती है। मिस्टर क्लार्क और सोफिया का जसवन्त नगर में बड़ा स्वागत होता है। स्थान-स्थान पर उनके स्वागत-समारोह आयोजित किये जाते हैं। शहर में सुरक्षा के कारणों से युवकों की धरपकड़ की जाती है। इस दरमियान विनय मूर्च्छित होकर गिर पड़ता है। उसके लिए तुरन्त स्वास्थ्य सेवा मुहैया करवायी जाती है। विनय को देखने के निमित्त सोफिया उसके पास जाती है। विनय उसकी भर्त्सना करता है। सोफिया ने क्लार्क से विवाह किया होगा यह मानकर वह क्रोधित होता है।

"मात्र तुम्हारी मुक्ति के लिए इस छद्म रूप को धारण किया है। क्या तुम्हें मुझ पर सन्देह है!" सोफिया के इस स्पष्टीकरण से विनय के मन में स्थित सन्देह का मैल धुल जाता है और दोनों का मनोमिलन होता है। सोफिया फिर एक बार अपना प्रभाव डालकर मिस्टर क्लार्क से विनय की रिहाई का आदेश निकलवाती है। मिस्टर क्लार्क सोफिया का गुलाम ही बन गया था। वह सोफिया को नाराज नहीं करता। इसलिए विनय की रिहाई का आदेश निकालता है। सोफिया स्वयं यह आदेश लेकर जेल पहुँचती है, परन्तु विनय इस तरह की रिहाई से इनकार कर देता है।

विनय की मुक्ति के लिए नायकराम भी जसवन्त नगर पहुँचा था। वह जेलर के घर जाता है। जेलर के बदन पर गंगाजल छिड़कता है और कहता है कि काशी का ब्राह्मण है। जेलर नायकराम का आदरातिथ्य करता है। नायकराम जेलर के साथ जेल देखने जाता है और विनय की मुक्ति की योजना बनाता है। वह विनय को समझाता है कि 'शत्रु की कैद से पलायन करने में कोई पाप नहीं।' अपने पास छिपाकर रखा पिस्तौल विनय को देता है और दोनों जेल से चम्पत हो जाते हैं।

विनय एवं नायकराम के जेल से भागने के बाद जसवन्त नगर के लोग राजभवन की ओर जाते दिखाई देते हैं। वीरपाल सिंह उन लोगों का नेतृत्व कर रहा होता है। मिस्टर क्लार्क की मोटर के नीचे कुचलकर एक व्यक्ति को मौत हो जाती है। जिससे लोग क्रुद्ध दिखाई देते हैं। लोगों ने राजभवन पर हमला किया तो सोफिया की जान खतरे में पड़ेगी, इसलिए भागने के बजाय विनय राजभवन की ओर निकल पड़ता

है। मिस्टर क्लार्क भरपूर शराब पीकर सो गया था। सोफिया लोगों को समझाती है। लोग क्षुब्ध हुए थे। ऐसी स्थिति में विनय आगे बढ़कर बेकाबू भीड़ पर गोली बारी करता है। लोगों में भगदड़ मच जाती है। विनय द्वारा की गयी गोली बारी में कुछ लोगों की मौत हो जाती है। भीड़ के भागने के दौरान सोफिया का अपहरण हो जाता है। विनय की गोलीबारी के कारण लोगों की मौतें हुई थीं। इसलिए लोग विनय पर क्रुद्ध थे। प्रजा का समर्थन करने के बजाय ब्रिटिशों की तरफदारी करने के कारण प्रजा में असन्तोष फैला होता है।

सोफिया के लिए खोज की मुहिम आरम्भ होती है। लोगों की धर-पकड़ की जाती है। सोफिया की खोज के लिए लोगों पर जुल्म किया जाता है। विनय को जसवन्त नगर के पहाड़ी इलाके की पूरी जानकारी थी। विनय और नायकराम सोफिया की खोज के लिए अरावली की पहाड़ियों में भटकते रहते हैं। इस बीच उन्हें सेवा दल का कार्य करने वाला इन्द्रदत्त मिलता है। सोफिया वीरपाल सिंह के साथ ब्रिटिश विरोधी षड्यन्त्र में शरीक हुई थी। विनय और नायकराम सोफिया से मिलने जाते हैं। सोफिया विनय को अंग्रेज परस्त कहकर उसकी भर्त्सना करती है। विनय उसे समझाने की कोशिश करता है, परन्तु सोफिया उसे फटकार देती है।

विनय और नायकराम निराश होकर वापस लौटते हैं। रेल से काशी की ओर निकल पड़ते हैं। रेल बीच में ही रुक जाती है। विनय जिस डिब्बे में बैठा था उसी डिब्बे में सोफिया प्रवेश करती है। विनय और सोफिया का संवाद शुरू होता है। इस संवाद में बाधा न आए इसलिए उपन्यासकार ने नायकराम को गहरी नींद सुला दिया है। नायकराम को गहरी नींद में छोड़कर सोफिया और विनय बीच में ही रेल से उतर जाते हैं। विनय और सोफिया भीलों के प्रदेश में एक साल साथ-साथ रहते हैं। फिर भी उनका प्रेम शारीरिकता से दूर रहता है। इस प्रेम को समाज कार्य एवं संघर्ष की पृष्ठभूमि है। इस प्रेम में वासना रंच मात्र भी नहीं। उलटे स्वयं पर सोफिया का प्रेम दृढ़ बने इसलिए विनय जड़ी-बूटियों की सहायता लेता है। एक साल बाद विनय और सोफिया काशी लोटते हैं। विनय के घर दोनों का स्वागत होता है। यही नहीं उन दोनों के विवाह की तैयारियाँ शुरू होती हैं। सोफिया के घरवालों की ओर से इस विवाह का विरोध होता है। सोफिया भी विवाह के खयाल से बेचैनी अनुभव करती है। वह इस विचार से त्रस्त है कि विवाह के कारण विनय का ध्यान समाजसेवा से विचलित होगा और यदि ऐसा नहीं हुआ तो विनय का अपने प्रति प्रेम कम होगा। वह दबाव महसूस करती है। उस पर नैराशय के दौरे पड़ते हैं। उसका उपचार शुरू होता है और विवाह की तिथि आगे ढकेल दी जाती है।

इस दौरान सूरदास की जमीन पर बना जॉन सेवक का सिगरेट का कारखाना उन्नति के दौर में पहुँचा होता है। कारखाने के मजदूर पाण्डेपुर में किराए के मकानों

में रहते हैं। जॉन सेवक उनके लिए मकान बनवाना चाहता है। इसलिए वह पाण्डेपुर की जगह चाहता है। वह उस जगह पर कब्जा पाने की कोशिश शुरू करता है। उसकी कोशिशें सफल होती दिखती हैं। पाण्डेपुर के निवासियों को मकान खाली करने के नोटिस दिये जाते हैं। नोटिस पाकर भी कोई मकान खाली नहीं करता। इसलिए पुलिस बल का इस्तेमाल कर मकानों पर कब्जे की कार्रवाई की जाती है। पाण्डेपुर के लोगों को हरजाने की राशि दी जाती है। कुछ लोग राशि लेकर स्थानान्तर कर लेते हैं। सूरदास की झोंपड़ी का हरजाना राशि एक रुपया तय किया गया था। सूरदास न क्षतिपूर्ति की राशि लेता है और न कब्जा करने देता है। सूरदास के नकार से अन्य निवासियों को भी बल मिलता है। सभी सूरदास के सुर में सुर मिलाते हैं। संगठित होकर पुलिस कार्रवाई का विरोध करते हैं। इसलिए पाण्डेपुर के मकानों का कब्जा करना कठिन हो जाता है। पाण्डेपुरवासियों को काबू में करने के लिए पुलिस बल की सहायता ली जाती है। लोगों का प्रतिकार बढ़ता है, तब गोलीबारी की जाती है। इसमें सेवा दल का कार्यकर्ता इन्द्रदत्त मारा जाता है। पाण्डेपुर काण्ड और बढ़ता जाता है। पुलिस गोली चलाने से इनकार करती है, तब गुरखा पलटन बुलाई जाती है। पाण्डेपुर काण्ड को हल करने के लिए मिस्टर क्लार्क की विशेष नियुक्ति की जाती है। क्लार्क दबावतन्त्र का इस्तेमाल करता दिखाई देता है। सूरदास को लोगों का समर्थन मिलता है। उसकी झोंपड़ी लड़ाई का प्रतीक बनती है। विनय कहता है, 'तुम्हारी झोंपड़ी नहीं, हमारा जातीय मन्दिर है। हम इस पर फावड़े चलते देखकर शान्त नहीं बैठे रह सकते।' (पृ. 398) विनय सूरदास की झोंपड़ी को मन्दिर की उपमा देता दिखाई देता है। असल में, सवर्णों द्वारा दलितों की झोंपड़ियाँ जलाने का इतिहास होते हुए यहाँ चमार की झोंपड़ी का 'यह हमारा मन्दिर है', ऐसा गौरव होता हुआ दिखता है। प्रेमचन्द की सामाजिक प्रतिबद्धता की यह निशानी है। ऐसा होते हुए भी प्रेमचन्द ने ब्राह्मण के लिए 'गरीब पण्डित जी' और अछूत के लिए 'सूरदास चमार' ऐसा उल्लेख किया है।

पाण्डेपुर का आन्दोलन और बढ़ जाने पर सूरदास कहता है, 'भाईयों आप लोग अपने घर जाएँ। आपसे हाथ जोड़कर कहता हूँ घर चले जाएँ। यहाँ जमा होकर हाकिमों को चिढ़ाने से क्या फायदा? आप लोग वास्तव में मेरी सहायता करने नहीं आए, मुझसे दुश्मनी करने आए हैं। हाकिमों के मन में, फौज के मन में, पुलिस के मन में जो दया और धर्म का खयाल आता, उसे आप लोगों ने जमा होकर क्रोध बना दिया है। मैं हाकिमों को दिखा देता कि एक दीन, अन्धा आदमी एक फौज को कैसे पीछे हटा देता है, तोप का मुँह कैसे बन्द कर देता है। तलवार की धार कैसे मोड़ देता है। मैं धर्म के बल से लड़ना चाहता था।' (पृ. 411)

अर्थात् सूरदास को लोगों के समर्थन की अपेक्षा अपना आत्मबल अधिक महत्त्वपूर्ण

प्रतीत होता है। उसे महात्मा बनना है। वह स्वयं पुलिस के मन में स्थित दया और धर्म का आवाहन करना चाहता है। 'एक दीन अन्धा आदमी' यह उसका हथियार है। एक अछूत आदमी सवर्णों के साथ इस तरह से बोलता है और फिर भी लोग उसका अनुनय करते दिखाई देते हैं। यह मात्र एक काल्पनिकता है। एक भिखारी समूह को सम्बोधित करता है और उन्हें उपदेश देता है। यह असल में अटपटा प्रतीत होता है। सूरदास भैरों के कन्धे पर बैठकर लोगों को सम्बोधित कर रहा है। मिस्टर क्लार्क को यह दृश्य दिखाई देता है, जिससे उसे लगता है कि सूरदास लोगों को भड़का रहा है। और वह अपनी पिस्तौल से सूरदास पर गोली चलाता है। गोली सूरदास के कन्धे में लगती है और एक भगदड़ मच जाती है। सूरदास को गोली लगने से लोग क्षुब्ध हो उठते हैं। विनय तुरन्त घटनास्थल पर पहुँचता है। क्षुब्ध लोग विनय की भर्त्सना करने लगते हैं, 'अब आया है लोगों की अगुआई करने? घर में शायद हनीमून में मग्न थे!' लोग उत्तेजित थे। किसी भी क्षण लोगों में और पुलिस में संघर्ष होने के हालात पैदा हो गये थे। विनय हालत की गम्भीरता को जानकर और उसे मोड़ देने के लिए अपने आप पर गोली चलाता है। उसका शव तेजी से गिर पड़ता है। लोगों में दुःख की लहर फैल जाती है। संघर्ष का माहौल सन्नाटे में तब्दील हो जाता है। पुलिस के खिलाफ जारी संघर्ष टल कर अन्य लोगों की जानें बच जाती हैं।

विनय की मृत्यु के पश्चात् सोफिया सूरदास के साथ रहती है। उसकी सेवा करती है। फिर सोफिया को सांत्वना देने के लिए उसके पिता जॉन सेवक उसे मिलने आते हैं। वे सोफिया के साथ-साथ सूरदास से कहते हैं, 'तुम जीते मैं हारा'। सूरदास इस प्रसंग में किसी महान साधु की भाँति बर्ताव करता दिखाई देता है। जॉन सेवक की अपेक्षा वह कई गुना बढ़कर प्रतीत होता है। जॉन सेवक ने पाण्डेपुर के कई मकान गिराकर वहाँ नए मकान बनवाए थे, जो एक ओर हैं और दूसरी ओर सूरदास की झोंपड़ी। जॉन सेवक अपने इन नए मकानों का गवर्नर के हाथों उद्घाटन करवा लेता है। बड़े ठाठ-बाट के साथ यह समारोह सम्पन्न होता है।

सूरदास को गोली लगने से हुआ जख्म भरने के बजाय और फैल जाता है। सूरदास की हालत खराब होती जाती है और इसी में उसकी मृत्यु हो जाती है। सूरदास की अंत्य यात्रा में कुँवर भरत सिंह, जाह्नवी, इन्दु, राजा महेन्द्र कुमार, मिस्टर क्लार्क आदि बड़ी हस्तियाँ शामिल होती हैं। उसकी अन्त्य यात्रा बड़ी धूमधाम से निकलती है। सूरदास के शव को चन्दन की चिता पर मुखाग्नि दी जाती है। असल में सूरदास जैसे चमार के लिए अलग श्मशान होता है। हिन्दू समाज व्यवस्था द्वारा अछूतों के लिए अलग बस्ती, अलग पनघट और अलग श्मशान घाट की व्यवस्था की गयी है। अछूतों को अपवित्र करार देकर उन्हें सार्वजनिक स्थलों पर विचरण

करने से रोका गया है। 'रंगभूमि' का चमार सूरदास मिश्र बस्ती में रहता है, मन्दिर में सब के साथ प्रार्थना करता है, उसकी झोंपड़ी अन्यों को लड़ने की प्रेरणा देने वाला मन्दिर प्रतीत होता है और सूरदास की मृत्यु के बाद उसकी अन्त्य यात्रा बड़ी धूमधाम से निकलती है। यह सब देखने के बाद पाठकों के मन में प्रश्न उपस्थित होता है कि क्या सूरदास सचमुच अछूत था? और उसका उत्तर भी मिल जाता है। प्रेमचन्द ने सूरदास पर अछूत जाति का मात्र लेबल चिपकाया था। अछूतों का दुःख-दर्द सूरदास ने कभी भोगा ही नहीं था।

सूरदास की मृत्यु के बाद उसका पुतला बनवाने के लिए सोफिया निधि जमा करती दिखाई देती है। इस कार्य में इन्दु उसकी मदद करती है। राजा महेन्द्र कुमार को यह पसन्द नहीं। वह सूरदास के पुतले का कड़ा विरोधक बनता है। अपनी पत्नी इन्दु के इस काम पर आपत्ति जताता है। इन्दु पति की बात नहीं मानती। वह कहती है यद्यपि मैंने शादी की है, फिर भी अपनी आत्मा नहीं बेची है।' इन्दु पति का घर त्याग कर पुतला-निर्माण कार्य में जुट जाती है। पुतले के लिए अपने गहने दान करती है। सोफिया और इन्दु के प्रयत्नों से सूरदास का पुतला खड़ा किया जाता है। विनय का पुतला नहीं बनता, बल्कि एक भिखारी का पुतला बनवाया जाता है। क्योंकि सूरदास जन संघर्ष का प्रतीक था। सूरदास के पुतले का लोकार्पण होता है। इस अवसर पर प्रभु सेवक द्वारा लिखित 'सूरदास' शीर्षक नाटक खेला जाता है। सबसे महत्त्वपूर्ण बात यह कि पुतले के सामने सहभोज का आयोजन किया जाता है। इस सम्बन्ध में प्रेमचन्द लिखते हैं—'संध्या समय प्रीतिभोज में छूत और अछूत साथ बैठकर एक ही पंक्ति में खा रहे थे। यह सूरदास की सबसे बड़ी विजय थी।' (पृ. 442) सूरदास जातिवाद के खिलाफ लड़ता नहीं दिखाई देता। असल में ऐसा नहीं लगता कि उसे अपनी गुलामी का एहसास नहीं हुआ है। वह अपने दुःख का मूल अपने पिछले जन्म में खोजता है और अपनी लड़ाई की शक्ति अपने दीन-हीन अन्धत्व में ढूँढ़ता है। सूरदास की जाति के कारण उसके साथ भेदभाव करने वाला कोई भी नहीं दिखाई देता। सूरदास समाज-व्यवस्था के खिलाफ नहीं लड़ता, बल्कि अपने ऊपर हुए अन्याय के खिलाफ लड़ता दिखाई देता है। लोग उसके सद्‌गुणों के कारण उसके अनुयायी बनते हैं। सहभोज, यह सूरदास का सपना कभी नहीं था। वह प्रेमचन्द का सपना है।

राजा महेन्द्र कुमार सूरदास के पुतले के खिलाफ था। वह सूरदास का पुतला गिराना चाहता है। एक रात वह पुतला गिराने के इरादे से आता है और अपनी लाठी से पुतले पर प्रहार करता है। सूरदास का पुतला राजा महेन्द्र कुमार पर गिर पड़ता है, जिसके नीचे दबकर महेन्द्र कुमार की मौत हो जाती है। जिस सूरदास ने आजीवन अहिंसा का पाठ पढ़ाया, उस सूरदास के पुतले ने राजा महेन्द्र कुमार

को मार गिराया। आखिर हिंसा के द्वारा ही जवाब दिया गया है। पूरे उपन्यास में अहिंसा का पुरजोर प्रचार किया गया है, फिर भी उपन्यास में कई जानें गयी हैं।

सूरदास की मृत्यु के पश्चात् सोफिया अपने घर वापस जाती है। इतना सब होने के बावजूद भी जॉन सेवक को लगता है कि उसकी बेटी मिस्टर क्लार्क से ब्याह करे। मिस्टर क्लार्क भी इस ब्याह के लिए राजी था। सोफिया इसका स्पष्ट शब्दों में इनकार कर पिता का दिल नहीं दुःखाती। वह पिता को चिट्ठी लिखती है, "जिस दुनिया में विनय नहीं, उस दुनिया में मैं नहीं रह सकती।" इस तरह सोफिया अपनी जीवन-यात्रा खत्म करती है और स्वर्ग में विनय के साथ शादी करने का सपना संजोती है। प्रेमचन्द भी स्वर्ग का मोह नहीं टाल सके।

उपन्यास के अन्त में जाह्नवी और इन्दु अपने घर से मुँह मोड़कर समाज सेवा के लिए निकलती दिखाई देती है। सोफिया जिन्दा रहती तो वह उनका साथ देती, किन्तु कदाचित् लेखक को यह मंजूर नहीं होगा।

श्यामसुन्दर
(श्री. कृ. कोल्हटकर)

श्री कृ. कोल्हटकर का 'श्यामसुन्दर (1925) और प्रेमचन्द का 'रंगभूमि' (1925)– दोनों उपन्यास एक ही वर्ष अर्थात् सन् 1925 को प्रकाशित हुए हैं और इन दोनों उपन्यासों में विलक्षण साम्य है। दोनों उपन्यास पराधीनता के कालखण्ड में लिखे गये हैं और दोनों की पृष्ठभूमि स्वतन्त्रता आन्दोलन ही है। दोनों उपन्यासों पर गाँधीजी के विचारों का प्रभाव है। दोनों उपन्यासों में जातिवाद पर कठोर प्रहार किया गया है। 'श्यामसुन्दर' में मराठी समाज का चित्र प्रकट हुआ है, वहीं 'रंगभूमि' में हिन्दी समाज का चित्र अंकित हुआ है। 'रंगभूमि' उपन्यास दो खंडों में लिखा गया है और उसकी व्याप्ति और कालपट 'श्यामसुन्दर' उपन्यास से बड़ा है। 'रंगभूमि' के कथ्य में बिखराव है, तो 'श्यामसुन्दर' उपन्यास से बड़ा है। रंगभूमि' के कथ्य में बिखराव है, तो 'श्यामसुन्दर' का कथ्य सुगठित प्रतीत होता है। 'रंगभूमि' में सामाजिक स्वतन्त्रता की अपेक्षा राजनैतिक आन्दोलन की चर्चा विस्तार से हुई है। वहीं 'श्यामसुन्दर' में यद्यपि राजनैतिक स्वतन्त्रता की चर्चा हुई है, फिर भी प्रधानता सामाजिक स्वतन्त्रता की ही है। परन्तु प्रेमचन्द के 'रंगभूमि' की जितनी चर्चा हुई, उतनी 'श्यामसुन्दर' की नहीं हुई। अथवा साने गुरुजी के 'श्याम की माँ' (श्यामची आई) की जितनी चर्चा हुई उतनी चर्चा कोल्हटकर के 'श्यामसुन्दर' की नहीं हुई। 'श्यामसुन्दर मराठी का महान उपन्यास है, जिस पर पुनर्विचार आवश्यक है।

हिन्दू धर्म में स्थित जातिभेद के साथ धैर्यपूर्वक टकराने वाला, पाठक के मन-मस्तिष्क को सोचने के लिए विवश करने वाला और प्रेमचन्द के 'रंगभूमि' से श्रेष्ठ उपन्यास के रूप में 'श्यामसुन्दर' का उल्लेख करना होगा। साने गुरुजी का 'श्याम' मराठी में अमर होता है और कोल्हटकर के 'श्याम' को मराठी मानस भूल जाता है, इसे दुर्भाग्य ही कह सकते हैं।

1

'श्याम' बलवन्तराव और सुन्दराबाई नामक ब्राह्मण माँ-बाप का इकलौता बेटा है, जिसकी पढ़ाई में गति नहीं है। श्याम का दोस्त 'दगडू' शूद्र होकर भी मेधावी है। बलवन्तराव को इस बात का शल्य है कि उसका बेटा शूद्र लड़के से कम बुद्धिमान है। बलवन्तराव श्याम का हमेशा अपमान करते रहते हैं। पिता की धाक में जीने वाला श्याम अनुत्तीर्ण होता है और अपनी वजह से पिता को गरदन झुकानी पड़ती है इस कारण हमेशा के लिए गृह-त्याग करता है। श्याम को इस बात का बुरा लगता है कि वह बुद्धिमान नहीं है। 'उच्च जाति में अधम', कहलवाने की अपेक्षा निम्न मानी गयी जाति में श्रेष्ठ कहलवाना उचित, (पृ. 37) ऐसा सोचकर वह अपने गाँव हरीनपुर से हमेशा के लिए मुँह मोड़ लेता है। ऊँची जाति का कम बुद्धिमान मनुष्य निम्न जाति में श्रेष्ठ ठहरता है, इस कथन में कैसा जहर छिपा हुआ है? गुणवत्ता और बुद्धिमानी केवल ऊँची जाति में होती है और छोटी जाति में उसका अभाव होता है, अलग राह से यही सूचित करने का यह प्रयास है। रेलयात्रा में मल्हारी बाबा से श्याम का परिचय होता है। मल्हारी बाबा जाति से शूद्र मराठा थे। यात्रा के दौरान वे बड़ी आत्मीयता से श्याम का ध्यान रखते है। श्याम मल्हारी बाबा के साथ उनके गाँव चिमणपुर में उतरकर उन्हीं के घर में किराए से रहना शुरू करता है। श्याम अपनी जाति और नाम छिपाकर कहता है कि वह शूद्र है। फिर वह नाना मराठे नामक नया नाम धारण कर जीविका के लिए कुलीगिरी करने लगता है।

मल्हारी बाबा के हैबती ओर चन्दू नामक दो बेटे थे। वे श्याम को भी अपने बेटे के समान मानते हैं। श्याम शूद्रों का अनाज, वस्त्र एवं निवास की आदत डालने लगता है। वह यद्यपि कुली का काम करता है, फिर भी उसकी वाणी और शक्ल ब्राह्मणी लगती थी। उसकी मधुर बातें और विनम्र बर्ताव शूद्रों पर अच्छा असर डालती थी। यह लेखक की ओर से ब्राह्मणी बर्ताव की की गयी प्रशंसा ही है। श्याम शूद्रों के दिल बहलाव के लिए भजन-मण्डली का अड्डा शुरू करता है। वह भजन-मण्डली के जरिए शूद्रों को ब्राह्मणी संस्कार पढ़ाने की कोशिश करता है। आगे चल कर वह कुलियों के लिए रात्रि-पाठशाला शुरू करता है। 'जो श्याम ब्राह्मण जाति में शिक्षा की दृष्टि से पिछड़ा था, वह इस तरह मराठों की शिक्षा का एक अद्वितीय समर्थक बन बैठा।' (पृ. 53) श्याम हमालपुर के लोगों को राजी कर उन्हें व्यसनमुक्त करने लगता है। यहाँ लेखक ने यह मान लिया है कि शूद्र व्यसनी होते हैं। मल्हारी बाबा का बेटा हैबती पूरी तरह व्यसनाधीन बन चुका था। व्यसनमुक्त होने पर लोगों के पास रुपये दिखने लगते हैं। बचे हुए रुपयों की सुरक्षा के लिए श्याम उधर सहकारी समिति की स्थापना करता है। कोल्हटकर ने सन् 1925 में ही सहकार का समर्थन

किया है। श्याम नवसाक्षरों के लिए वाचनालय शुरू करता है। इस तरह श्याम शूद्रों के जीवन में आमूल परिवर्तन लाता है।

श्याम के द्वारा घर छोड़ने के बाद उसकी माँ सुन्दराबाई को बड़ा दुःख होता है। श्याम की खोज के लिए 'गरुड' नामक अखबार में श्याम के गुमशुदा होने का विज्ञापन छपवाया जाता है। इस विज्ञापन को पढ़कर श्याम गदगद होता है और इस बात से डरने लगता है कि उसे कोई पहचान लेगा। जिस चिमणपुर में वह रहता है, वहीं उसके मामा रहते हैं। श्याम की माँ का मौसेरा भाई गोपाळराव, गोपाळराव की पत्नी राधाबाई और बेटी चिमणी से श्याम का परिचय था। श्याम की माँ की इच्छा थी कि श्याम का ब्याह चिमणी के साथ हो। क्या चिमणी के परिवार का कोई सदस्य उसे जानता है और यदि हाँ, तो यह बात वह उसके माँ-बाप से न कहे, इसलिए उनसे विनती करने के इरादे से श्याम चिमणी के घर पहुँचता है।

अपने स्कूल के छात्रों को पुरस्कार प्रदान करने का निमन्त्रण देने के निमित्त श्याम गोपाळराव के घर गया था। 'आज मैं एक कुलीन और समृद्ध ब्राह्मण के घर 'कुणबी'[1] के रूप में आया हूँ, यह अपूर्व सोच ही उसे रोमांचित करने के लिए पर्याप्त थी।' (पृ. 85) ब्राह्मण के घर जाने से श्याम धन्य महसूस करता है। मानो 'कुणबी' का घर या घराने कुलीन और समृद्ध नहीं होते, ऐसा आभास उत्पन्न करने वाला यह विधान है। चिमणी के घर श्याम को कोई नहीं पहचान पाता। चिमणी की अ‍ॅड्. चिमणराव के साथ शादी हो गयी थी और वह ससुराल गयी हुई थी। श्याम अपने स्कूल के छात्रों की परीक्षा लेने तथा उन्हें पुरस्कार प्रदान करने हेतु गोपाळराव को आमन्त्रित करता है। गोपाळराव श्याम का आमन्त्रण सहर्ष स्वीकार करते हैं। यही नहीं बल्कि चिमणी के साथ पधारने का वादा करते हैं। क्योंकि चिमणी कुछ ही दिनों में मायके आनेवाली है और फिर अ‍ॅड्. चिमणराव अपनी वकालत ठीक तौर से चलने तक चिमणी को मायके रखना चाहते थे।

चिमणी श्याम द्वारा आयोजित पुरस्कार वितरण समारोह में अतिथि के रूप में पधारती है और श्याम का समाज-कार्य देखकर प्रभावित हो जाती है। कार्यक्रम के दौरान अपने भाषण में वह कहती है, "चातुर्वर्ण्य जन्म पर आधारित न होकर गुणों और कर्म पर अवलम्बित था, आगे चलकर वह जन्मसिद्ध हुआ। इस कारण स्त्रियों और शूद्रों के साथ अन्याय हुआ। स्त्रियों और शूद्र मिलाकर हुए दस आने के हिस्से के जिम्मे मात्र सेवारूपी कर्तव्य दिये गये और शेष छः आने वाले हिस्से में ज्ञान ब्राह्मणों की ओर, सत्ता क्षत्रियों की ओर और धन वैश्यों के पास दिया गया।" (पृ. 104, 105) यह ध्यातव्य है कि सन् 1925 में कोल्हटकर ने 'दस आने' की भाषा बोली थी।

---

1. कुणबी—कुर्मी, किसान, खेतिहर।

चिमणी श्याम को पहचान लेती है। श्याम चिमणी को अपना राज़ गुप्त रखने की विनती करता है। चिमणी भी हाँ कहती है। चिमणी श्याम से कहती है, "यहाँ आने के बाद ब्राह्मण्य के सम्बन्ध में मेरी कल्पनाएँ बदल गयी हैं। आपके शिष्य-शिष्याओं में कई ब्राह्मण इस उपाधि के लिए योग्य पाए जाएँगे।" चिमणी को 'ब्राह्मण' योग्यता प्रतीत होती है और इस बात का अचम्भा होता है कि शूद्रों में कई जन इस उपाधि के योग्य हैं। ब्राह्मणेतरों द्वारा ब्राह्मणों का अनुसरण किये जाने पर वे उच्च पद पा सकते हैं, ऐसा यह सन्देश है।

चिमणी अपने घर लौटने के बाद अपने पिता के साथ चर्चा करती दिखती है। 'श्यामसुन्दर' उपन्यास में 'चर्चा' एवं 'सार्वजनिक सभा' शीर्षक दो अध्याय हैं। इन अध्यायों के कारण इस उपन्यास को वैचारिक रूप प्राप्त हुआ है। चिमणी द्वारा की गयी चर्चा में निम्नलिखित मुद्दों का विवेचन होता दिखाई देता है।

चिमणी : 'पाश्चात्यों के बीच स्वहित तथा परिवार-हित के आगे की सीढ़ी राष्ट्र-हित ही होती है। उलटे हमारे यहाँ जाति-हित होता है। भिन्न-भिन्न जातियाँ हमें देश के बराबर प्रतीत होती हैं।' (पृ. 116)

चिमणी : अब शिक्षा के द्वार महर एवं मातंगों[1] के लिए भी खुल गये हैं। जिस अज्ञान के कारण वे कनिष्ठ वर्ग को झेलने के लिए तैयार होते थे, वह नष्ट होकर वे अब स्वयं के अधिकारों के सम्बन्ध में सोचने लगे हैं।' (पृ. 118)

चिमणी : ऊँची जातियों की जन्मसिद्ध श्रेष्ठता के सम्बन्ध में नीची जातियों में जो अज्ञानमूलक कल्पनाएँ घर बना कर बैठी हैं, ज्ञान प्रसार के कारण उनका उन्मूलन होते ही कनिष्ठ जातियाँ ऊँची जातियों से समान अधिकार छीन लेंगी।' (पृ. 119)

चिमणी—नीची जातियों पर स्थित अपना वर्चस्व खत्म न हो इसके लिए दक्ष यही धर्माभिमानी जब राजकीय अखाड़े में कूदते हैं, तब वे समान अधिकारों की भाषा बोलने की तैयारी रखते हैं। 'स्वराज हमारा जन्मसिद्ध अधिकार है।' ऐसा जिस मुँह से कहते थे उसी मुँह से यह प्रतिपादित करना कि अस्पृश्यता महार-मातंगों की जन्मसिद्ध आपत्ति है मात्र हिन्दुस्तान में ही सम्भव है।' (पृ. 119)

चिमणी : 'रंग-रूप, रीति-रिवाज, संस्कृति और धर्म से भिन्न परदेशी व्यक्ति यदि हमसे हस्तान्दोलन न करे तो गुस्सा आता है और हमारे ही धर्म के संस्कृति, रीति-रिवाज और रंग-रूप वाले स्वदेशी के साथ हस्तान्दोलन तो दूर बल्कि उसकी छाया भी हमें अपवित्र लगे इससे बड़ा पतन और क्या हो सकता है?' (पृ. 120)

चिमणी : 'मान लीजिए, एक आध महार का सीकाकाई, उबटन आदि लगाकर अभ्यंग स्नान करवाया, बदन पर पहनने के लिए साफ-सुथरे कपड़े दिये, तो आप में

---

1. एक अछूत जाति।

से कितने लोग उसका स्पर्श करने के लिए तैयार होंगे?... महार के हाथ से पानी लेने पर ऊँची जाति का मनुष्य अपवित्र बनता है, किन्तु बैल की पीठ पर लाया हुआ पानी उसे चलता है।' (पृ. 121)

'श्यामसुन्दर' उपन्यास में स्थित उपर्युक्त वक्तव्य सन् 1925 की पृष्ठभूमि में जान लेने पर कितने क्रान्तिकारी प्रतीत होंगे! ब्राह्मण और शूद्रों में मेल-जोल बढ़ाने के लिए चिमणी ऐक्यवर्धक नामक संस्था की स्थापना का संकल्प करती है। 'श्यामसुन्दर' उपन्यास की चिमणी प्रेमचन्द के 'रंगभूमि' की सोफिया से बढ़कर और प्रौढ़ प्रतीत होती है।

चिमणपुर में ऐक्यवर्धक संस्था की स्थापना की जाती है। गोपाळराव इस संस्था के अध्यक्ष बनते हैं। श्याम और चिमणी सचिव की जिम्मेदारी उठाते हैं। गोपाळराव श्याम द्वारा शुरू किये गये स्कूल के लिए और भिन्न जातियों के मिश्र सम्मेलन हेतु एक मंजिला खपरैल वाली इमारत बनवा कर देते हैं।

इस इमारत में ऐक्यवर्धक संस्था का कार्य आरम्भ होता है। 'रंगभूमि' की 'सेवा दल' और 'श्यामसुन्दर' की 'ऐक्यवर्धक'—ये दोनों संस्थाएँ समान उद्देश्य से प्रेरित हैं। उपन्यास भिन्न है, लेखक भिन्न हैं, फिर भी तत्कालीन हिन्दुस्तान के लेखक अपने समाज की पुनर्रचना को लेकर कैसी समान सोच रखते थे, यह अनुभूति यहाँ होती है।

ऐक्यवर्धक संस्था के स्वयंसेवक शूद्र मराठों के बीच जाकर उन्हें स्वच्छता एवं अभक्ष्य का भक्षण न किये जाने की महत्ता समझाते हैं। समाज में एक हलचल शुरू होती है। मराठा ब्राह्मणों के रीति-रिवाज को और ब्राह्मण मराठों के अच्छे रिवाजों को स्वीकार करते हैं। इसका विरोध होता हुआ भी दिखता है। श्याम जब ऐक्यवर्धक संस्था के स्वयंसेवकों के साथ मल्हारी बाबा के घर जाता है, तब हैबती उसका कड़ाई से विरोध करता है। "हमारे घर में तुम्हारी बामनी परम्पराएँ नहीं चाहिए। हम अपने कुर्मी ही भले। सावधान! अन्दर मत आना।" (पृ. 131) मल्हारी बाबा आगे बढ़कर हैबती को रोकते हैं और ऐक्यवर्धक संस्था के स्वयंसेवकों का स्वागत करते हैं।

ऐक्यवर्धक संस्था की ओर से हर माह संस्था की इमारत में ब्राह्मणों-शूद्रों के सम्मिलित भोजन का समारोह होने लगता है। सहभोज के कारण ब्राह्मण-शूद्रों में मेल बढ़ने लगता है। चिमणपुर में सामाजिक सख्य टिकने लगता है। ऐक्यवर्धक संस्था अपने कार्य की दिशा अतिशूद्रों की ओर मोड़ने लगती है। तब शूद्रों की ओर से उसका कड़ा विरोध होता है। चिमणी शूद्रों के सामने अतिशूद्रों की तरफदारी करती है।

चिमणी : 'अतिशूद्र ही यहाँ के मूल निवासी हैं। इतना ही नहीं, बल्कि ये इस देश के अव्वल राज्यकर्ता हैं। हम आर्यों ने जब से उन्हें परास्त किया है, तभी से उनकी यह अवनति हुई है।' (पृ. 136)

चिमणी : 'अंग्रेजों ने हमें जीतने के सौ साल बाद यदि आजादी सौंपना उचित समझा, तो हमें भी चार हजार साल बाद जागकर अन्त्यजों को बराबरी का सम्मान देना जरूरी है।' (पृ. 137)

चिमणी : ऊँची जाति नीची जाति से मेल रखे, तो आजादी पाने में देरी नहीं होगी। अन्त्यजों के प्रति हमारी उदासीनता के कारण वह कितनी तेजी से ईसाई बनता जा रहा है, क्या इसके बारे में तुमने सोचा है?' (पृ. 39)

श्री. कृ. कोल्हटकर ने चिमणी के मुँह से जो वक्तव्य प्रस्तुत किये हैं वे ध्यान देने योग्य हैं। यदि हिन्दुस्तान को अंग्रेजों से मुक्त करना है, तो हिन्दुओं को अतिशूद्रों के साथ समानता का व्यवहार रखना होगा। ऐसा होने पर ही हिन्दू समाज में एकता पैदा होगी। हिन्दू देश की अपेक्षा यदि जातियों को महत्ता देंगे, तो अतिशूद्र धर्मान्तर कर ईसाई बनेंगे। फलतः हिन्दुओं की संख्या कम होकर ईसाईयों का संख्याबल बढ़ेगा। ऐसा हुआ तो इस देश में अंग्रेजों की नींव पुख्ता बनेगी। अतिशूद्रों पर अन्याय से हिन्दू और हिन्दुस्तान का नुकसान होगा। इस तरह का विचार प्रस्तुत करने वाला 'श्यामसुन्दर' मराठी का पहला उपन्यास होना चाहिए।

प्रथम विश्वयुद्ध में हिन्दुस्तान ने ब्रिटिशों की मदद की थी, इसलिए ब्रिटिशों ने हिन्दुस्तान को स्वराज्य का पहला हक देने का ऐलान किया था और यहीं से सामाजिक एवं राजनैतिक इतिहास बदलता जाता है। ब्रिटिशों से मिलनेवाली आजादी का अधिकाधिक लाभ अपनी जाति को हो, इसलिए सभी जातियाँ संगठित और आक्रामक बनने लगीं। आजादी मिली, तो वह ब्राह्मणों के हाथ जाएगी, इसलिए ब्राह्मण-विरोध आरम्भ हुआ। ब्राह्मणेतर पक्ष ब्राह्मण विरोधी आन्दोलन शुरू करता है। सत्यशोधक जलसा के जरिए ब्राह्मणों के खिलाफ प्रचार होने लगा है। इससे ऐक्यवर्धक संस्था के कार्य में बाधाएँ आने लगी हैं। हैबती ब्राह्मणेतर पक्ष का कार्य करने लगता है। यहाँ एक बात पर ध्यान देना होगा। ऐक्यवर्धक का कार्यकर्ता सुशील, स्वभाव का है तो ब्राह्मणेतर पक्ष का कार्यकर्ता व्यसनी और दुराचारी है। चिमणी का पति चिमणी को खत लिखकर उसे अपने यहाँ बुला लेता है। चिमणी के ससुराल जाने पर श्याम ऐक्यवर्धक संस्था का सम्पूर्ण भार सँभालने लगा।

महात्मा गाँधी के नेतृत्व में आजादी का आन्दोलन गतिमान बना है। हर एक की ज़बान पर तकली, चरखा, बहिष्कार, स्वराज और खिलाफत जैसे शब्द खेलने लगे हैं। एक ओर आजादी की लड़ाई ने गति पकड़ी, तो दूसरी ओर ब्राह्मणेतर पक्ष का कार्य बढ़ने लगा। ब्राह्मणेतर आन्दोलन की आक्रामकता के कारण ब्राह्मणों में चिन्ता का माहौल बनता गया। 'अन्य जातियों को अछूत समझने वाले ब्राह्मण खुद अछूत तो नहीं बन बैठेंगे, ऐसा सकारण भय फैलता जाता है। देहातों के ब्राह्मण स्थलान्तर करने लगे। ब्राह्मणों का हँसी-मजाक उड़ाया जाने लगा। इस तरह 'मुँह बन्द कर

ऊपर से घूसों जैसी उन बेचारों की हालत हुई।' (पृ 157) हिन्दुओं में अनेक गुट, कई जातियाँ सक्रिय हुई। अंग्रेज यही चाहते थे।

श्याम नाना मराठे नाम धारण कर शूद्र के रूप में रह रहा था। श्याम को शूद्र समक्षकर, ब्राह्मणेतर दल उसे ब्राह्मणेतर से अलग करने का प्रयत्न करते हैं। परन्तु जन्म से ब्राह्मण होने के कारण श्याम पर उसका असर नहीं पड़ता। वह ब्राह्मणों का पक्ष लेता दिखता है।

श्याम : 'हमारे समाज में ब्राह्मण हैं इसलिए हम कुर्मी-कोइरी का इतना सुधार हुआ है। सुधार का यह कार्य ब्राह्मणों ने स्वयं अपने कन्धों पर लिया है। यह विशेष बात है।'

मराठा पाहुणा[1] : 'हमें हजारों वर्ष अज्ञान की कारा में रखकर अब यह सुधार का झमेला ब्राह्मण क्यों कर रहे हैं? इसके पहले इनमें यह अक्ल क्यों नहीं जागी?'

श्याम : 'देरी से क्यों न हो वे अपनी गलती को दुरुस्त तो कर रहे हैं। तुमने आज तक महार-मातंगों के सुधार के लिए क्या किया? तुम्हारे ब्राह्मणेतर दल का उद्‌गम महार-मातंगों के प्रति प्रेम में न होकर ब्राह्मण-द्वेष में ही हुआ है, यह तुम्हें स्वीकार करना पड़ेगा।' (पृ. 159)

श्याम ब्राह्मणों की तरफदारी करता दिखाई देता है। वह ब्राह्मणेतर दलों की आलोचना करता दिखता है। ब्राह्मणेतर दल के कार्यकर्ता ब्राह्मण श्याम को पूछते हैं कि ब्राह्मणों ने शूद्रों के लिए क्या किया, वहीं श्याम पूछता है कि ब्राह्मणेतरों ने अतिशूद्रों के लिए क्या किया? किन्तु यही स्पष्ट होता है कि इन दोनों ने अतिशूद्रों के लिए कुछ भी नहीं किया। यह देखकर कि श्याम अतिशूद्रों का पक्षधर बन रहा है, ब्राह्मणेतर दल उसे घेरने की कोशिश करता है। फिर ब्राह्मणेतर दल की ओर से श्याम के सम्मुख यह प्रस्ताव रखा जाता है कि यदि श्याम को अतिशूद्रों के प्रति ममत्व प्रतीत होता है, तो वह अतिशूद्रों के आतिथ्य को स्वीकार करे। श्याम इस प्रस्ताव को स्वीकार करता है। बहस के उपरान्त यह तय होता है कि ब्राह्मणेतर दल और ऐक्यवर्धक संस्था के कार्यकर्ता जुलूस बनाकर अछूतों की बस्ती में जाएँगे। श्याम को नीचा दिखाने के लिए ब्राह्मणेतर दल के कार्यकर्ताओं ने अछूतों को पहले ही सूचित कर रखा था।

निर्धारित कार्यक्रम के अनुसार ऐक्यवर्धक संस्था और ब्राह्मणेतर दल के कार्यकर्ता जुलूस बनाकर क्रमशः चमारों की बस्ती, महारों की बस्ती और मातंगों की बस्ती में जाते हैं। जब जुलूस चमरौटी में पहुँचता है, तब चमार पान-सुपारी देकर जुलूस का स्वागत करते हैं।

---

1. मेहमान, अतिथि।

वहाँ से जुलूस महारों की बस्ती में जाता है। महार जुलूस का स्वागत शरबत पिला कर करते हैं। ऐक्यवर्धक संस्था के सदस्य शरबत पीते हैं किन्तु ब्राह्मणेतर दल के लोग शरबत पीने से इनकार कर देते हैं। इससे ब्राह्मणेतर दल की बदनामी होती है। वे जुलूस से बाहर हो जाते हैं। जुलूस विजयी मुद्रा के साथ मातंगों की बस्ती में पहुँचता है। मातंगों का नाईक जुलूस की आवभगत करता है। जुलूस में शामिल लोगों को वह आग्रह करता है कि वे उसके घर में बनी चटनी और रोटी खाएँ। नाईक के घर में श्याम भोजन करता है परन्तु गोपाळराव और हैबती नाईक के भोजन का तिरस्कार करते हैं। उसके घर से बैठने से इनकार करते हैं। इसे नाईक अपना अपमान समझता है। नाईक के मन में श्याम के प्रति आदर-भाव पैदा होता है। श्याम द्वारा मातंग नाईक के घर का भोजन करने के कारण ब्राह्मणेतर दल की हार होती है। ब्राह्मणेतर दल के कार्यकर्ता श्याम के पैरों में पड़कर क्षमायाचना करते हैं। मातंगों की बस्ती से जुलूस वापस लौटता है। जुलूस के साथ कई चमार, महार एवं मातंग गाँव में आते हैं। ऐक्यवर्धक मन्दिर के प्रांगण में जुलूस का विसर्जन होता है। अन्त में अछूतों का स्वागत-सत्कार किया जाता है। घर-घर में यह समाचार पहुँचता है और चिमणपुर की औरतें ऐक्यवर्धक संस्था के काम-काज पर बहिष्कार की घोषणा करती हैं। क्योंकि अछूतों के साथ समता का व्यवहार उन्हें पसन्द नहीं था।

व्यसनाधीनता के कारण हैबती कर्ज के बोझ तले दबता जा रहा था। (यह ब्राह्मणेतर दल का कार्यकर्ता है।) कर्ज की वसूली के लिए घेलासेठ हैबती के मकान पर जब्ती लाता है। श्याम उधार सहकारी समिति में अपने खाते पर जमा रकम निकाल कर घेलासेठ को देता है और हैबती के मकान की जब्ती टल जाती है। (यह ब्राह्मण-सुधारक है।) मकान पर जब्ती आने से हैबती की गाँव में बदनामी होती है। हैबती को लगता है कि श्याम ने उसे बदनाम करने के लिए यह नाटक रचा होगा। हैबती श्याम का बदला लेने के लिए जल-भुन उठता है। चिमणी के पति के नाम पत्र लिखकर यह सूचित करता है कि चिमणी और श्याम के बीच प्रेम सम्बन्ध है।

चिमणपुर की औरतों द्वारा ऐक्यवर्धक संस्था के काम-काज पर बहिष्कार के कारण गाँव का माहौल दूषित हो गया था। गाँव की परिस्थितियाँ सुधरने तक श्याम अपने गाँव जाना तय करता है। बिना किसी को बताए वह रात के समय निकल पड़ता है। हैबती श्याम की टोह में था। वह एकाकी श्याम पर पीछे से लाठी का जोरदार प्रहार करता है। श्याम मूर्च्छित होकर गिर पड़ता है। हैबती श्याम के चेहरे पर काला रंग पोत कर उसे बदसूरत बनाकर नौ-दो ग्यारह हो जाता है।

बड़ी सुबह जब श्याम को होश आता है, तब एक आदमी उसके पास अलाव

जलाकर बैठा था। वह ह-या महार[1] था। ह-या महार श्याम को अपनी झोंपड़ी में ले जाता है। ह-या द्वारा 'बूढ़े बाबा' के सम्बोधन से श्याम को पता चलता है कि उसका चेहरा बदल गया है और वह बूढ़ा दिख रहा है। मटके के पानी में वह अपना चेहरा देखता है। उसका चेहरा बदसूरत हो गया था। बाल सफेद हो गये थे। ह-या महार श्याम की सेवा करता है। ह-या कहता है, "पूर्वजन्म में मैंने कई पाप किये, जिन्हें इस जनम में भुगत रहा हूँ। इस जनम में यदि आप जैसे सत्पुरुष की सेवा करूँगा, तो कम से कम अगले जनम में ऊँची जात में जनम मिले यही आशा है।" (पृ. 191)

'श्यामसुन्दर' उपन्यास के सभी दलित पात्र पढ़ने एवं सुधरने के बावजूद भी मात्र सहभोज की ही आशा रखते दिखते हैं। कर्म और ईश्वर के खिलाफ वे एक अक्षर तक नहीं कहते। श्याम ह-या महार से कहता है कि वह सत्पुरुष नहीं है, परन्तु उसकी वाणी एवं विचारों से ह-या प्रभावित था। वह श्याम को साधु-महात्मा मानने लगता है। श्याम भी अपनी आवाज बदलता है। बाल बढ़ाता है, दाढ़ी बढ़ाता है और अजीब व्यवहार करने लगता है। श्याम का 'मौनी बाबा' नामकरण होता है और मौनी बाबा की जनश्रुतियाँ फैलने लगती हैं। मौनी बाबा के माहात्म्य का प्रचार होने लगता है। श्याम इसका लाभ उठाता है और अछूतों में सुधार का कार्य आरम्भ करता है। अछूतों के बच्चों के लिए दिन में पाठशाला शुरू की जाती है और प्रौढ़ों के लिए रात्रि के समय स्कूल शुरू होता है। यह फतवा निकाला जाता है कि जो मृत-पशुओं का मांस भक्षण करेगा और जो निरक्षर होगा उसे मौनी बाबा के दर्शन नहीं होंगे। मौनी बाबा के आशीर्वाद के लिए अछूत मृत-पशुओं का मांस-भक्षण बन्द करते हैं। साक्षर बनने हेतु प्रयत्न करने लगते हैं। सभी ओर मौनी बाबा के माहात्म्य की चर्चा शुरू होती है।

मौनी बाबा के दैवी चमत्कारों का माहात्म्य सुनकर ऐक्यवर्धक संस्था के सदस्य मौनी बाबा के दर्शन करते हैं। परन्तु उसमें से कोई भी श्याम को नहीं पहचान पाता। किन्तु श्याम सभी को उनके नाम से पुकारता है। सभी को इस बात पर आश्चर्य है कि मौनी बाबा को उन सभी के नाम कैसे पता चले? उन्हें मौनी बाबा की दिव्य शक्ति की प्रतीति होती है। कुछ ही दिनों के बाद गाँव की औरतें भी मौनी बाबा के दर्शन करने आती हैं। उन्हें इस बात का पछतावा था कि उन्होंने नाना मराठे का बहिष्कार किया था। श्याम को उन पर दया आती है।

हैबती के बिना के नाम खत के कारण ॲड. चिमणराव ने चिमणी के चरित्र पर सन्देह कर उसके साथ अमानवीय व्यवहार शुरू किया था। चिमणी गर्भवती थी। पति द्वारा जुल्म ढाने के कारण चिमणी का स्वास्थ्य खराब होता जाता है। डॉक्टर

---

1. महार जाति का हरि नामक आदमी।

चिमणी को सलाह देते हैं कि वह हवा बदली करे। बीमार चिमणी अपने मायके आती है। अपनी बेटी की दयनीय हालत को देखकर राधाबाई गुस्से के साथ कहती है, "जिस मूये ने मेरी लाडली को कष्ट दिये होंगे, वह निःसन्तान बनेगा।" (पृ. 215) माँ का शाप सुनकर चिमणी गम्भीर बन जाती है।

गोपळराव और हैबती द्वारा किये गये जातिवादी व्यवहार से मातंग नाईक कसक महसूस कर रहा था। वह अपने अपमान का बदला लेना चाहता है। नाईक और उसके मातंग सहयोगी एक रात गोपाळराव एवं हैबती के घर पर सशस्त्र हमला कर दोनों को घर में बाँध कर रखते हैं। नाईक एक थाली में मांस लेकर गोपाळराव के घर गया था। नाईक गोपाळराव की ओर मुखातिब होकर कहता है, "हम मातंग लोग तुम्हारी नजर में इतने नीच हैं कि हमारे अनाज को मुरदार मांस के हाथ लगे होंगे इस डर से तुमने हमारे अनाज को स्पर्श नहीं किया और हमारे घर में बैठना भी टाल दिया। तुम्हारी उद्दंडता का एक ही कारण है कि मुरदार मांस की लिज्जत तुम नहीं समझ पाये। तुम्हारे लिए बड़ी मेहनत से हम मुरदार मांस बनवाकर लाये हैं। वह तुम्हारे मुँह में डालकर हम मुक्त होना चाहते हैं।" (पृ. 217) जैसे ही नाईक मुरदार मांस की थाली के साथ गोपाळराव के सम्मुख पहुँचता है, मौनी बाबा के रूप में श्याम वहाँ पहुँचता है। वह नाईक को एक ओर ले जाकर अपने नाना मराठे होने की बात कहता है। श्याम ने नाना मराठे के रूप में नाईक के घर खाना खाया था औ नाईक की पत्नी ने उसकी आरती उतारी थी। श्याम की बात मानकर नाईक गोपाळराव को मुक्त करता है। उसके पश्चात् श्याम हैबती के घर जाकर उसे मुक्त करवाता है। इससे हैबती में परिवर्तन होता है। क्योंकि हैबती ने ही श्याम को बदसूरत किया था। फिर भी श्याम उसे मुक्त करता है। हैबती श्याम से क्षमायाचना करता है और कहता है कि उसी ने चिमणी के पति को बिना नाम का पत्र लिखा था। श्याम हैबती से कहता है कि वह एक और पत्र लिखकर चिमणी के निर्दोष होने की बात कहे। हैबती श्याम की बात मानकर चिमणराव को पत्र लिखकर चिमणी के निर्दोष होने की बात कहता है। इस पत्र को पढ़कर चिमणराव के मन में चिमणी से मिलने की इच्छा उत्पन्न होती है और वे चिमणी को उस बारे में पत्र लिखकर सूचित करते हैं।

मौनी बाबा के कार्य से अछूतों में जागरण हुआ था, फिर भी हाल यह था कि ब्राह्मण उनसे समता का व्यवहार नहीं कर रहे थे। मातंगों का नाईक इस कारण नाराज था। वह मौनी बाबा से कहता है, "हमारी औरतें अब आचरण से इतनी साफ-सुथरी बन गयी हैं, फिर भी यह पंक्ति-भेद क्यों? यदि ब्राह्मण इसे दूर करना नहीं चाहते, तो हम ईसाई बनने के लिए तैयार हैं। ईसाई लोग हमारे हाथ से बना अनाज खाने के लिए हर पल तैयार हैं।" (पृ. 227) नाईक की माँग सुनकर श्याम

बेचैन होता है और उसकी माँग से गोपाळराव को परिचित कराता है। मातंगों की ओर से सहभोज की माँग सुनकर गोपाळराव सिटपिटा जाते हैं। वे हिन्दू-धर्म की रक्षा की खातिर प्राण त्याग का ऐलान करते हैं। इस कारण मातंगों की माँग चर्चा में आती है। इस विकट प्रसंग में दामाद की मदद की आशा कर गोपाळराव ॲड. चिमणराव को बुलावा भेजते हैं।

मातंगों के साथ सहभोज करे या न करे, इस प्रश्न के केन्द्र में सार्वजनिक सभा का आयोजन किया जाता है। सभा में सबकी अनुमति से होने वाले निर्णय की स्वीकृति तय होती है। सभा के आरम्भ में हैबती का भाषण होता है। हैबती अपने वक्तव्य में चिमणपुर में हुए सुधारों का श्रेय नाना मराठे और चिमणी को देता है। वह कहता है, ''अछूतों के साथ यदि हम मानवतापूर्ण व्यवहार करें, तो वे हिन्दू धर्म का त्याग नहीं करेंगे और हमारे प्रिय हिन्दू धर्म पर आयी मुसीबत फिर से नहीं आएगी।" (पृ. 236) हैबती के बाद चिमणराव भाषण के लिए खड़े होते हैं। वे कहते हैं, "महार-मातंगों के साथ सहभोज के लिए पहले यह बताएँ कि क्या इससे पूर्व किसी कुर्मी-कोइरी ने उनके घर में खाना खाया है? उसका कोई प्रमाण किसी के पास है? यदि हाँ, तो सहभोज के लिए हम सहमत है।" (पृ. 243) ॲड. चिमणराव का यह वक्तव्य सुनने के बाद सभा में से चिल्लाते हुए लोग कहते हैं, ''नाना मराठे ने भोजन किया है।'' परन्तु चिमणराव इसे स्वीकार नहीं करते। वे कहते हैं, ''खुद नाना मराठे मंच पर आकर यह बात कबूल करे।'' सभा में उपस्थित मौनी बाबा मंच की ओर आने लगते हैं। लोग उनके नाम की जय जयकार करने लगते हैं। मौनी बाबा मंच पर जाकर कहते हैं कि ''मैं ही नाना मराठे हूँ।'' परन्तु चिमणराव उनकी बात पर भरोसा करने के लिए राजी नहीं है। हैबती और नाईक नाना मराठे की ओर से गवाही देते हैं। फिर भी चिमणराव सच्चाई को स्वीकार नहीं करते। तब श्याम सभा को सम्बोधित करते हुए कहता है, "जब आप लोग पहली बार मौनी बाबा के दर्शन के लिए गये थे, तब उन्होंने तुममें से अधिकांश के नाम तुरन्त बताये। इस चमत्कार का कारण यही है कि वे और नाना मराठे एक ही व्यक्ति हैं।" (पृ. 247) श्याम का भावुक मन्तव्य सुनकर लोग श्याम के समर्थन में नारे लगाते हैं। ऐसी स्थिति में भी चिमणराव नयी तरकीब लड़ाते हैं। "यदि इस सभा में यह सिद्ध हो कि एकाध ब्राह्मण ने अछूत के घर में खाना खाया है, तो मैं मातंग समाज की माँग को स्वीकार करूँगा।" (पृ. 249) श्याम फिर चिमणराव के आवाहन के जवाब में कहता है कि वह ब्राह्मण है। परन्तु इस पर चिमणराव को यकीन नहीं आता। वे प्रमाण चाहते थे और वह भी किसी ब्राह्मण के द्वारा दिया गया प्रमाण। चिमणी अपने पति के इस रवैये से क्षुब्ध थी। वह कमजोरी के स्वर में कहती है, ''श्याम ब्राह्मण है।'' गोपाळराव भी हामी भरते हैं। नतीजा होता है कि

सभा में उपस्थित लोग चिमणराव पर गुस्सा होते हैं। नाईक और उसके सहयोगी चिमणराव पर पथराव करने लगते हैं। चिमणी श्याम से अपने सुहाग की रक्षा की लिए प्रार्थना करती है। श्याम चिमणराव को बचाने के लिए बीच में आ जाता है।

भीड़ से हुए पथराव से वह गम्भीर रूप से घायल होकर गिर पड़ता है। वह बेहोश हो जाता है। घायल श्याम को उसके किराये के मकान में ले जाया जाता है। बेहोशी की हालत में श्याम अपने अतीत के बारे में असम्बद्ध बड़बड़ करता रहता है। श्याम की यह बड़बड़ बड़ी करुण है। मानसिक और शारीरिक क्लेश के कारण चिमणी का गर्भपात हो जाता है और राधाबाई की शाप वाणी सही सिद्ध होती है।

श्याम की सेहत दिन-प्रतिदिन गिरती जाती है। डॉक्टर श्याम के नजदीकी रिश्तेदारों को बुलावा भेजने के लिए कहते हैं। श्याम के गाँव में उसके माँ-बाप को सन्देश भेजा जाता है। श्याम को भी अपनी मृत्यु का एहसास हो जाता है। श्याम लोगों से आग्रह करता है कि उसकी अन्तिम दो इच्छाएँ पूरी की जाये। श्याम की इच्छा के अनुसार सहभोज की तैयारी शुरू हो गयी थी।

श्याम की माँ उससे मिलने आती है, परन्तु श्याम को नहीं पहचान पाती है। श्याम की आवाज से वह पहचान पाती है। श्याम और उसकी माँ का संवाद पाठकों के मर्म को छूने वाला संवाद है। श्याम की माँ भी सहभोज में शामिल होती दिखती है। अपनी मृत्यु से पूर्व श्याम अनुभव करता है कि सभी जातियों के लोग एक साथ खाना खाते हैं। इसलिए श्याम का जीना सार्थक बनता है। मृत्यु से पूर्व श्याम अपनी अन्तिम इच्छा व्यक्त करते हुए कहता है, "मेरी मृत्यु के बाद मेरा कलेवर किसी एक जाति के चार लोगों के बजाय भिन्न जातियों के चार लोगों द्वारा ले जाया जाये, ताकि मेरी आत्मा उस ओर देखकर इसलिए खुश हो कि वर्ण व्यवस्था का शव दाह-संस्कार के लिए ले जाया जा रहा है।" (पृ. 272) इस प्रसंग से यह स्पष्ट होता है कि सन् 1925 में कोल्हटकर कितना क्रान्तिकारी विचार कर रहे थे।

श्याम की मृत्यु के बाद उसका शव श्मशान में ले जाते हैं। तभी वहाँ एक और शव यात्रा पहुँची थी। वह शवयात्रा चिमणी की थी। लोग दोनों चिताओं को एक साथ मुखाग्नि देते हैं।

श्याम ने अपने चिमणपुर के तीन वर्ष के वास्तव्य में वहाँ के समाज-जीवन में क्रान्तिकारी परिवर्तन ला दिया था।

श्याम के पिता बळवन्त राव अपने बेटे की याद में अपने गाँव में रात्रि पाठशाला शुरू करते हैं और उसी के साथ-साथ ऐक्यवर्धक संस्था की स्थापना भी करते हैं। उसके लिए गाँव में विशाल मन्दिर बनवाकर उसमें 'यशोदा' और 'गोपाळकृष्ण' की मूर्तियाँ स्थापित करते हैं। इन मूर्तियों के चेहरे और श्याम तथा श्याम की माँ के

चेहरे में साम्य था। इस मन्दिर को 'श्यामसुन्दर' नाम दिया जाता है। लोग दर्शन के लिए मन्दिर में कतारों में खड़े रहते हैं और श्याम की पागल माँ अपने बेटे के इन्तजार में रास्ते में बैठी दिखती है।

'श्यामसुन्दर' उपन्यास का यह सारांश है।

2

'श्यामसुन्दर' का श्याम और 'रंगभूमि' का सूरदास दोनों चरित्र गाँधी जी के विचारों से प्रभावित हैं। श्याम और सूरदास दोनों साधु-पुरुष, महात्मा और औलिया के रूप में जाने जाते हैं। आम मनुष्य की अपेक्षा उनका बर्ताव और सोचने का ढंग निराला है। श्याम और सूरदास पर आध्यात्म का जबरदस्त प्रभाव दिखाई देता है। श्याम बदसूरत है तो सूरदास अन्धा है। श्याम ब्राह्मण है तो सूरदास चमार है। सोफिया के स्थलान्तर से जैसे 'रंगभूमि' के कथ्य को एक मोड़ प्राप्त होता है, वैसे श्याम के स्थलान्तर से 'श्यामसुन्दर' की कथावस्तु को नया मोड़ प्राप्त होता दिखता है।

'श्यामसुन्दर' उपन्यास में श्याम और चिमणी की जोड़ी है, तो 'रंगभूमि' में विनय और सोफिया की जोड़ी है। ये जोड़े लोगों की सेवा का कार्य करते दिखाई देते हैं। विनय अपने घर से निकलकर जसवन्त नगर के लोगों की सेवा करता है, तो श्याम भी अपने घर से निकल कर चिमणपुरवासियों की सेवा करता है। इन्दु और चिमणी दोनों के पति स्वार्थी और अत्याचारी प्रवृत्ति के लोग हैं।

'श्यामसुन्दर' और 'रंगभूमि' में दलितों द्वारा ईसाई धर्मान्तर सम्बन्धी चर्चा दिखाई देती है। विनय और सोफिया आत्महत्या करते हैं तो श्याम और चिमणी की मृत्यु होती है। अर्थात् इन दोनों जोड़ियों की समाप्ति होती है। सूरदास की मृत्यु के बाद उसकी मूर्ति स्थापित करवायी जाती है और उसके निमित्त सहभोज सम्पन्न होता है। श्याम की मृत्यु से पूर्व सहभोज का कार्यक्रम होता है और मत्यु के पश्चात् उसके चेहरे से साम्य रखने वाली गोपाळ कृष्ण की मूर्ति मन्दिर में स्थापित होती है।

'श्यामसुन्दर' का मातंग समाज का नाईक अपना अपमान करने वाले गोपाळराव और हैबती से बदला लेना चाहता है। वह गोपाळराव के मुँह में जबरदस्ती से मुरदार मांस घुसेड़ने का प्रयत्न करता दिखता है। मराठी साहित्य में स्थित यह प्रसंग सन् 1925 का है। ऐसा ही प्रसंग हिन्दी साहित्य में प्रेमचन्द के 'गोदान' उपन्यास में भी सन् 1935 में आया है। 'श्यांमसुन्दर' का श्याम ऐसी इच्छा व्यक्त करता है कि उसका शव चार भिन्न जातियों के व्यक्ति द्वारा ढोकर ले जाया जाये। तो 'रंगभूमि' के सूरदास का शव हजारों लोग जुलूस-द्वारा श्मशान की ओर ले जाते दिखते हैं।

एक ही काल खण्ड में दो भिन्न भाषाओं में प्रकाशित उपन्यासों में कितनी समानता है, यह यहाँ प्रतीत होगा। इससे यह स्पष्ट होता है कि पराधीनता के कालखण्ड में भारतीय लेखक स्वराज्य और समाज सुधार को लेकर किस तरह एक जैसा विचार कर रहे थे।

3

'श्यामसुन्दर' उपन्यास अखिल मराठी साहित्य में मानदण्ड बनने लायक ऐसी रचना है। फिर भी इस उपन्यास की कुछ सीमाएँ भी हैं।

श्याम लगातार स्थलान्तर और वेशान्तर करता दिखता है। नाना मराठे बनकर वह शूद्रों की सेवा करता है, तो मौनी बाबा बनकर अतिशूद्रों की सेवा करता दिखाई देता है। पूरे उपन्यास में पाठक के मन पर सामाजिक प्रबोधन का महत्त्व अंकित करवाने के बजाय श्याम का अलौकिक व्यक्तित्व अंकित करवाने का प्रयत्न दिखता है। उपन्यास के अन्त में तो 'श्याम' को देवत्व प्रदान किया गया है। अतिशूद्रों में होने वाले सामाजिक सुधार मौनी बाबा के चमत्कारों के कारण होते हैं, इस तरह का आभास पैदा किया गया है। श्याम का ब्राह्मण होकर भी मन्द बुद्धि होना, उसका शूद्र बनकर शूद्रों के साथ रहना, मौनी बाबा बनकर अछूतों में रहना आदि। इस तरह श्याम को निचली सीढ़ी पर लाकर रखा गया है। असल में श्याम जैसे-जैसे नीचे जाता है, वैसे-वैसे वह उच्च पद पर पहुँचता दिखता है। श्याम के ब्राह्मणी व्यक्तित्व का शूद्रों-अतिशूद्रों पर असर पड़ता दिखता है। इस कारण लोगों में काम करना उसके लिए आसान बनता जाता है।

'हिन्दू धर्म और हिन्दुस्तान का नुकसान जाति भेद के कारण हुआ है' इस उद्देश्य से 'श्यामसुन्दर' उपन्यास का लेखन हुआ है। अछूतों के हक और अधिकारों की तरफदारी करने वाला यह लेखन नहीं है। सहभोज तक ही प्रस्तुत उपन्यास की पहुँच है। उपन्यासकार को मनुष्य की अपेक्षा अपने धर्म और जाति की अधिक चिन्ता है। ब्राह्मणेत्तरों के ब्राह्मण विरोध और दलितों के धर्मान्तर जैसी मुसीबतों से ब्राह्मण धर्म को बचाने के लिए किया गया यह साहित्यिक प्रयास है। उपन्यास के आरम्भ में अपना ब्राह्मणत्व छिपाने वाला श्याम उपन्यास के अन्त में प्रमाण के साथ सिद्ध करता दिखता है कि 'वही ब्राह्मण है।' कोल्हटकर को ब्राह्मणों में सुधार की जरूरत नहीं प्रतीत होती। वे शूद्रातिशूद्रों में ही सुधार लाने के लिए प्रयत्नशील दिखते हैं।

अतिशूद्रों को स्वच्छ, साफ-सुथरा रहना चाहिए, उनके घर में स्वच्छता होनी चाहिए, उन्हें मुरदार मांस-ग्रहण का त्याग करना चाहिए, अच्छी तरह खाना पकाना

सीखना चाहिए, साक्षर बनना चाहिए ताकि सवर्ण उनके घर जाकर भोजन कर सकेंगे। यही बातें 'श्यामसुन्दर' से ध्वनित होती दिखती हैं।

कोल्हटकर का सुधारवाद रिसने के सिद्धान्त जैसा ही है। ब्राह्मणों द्वारा शूद्रों में सुधार किये जायें और शूद्रों द्वारा अतिशूद्रों में सुधार किये जायें। इस सुधार में भी एक उतरने दिखाई देती है। 'श्यामसुन्दर' उपन्यास में ब्राह्मणेतर दल और सत्यशोधक जलसों की कड़ी आलोचना की गयी है। कोल्हटकर ब्राह्मणों का पक्ष लेते हुए ब्राह्मणेतरों का उपहास करते हैं।

श्याम एवं चिमणी की हत्या कर कोल्हटकर ने एक तरह से सामाजिक सुधार की ही हत्या की है। इसकी अपेक्षा यदि वे चिमणराव की हत्या कर विधवा चिमणी का श्याम के साथ पुनर्विवाह करवाते, तो यह उपन्यास उच्च कोटि का सामाजिक मूल्य प्राप्त करता; किन्तु ऐसा दिखाई देता है कि कोल्हटकर को ब्राह्मणों में अधिक हस्तक्षेप नहीं करना था।

संगीत उःशाप

(वि. दा. सावरकर)

1

वि. दा. सावरकर कृत 'संगीत उःशाप' यह नाटक सन्त चोखामेळा[1] के जीवन पर आधारित है। पाँच अंकों के इस नाटक के अनेक दृश्य, पात्र, प्रसंग और उपकथानकों से हिन्दू धर्म के प्रति प्रखर प्रेम और भक्ति प्रकट होती हुई दिखती है। सावरकर की हिन्दू धर्मनिष्ठा सर्वज्ञात है। उनका लेखन इसी निष्ठा का प्रस्फुटन प्रतीत होता है। 'संगीत उःशाप' नाटक से तीन प्रमुख स्वर व्यक्त हुए हैं—अछूतों की व्यथा और पीड़ा, सवर्णों का घमण्ड और अशिष्टता, मुस्लिमों की आक्रामकता और उग्रता। ये प्रस्तुत नाटक में स्थित परस्पर विरोधी तथा संघर्ष पैदा करने वाली परतें हैं।

(अ) सन्त चोखामेळा, सन्त सोयरा, किसन, कमलिनी और शंकर प्रमुख अछूत पात्र हैं। ये पात्र अस्पृश्यता का धब्बा लेकर जीते प्रतीत होते हैं।

(आ) नारम्भट, देवीसिंह, सत्यवान, पुरुषोत्तम शास्त्री, भिकूसेठ, पन्नालाल और शाब्द शास्त्री जैसे असंख्य सवर्ण पात्र इस नाटक में हैं, जो 'शास्त्र और रूढ़ियों' को अनुलंघ्य समझकर बर्ताव करते दिखते हैं।

(इ) बंगष, इब्राहिम, मौलवी, जाफर अली जैसे मुस्लिम पात्र हैं, जो हिन्दू धर्म द्वेष्टा हैं।

'संगीत उःशाप' में वेश्याएँ हैं, पियक्कड़ हैं, भूत हैं, मनुष्य हैं, चपरासी हैं, नेता हैं, गाड़ी वाले हैं, घोड़े वाले हैं। सावरकर ने ये सभी पात्र 'हिन्दू धर्म की महानता' स्पष्ट करने के लिए इकट्ठा किये हैं। हिन्दू धर्म का श्रेष्ठत्व स्पष्ट करना, इस नाटक का एक कलमी कार्यक्रम है। इसके लिए वि. दा. सावरकर ने अछूत सन्त चोखामेळा के कथानक का इस्तेमाल किया है।

सन्त चोखामेळा अछूत सन्त थे। वे अकेले ही नहीं बल्कि उनका पूरा परिवार

---

1. महाराष्ट्र के एक प्रसिद्ध अछूत सन्त-महात्मा।

विट्ठलमय बन गया था। उनकी पत्नी सोयरा, बहन निर्मला, साला बंका और बेटा कर्मा मेळा सभी पाण्डुरंग के नामस्मरण एवं गुण संकीर्तन में स्वयं को धन्य समझते थे। सन्त चोखामेळा परम्परा को नहीं नकारते हैं, वे परम्पराशरण हैं। वे एक साथ महार जाति के पारम्परिक हीन काम कर रहे थे और पाण्डुरंग की भक्ति भी कर रहे थे। 'संगीत उःशाप' का चोखामेळा कहता है, "शूद्रातिशूद्र भी जो काम नहीं करेंगे, वह काम मेरे हिस्से में आया है, इसे मैं अपना सौभाग्य समझता हूँ। इसके लिए मेरा हर बार महार जाति में जन्म हो, यही ईश्वर से मेरी प्रार्थना है...समाज का रुका हुआ काम हम महारों के द्वारा हो, इसमें हमारे जीवन की निरर्थकता न होकर, विशेष सार्थकता ही है। (पृ. 18) आगे चलकर चोखामेळा कहते हैं, "हम महार, भंगी आदि अछूत माने गये लोगों को अपना रहन-सहन इतना शुद्ध रखना चाहिए, कि हमारे उच्चवर्णीय बन्धुओं को हमें हीन और अशुभ मानने के सम्बन्ध में आप ही आप पछतावा हो।" (पृ. 20) अछूतों को साफ-सुथरा रहना चाहिए, उन्हें परम्परा से सौंपे हुए हीन काम करने चाहिए, कर्म-सिद्धान्त का अस्वीकार न करें, इस जन्म में सद्कर्म कर पाप योनि से मुक्ति प्राप्त करें, धर्मान्तर कर स्वयं को और अपने पूर्वजों को नर्क में न डालें, ब्राह्मणों का धिक्कार न करें, धर्माचरण करें, इस तरह की सीख देने वाला यह नाटक है। वि. दा. सावरकर का चोखामेळा अछूतों का किस तरह दिशा निर्देश करता है, इसका एहसास हुए बगैर नहीं रहता। चोखामेळा कहता है, "बेटा, ब्राह्मण जाति के सम्बन्ध में ऐसा जहरीला वक्तव्य कर, तुम अपनी जीभ को अपवित्र मत करो! हमारे हिन्दू धर्म के महादेव का तृतीय ज्ञान नेत्र यानी ब्राह्मण था, इसीलिए ब्रह्मज्ञान जग में जिन्दा रहा।" (पृ. 24) सावरकर ने सन्त चोखामेळा के मुँह से ब्राह्मण-महिमा वर्णित की है। 'संगीत उःशाप' में आदर्श महार के रूप में सन्त चोखामेळा का चित्रण किया गया है और ऐसा सन्देश दिया गया है कि अन्य महान सन्त चोखामेळा का अनुकरण करें। सन्त चोखामेळा कहते हैं, "अन्यों का जाना पवित्र और शुचिर्भूत ढंग से सम्पन्न हो, इसलिए जिनका बदन कीचड़ और धूल से सराबोर है, वह महार एकाध भस्मीभूत ब्राह्मण के जितना ही अथवा सर्वांग में भस्म पोते गोसाईं जैसा ही सामान्य समझा जाना चाहिए।" (पृ. 19) सन्त चोखामेळा की जबान से सावरकर ही बोलते दिखाई देते हैं।

सन्त चोखामेळा अछूत होने बावजूद भी विट्ठल की भक्ति करता है, यह बात पंढरपुर के ब्राह्मण और पंडों को सहन नहीं होती। सन्त चोखामेळा की भक्ति देखकर प्रत्यक्ष श्रीकृष्ण प्रकट होते हैं। विट्ठल मन्दिर के बाहर आकर उसके गले में पुष्पमाला पहनाते हैं, उसका जूठा खाते हैं। यही नहीं बल्कि चोखामेळा को पीटने के बाद उसके साँट विट्ठल के बदन पर उठते हैं। चोखामेळा की भक्ति का बढ़ता महत्त्व देखकर कट्टरपन्थी आग बबूले होते दिखते हैं। इस नाटक का एक सवर्ण व्यक्ति

कहता है रास्ते का झाड़ूवाला झाड़ू से नाली साफ करते-करते, इन्हें भजन-कीर्तन की सूझ रही है? क्यों बे साले अछूत! क्या कह रहा है उसका अर्थ भी जानता है? याद रख! यदि वेद-विद्याओं का नामोच्चार भी किया, तो तेरे कान खींच लूँगा, समझा?" (पृ.15) चोखामेळा पूछते हैं, "क्या सचमुच मुझे भगवान के दर्शन का अधिकार नहीं है? क्या मुझे भगवान की सेवा का, ईश्वर के रास्ते पर बैठने का, ईश्वर के प्रसाद की जूठन खाने का, ईश्वर के द्वार पर ऊँची आवाज में भजन करने का अधिकार सचमुच नहीं है? मेरे लिए भगवान है भी या नहीं? हाय! हाय! फिर हम अछूतों के जनम की इतिकर्त्तव्यता ही क्या है!" (पृ. 61) सन्त चोखामेळा मानवाधिकारों के सम्बन्ध में अथवा मानव-मूल्यों के बारे में नहीं बोलते।" भजन गाने का या जूठा खाने का अधिकार मुझे है या नहीं।" यह चोखामेळा का सवाल है। इस पर शब्दा शास्त्री का यह उत्तर है, कि "अछूतों को नाम का भी अधिकार नहीं है। इस जन्म में उनका उद्धार नहीं है।" (पृ. 62) पंढरपुर के ब्राह्मणों ने चोखामेळा को यन्त्रणा दी। फिर भी चोखामेळा विट्ठल का नाम स्मरण नहीं छोड़ते। हिन्दू अछूतों को कितनी भी यन्त्रणाएँ दे, फिर भी उन्हें चोखामेळा की तरह लीन होकर रहना चाहिए, ऐसा आदर्श पढ़ाने वाला यह नाटक है।

पंढरपुरवासी ब्राह्मण एवं पंडे सन्त चोखामेळा के खिलाफ मुस्लिम सूबेदार बंगष के पास शिकायत करते हैं। सन्त चोखामेळा को पकड़कर मुस्लिम सूबेदार के आगे खड़ा किया जाता है। फिर चोखामेळा को कहा जाता है कि यदि उसे जीवित रहना है तो वह मुसलमान बने। इस पर चोखामेळा कहते हैं, "मुस्लिम धर्म में काफिर को मरने के बाद स्पर्श नहीं करते। काफ़िर को पुनर्जन्म नहीं है। मुक्ति नहीं। नर्क के सिवाय उसे गति नहीं। उसकी अपेक्षा हिन्दू धर्म बेहतर है। इस धर्म में स्थित अस्पृश्यता मात्र इस जन्म तक है। अगले जन्म में सद्गति मिल सकती है। स्पृश्य और मुक्त हो सकते हैं।" (पृ. 152) सावरकर सन्त चोखामेळा के मुँह से अस्पृश्यता की प्रशंसा करते हैं। चोखामेळा अपने हिन्दूत्व का बड़प्पन गाते हुए कहता है, "मैं हिन्दू हूँ। मैं हिन्दू समाज के पैरों का एक पापोश हूँ। मैं पाण्डुरंग की परिक्रमा का पथ साफ करने वाला झाड़ूवाला महार हूँ।" (पृ. 130) सन्त चोखामेळा मुस्लिम नहीं बन रहा है, यह देखकर उसे मृत्युदण्ड की सजा सुनाई जाती है। चोखामेळा को जान से मारने के लिए मुस्लिम सिपाही आगे बढ़ते हैं। आकाशवाणी होती है। श्रीकृष्ण प्रकट होते हैं। स्पृश्यों की भाँति अस्पृश्यों को अधिकार दिये जाने की घोषणा करते हैं। सवर्णों को कड़ी चेतावनी देते हैं।

सन्त चोखामेळा के अन्त को लेकर कई मत हैं। आम तौर पर माना जाता है कि गाँव के बाहर की एक दीवार ढह गयी, जिसके नीचे दबने से चोखामेळा की मृत्यु हुई। परन्तु सावरकर ने चोखामेळा को मुस्लिम दरबार में उपस्थित किया है।

मुस्लिम सिपाही उसे धमकाते हुए कहते हैं, ''यदि जिन्दा रहना है तो मुसलमान बनो।'' सन्त चोखामेळा कह रहा है कि उसे हिन्दू धर्म अपने प्राणों से अधिक प्रिय है। सावरकर ने चोखामेळा की ज़बान से हिन्दू धर्मनिष्ठा कहलवायी है। 'संगीत उःशाप' में चोखामेळा के अनेक छन्दों का उपयोग किया गया है। ऐसा करते हुए भी अपनी सुविधा को देखकर ही छन्द-चयन किया गया है।

2

'संगीत उःशाप' में चोखामेळा के कथानक के साथ कई उपकथानक भी हैं। इन सभी कथानकों को एक साथ बाँधकर रखने का काम नारम्भट, देवीसिंह तथा सत्यवान जैसे पात्र करते हैं। नारम्भट और देवीसिंह तो छँटे हुए पात्र हैं। नारम्भट, देवीसिंह और सत्यवान जैसे पात्रों के जरिए हास्य निर्मिति के साथ-साथ व्यंग्य और उपहास भी व्यक्त होता दिखता है। ये पात्र कथ्य को आगे बढ़ाने के साथ-साथ नाटकीयता की निर्मिति करते हैं। इस नाटक का विनोद स्थल-काल की सीमाओं से परे जाकर पाठकों को हँसाता है। यही कारण है कि 'संगीत उःशाप' जैसा सामाजिक विषयवस्तु वाला नाटक श्रोताओं को अन्त तक बाँधकर रखता है।

'संगीत उःशाप' में सन्त चोखामेळा के कथानक के साथ ही एक और महत्त्वपूर्ण कथानक शंकर और कमलिनी का है। सावरकर ने इस युग्म के जरिए भी हिन्दू धर्म की महानता ही वर्णित की है। इस उपकथानक के सम्बन्ध में भी स्वतन्त्र रूप से विचार करना होगा।

नाटक के आरम्भ में ही सावरकर ने मायापुर के महारों की बस्ती का वर्णन किया है। यह बस्ती महारों की वास्तविक बस्ती न होकर लेखक के कल्पनालोक से उपजी बस्ती है। यह बेला और पारिजात की खुशबू से महकती बस्ती है। इस बस्ती में तुलसी-वृन्दावन है। यहाँ रासलीला होने वाली है। लड़कियाँ डंडा-नाच खेलेंगी। यहाँ की लड़किया पोथी पढ़ने वाली हैं। उस बस्ती में मन्दिर के गर्भगृह की-सी प्रसन्नता है। यहाँ के महारों को लगता है कि प्रत्येक महार के आँगन में एक वृन्दावन हो। इस बस्ती में जानबा नाईक है। उसके किसन नामक बेटा और कमलिनी नामक बेटी है। कमलिनी और शंकर की मंगनी हो चुकी है। इसलिए शंकर और कमलिनी सन्त चोखामेळा का आशीर्वाद लेने पंढरपुर निकले हैं। उनके साथ किसन भी है। ये तीनों पंढरपुर में आते हैं। सन्त चोखामेळा का आशीर्वाद लेते हैं। नारम्भट और देवीसिंह कमलिनी को देखकर उसकी ओर आकर्षित होते हैं। कमलिनी को पाकर

उसका भोग करने की राक्षसी भावना उनके भीतर जागती है। वे दोनों कमलिनी को उड़ा ले जाने की योजनाएँ बनाने लगते हैं।

पंढरपुर का मुस्लिम सुबेदार बंगष सुन्दर स्त्रियों का दीवाना था। नारम्भट और देवीसिंह यह समाचार उससे छिपाकर रखते हैं और मुस्लिम नाईक इब्राहिम की मदद लेना तय करते हैं। इब्राहिम की मदद से कमालिनी को उड़ा ले जाने की साजिश रची जाती है। कमलिनी, शंकर और किसन सन्त चोखामेळा का दर्शन कर वापसी की यात्रा आरम्भ करते हैं। उन पर नारम्भट देवीसिंह और इब्राहिम द्वारा निगरानी रखी जाती है। किसन, कमलिनी और शंकर को पनघट पर पानी पीते देखकर सवर्णों द्वारा नाहक शोर मचाया जाता है कि 'महारों ने पनघट का पावित्र्य-भंग किया।' वहाँ उपस्थित सवर्ण गुस्सा करते हैं। वहाँ कोलाहल शुरू होती है। इस कोलाहल का लाभ उठाकर नारम्भट कमलिनी को उड़ा ले जाता है और गंगा नामक वेश्या के घर में छिपा कर रखता है। मुस्लिम सिपाही शंकर को पकड़कर मार-पीट करते हैं। उसे जबरदस्ती मुसलमान बनाते हैं। शंकर का सिंकदर बनाया जाता है।

कमलिनी का भोग करने के लिए गंगा के घर नारम्भट, देवीसिंह और इब्राहिम एक के बाद आते हैं। हर एक को कमलिनी चाहिए और गंगा उनसे रुपये लेकर उन्हें भगा देती है। और आठ दिन बाद आने के लिए कहती है। गंगा के घर के सामने से जाता हुआ शंकर कमलिनी को दिखता है। कमलिनी गंगा को कहती है। गंगा शंकर को घर में बुलाती है। कमलिनी जान जाती है कि शंकर मुसलमान बन गया है। वह क्रोध से आग-बबूला हो जाती है। वह कहती है, "जो दुःख को टालने के लिए, किसी लड़की को, किसी नरक के सुनहरे घड़े के लालच में अथवा मात्र वैयक्तिक छल का प्रतिशोध लेने के लिए अपने हिन्दू धर्म को लताड़ता है, उसकी नीचता की पराकाष्ठा हुई ऐसा मैं समझती हूँ। मैं उसकी छाया में भी खड़ी नहीं रहना चाहती।" (पृ. 121)

इस तरह कमलिनी द्वारा धिक्कार किये जाने पर शंकर को पछतावा हुआ। शंकर को धर्मान्तर करने के कारण बुरा लगता है। शंकर के सामने उसकी माँ का भूत प्रकट हुआ। शंकर की माँ का भूत शंकर को धर्मान्तर करने के कारण दोष देता है। उसके पश्चात् शंकर के पिता का भूत प्रकट हुआ। दादा का भूत प्रकट होता है। परदादा का भूत प्रकट होता है। ये सारे भूत शंकर को दोषी ठहराते हैं। सभी भूत शंकर को कहते हैं, "मुसलमान को बाप कहो, ईसाईं वाले को बाप कहो। हम हिन्दू, हम हिन्दू महार। हमारे कारण तुम्हारा मान घटता है! दुष्ट, कलंकी, हिन्दू धर्म में, हमारे परिवार में जन्म लेकर तुमने हमें नरक में ढकेला है। अब भी इन यमदूतों की चंगुल से हमें मुक्त करो!" (पृ. 134) इन संवादों से स्पष्ट है कि शंकर द्वारा धर्मान्तर किये जाने से उसके पूर्वजों की आत्माएँ नरक में ढकेल दी जा रही

हैं। वह कहता है, "ऐ, मेरे पूर्वजों! मैं क्या करूँ जिससे हिन्दू-धर्म के त्याग के घोर पाप का क्षालन होगा और मैं तुम्हारी आत्मा को शान्ति दे पाऊँगा?" (पृ. 135) आगे वह कहता है, "ऐ, मेरे भीतर के मुसलमान बने सिकंदर! मैं तेरा कमलिनी के सामने वध करूँगा।" (पृ. 135)

शंकर द्वारा कमलिनी का पता ज्ञात होने पर बंगष उसे प्राप्त करने के लिए अपनी फौज के साथ निकलता है। शंकर को अपनी गलती पता चलने पर वह कमलिनी की सहायता के लिए निकल पड़ता है। कमलिनी अपने छुटकारे के लिए भाग निकलती है। बंगष और उसके सिपाही उसे पकड़ते हैं। बंगष उसे आलिंगन में भर लेता है। कमलिनी उसके पेट में कटार से वार करती है। बंगष गिर पड़ता है। कमलिनी उसका खून करती है। तभी दूसरा सिपाही उसकी ओर बढ़ता है। कमलिनी के पास खड़ी गंगा उस सिपाही के पेट में छुरा भोंक देती है। इस बीच कमलिनी घायल होकर गिर पड़ती है। शंकर कमलिनी के पास पहुँचता है तब कमलिनी कहती है, "मुझे मरते हुए तो सुख से मरने दे, मुझ हिन्दू कन्या को, अपने भ्रष्ट हाथों का स्पर्श मत कर।" (पृ. 149) इस पर शंकर कहता है, "कमल, वही यह तेरा शंकर है। मेरे अन्दर का सिकंदर यह देख इस कटार से मर चुका है।" (पृ. 150) और शंकर अपने आप पर कटार मार कर मर जाता है। उसके साथ कमलिनी भी मरते हुई दिखाई देती है। इन पात्रों ने हिन्दुत्व के लिए बलिदान किया है।

3

'संगीत उःशाप' के मुस्लिम पात्र आक्रामक और कट्टर हैं। सावरकर ने उन्हें खलनायक के रूप में चित्रित किया है। ये सभी पात्र हिन्दू औरतों पर बलात्कार करने वाले, हिन्दुओं पर जुल्म ढाने वाले और उन्हें जबरन भ्रष्ट कर मुसलमान बनाने वाले पात्र हैं। सावरकर ने मुसलमानों को हिन्दुओं के दुश्मन मानकर ही उनका चित्रण किया है। जाफर अली कहता है, "शुक्रिया हिन्दू धर्म का ही अदा करना चाहिए। छुआछूत की प्रथा को कायम कर हिन्दू धर्म ने हम मौलवियों को हिन्दू-धर्म नाश के कार्य में तहेदिल से सहायता की है।" (पृ. 70) तो मौलवी अछूत शंकर से कहता है, "तुम जब तक हिन्दू हो, तब तक क्या इस छुआछूत की प्रथा के दूर होने की कुछ आशा है?" (पृ. 72) बंगष खान कहता है, "मैंने अब तक इतनी हिन्दू लड़कियों को भ्रष्ट किया है कि सैकड़ों मुलसमान मुझे इस्लाम का प्रचार करने वाला और इस्लामी 'सन्तानों की वृद्धि करने वाला एक नया धर्मवीर मानने लगे हैं।" (पृ. 126) इब्राहिम कहता है, "महार हिन्दू हैं तब तक उन्हें पानी भरने देना अथवा छूना हम

अधर्म समझते हैं। परन्तु यदि वे मुसलमान या ईसाईं बनेंगे, तो उसे पानी भरने देंगे, छुएँगे, उन्हें सम्मान देंगे।" (पृ. 43) सावरकर के मुस्लिम पात्र वही बोलते दिखते हैं, जो सावरकर चाहते हैं। बंगष खान के संवाद पढ़ने पर वह विकृत प्रतीत होता है। मुसलमान सख्ती से या लालच दिखाकर हिन्दुओं को कैसे भ्रष्ट करते हैं, जैसी बातों का वर्णन 'संगीत उःशाप' में किया है। सावरकर ने अपनी भूमिका एवं नाटक के कथ्य को चुटीला बनाने के लिए मुस्लिम पात्रों का प्रयोग किया है। ऐसा प्रतीत होता है कि वि. दा. सावरकर ने हिन्दू धर्म के प्रति प्रेम और मुस्लिमों के प्रति द्वेष प्रकट करने के लिए 'संगीत उःशाप' नाटक की रचना की है। इसी के लिए उन्होंने दलित विषयक कथानक का चयन किया है।

ऐसा नहीं कि वि. दा. सावरकर ने 'संगीत उःशाप' में मात्र मुसलमानों को आलोचना का विषय बनाया है। उन्होंने ईसाई धर्म पर भी अपने शब्द-बाण छोड़े हैं। चोखा मेळा का कार्यकाल 14वीं सदी है। इस नाटक की कथावस्तु 14वीं सदी की है। 14वीं सदी में हिन्दुस्तान में अंग्रेजों का प्रवेश नहीं हुआ था। हिन्दू धर्म के प्रति प्रेम के कारण सावरकर कालगत विसंगति भी भूलते नजर आते हैं। कालगत विसंगति की अपेक्षा हिन्दू धर्म पर मुस्लिम एवं ईसाई धर्म के आक्रमण को सावरकर याद करते दिखते हैं। यही कारण है कि 'संगीत उःशाप' में उन्होंने ईसाई धर्मान्तरण के खिलाफ भी रोना रोया है।

इन्दु काळे और सरला भोळे
(वामन मल्हार जोशी)

वा. म. जोशी द्वारा लिखित 'इन्दु काळे और सरला भोळे' पत्र शैली में रचित उपन्यास है। इस उपन्यास के पात्र परस्पर पत्र लिखते हुए दिखाई देते हैं। ऐसे अनेक पत्रों की सहायता से प्रस्तुत उपन्यास के कथ्य को बुना गया है। पात्रों के मजमून से उपन्यास के विषय का पता चलता है। प्रत्येक पत्र नवीन जानकारी देते हुए उपन्यास के कथानक को आगे बढ़ाता हुआ प्रतीत होता है। पत्रशैली में उपन्यास लिखने का यह प्रयोग है। वैसे उपन्यास का स्तर अत्यन्त घटिया है। पत्र और उनमें स्थित मजमून का उपन्यास की अभिव्यक्ति पर बुरा असर हुआ है। उपन्यास में इन्दु काळे, सरला भोळे, भाऊराव काळे, विनायकराव भोळे और नारायण पाठक आदि पात्र परस्पर पत्र लिखकर सलाह पूछते हुए तथा मार्गदर्शन करते हुए दिखते हैं। इनके अलावा काशी ढवळे और बिन्दुमाधव म्हसकर के भी कुछ पत्र है। कुछ गुमनाम पत्र, तार और समाचार-पत्रों के समाचारों का भी उपन्यास के कथ्य के विकास के लिए आधार लिया गया है। इस उपन्यास में लिखे गये पत्रों का काल दिनांक 9.3.1919 से लेकर 31.1.1934 तक का है। यह कालखण्ड तिलक-गाँधी के नेतृत्व से गोलमेज परिषद तक का है। इसी काल में बाबासाहब आम्बेडकर के आन्दोलन भी हुए हैं। 'इन्दु काळे और सरला भोळे' उपन्यास पराधीनता के कालखण्ड में सक्रिय सामाजिक और राजनीतिक आन्दोलन की पृष्ठभूमि पर लिखा गया है।

1

प्रस्तुत उपन्यास में भाऊराव काळे और उनकी पत्नी इन्दु काळे नामक एक जोड़ा है। भाऊराव काळे की बहन सरला भोळे और उसके पति विनायकराव भोळे दूसरा जोड़ा है। उपन्यास की समूची कथा इन दो परिवारों के इर्द-गिर्द चक्कर काटती है। इस उपन्यास में एक और जोड़ा है नारायण पाठक और काशी ढवळे का है, जो एक

दूसरे को चाहते हैं। किन्तु नारायण पाठक शादी के लिए राजी नहीं है। इस उपन्यास में एक और पात्र है बिन्दुमाधव म्हसकर। म्हसकर इन्दु काळे के संगीत शिक्षक हैं। वे इन्दु काळे को वश में करने का प्रयत्न करते दिखाई देते हैं।

भाऊराव काळे कॉंट्रेक्टर हैं। वे रुपयों के पीछे दौड़ने वाले आदमी हैं। उनकी पत्नी इन्दु काळे सन्तानाभाव में घुटन महसूस करती है। अपना खाली समय बिताने के लिए वह गायन और हार्मोनियम सीख रही है। उसे सिखाने वाला म्हसकर उसके साथ जबरदस्ती करता है। इस बात से इन्दु को दुःख नहीं है। नारायण पाठक इतिहास के अनुसन्धानकर्ता हैं। अपने इतिहास-प्रेम के लिए उन्होंने अपने प्यार को तिलांजलि दी है। इस कारण काशी ढवले की अवस्था बड़ी शोचनीय है। उपन्यास का मुख्य जोड़ा विनायकराव भोळे और सरला भोळे है। विनायकराव महात्मा गाँधी के अनुयायी हैं। उन्होंने अपने प्रपंच की अपेक्षा देश-सेवा को अधिक महत्त्व दिया है। कॉंट्रेक्टर, अनुसन्धानकर्ता और देशभक्त पुरुषों की औरतों की घुटन को इस उपन्यास में व्यक्त किया गया है।

'इन्दु काळे और सरला भोळे' उपन्यास के देशभक्त विनायकराव भोळे देश-सेवा की खातिर कई बार जेल जाते हैं। किन्तु इसके लिए कारण बने, ऐसा कोई काम करते हुए वे नजर नहीं आते। महात्मा गाँधी उन्हें ग्रामीण इलाके में जाकर गरीबों की सेवा का उपदेश करते हैं। उसके मुताबिक विनायकराव अपनी पत्नी के साथ देहात में जाते हैं। वहाँ स्कूल शुरू करते हैं। लोगों को वैद्यकीय सलाह देते हैं। लोग उन्हें देशभक्त, विद्वान, वक्ता, समाज सेवक, स्वार्थ त्यागी और वैद्य के रूप में जानने लगे हैं। वैद्य के रूप में ख्याति प्राप्त करने के लिए विनायकराव बदमाशी करते दिखते हैं। वे कहते हैं, "वैद्यक व्यवसाय के लिए थोड़ी बदमाशी जरूरी है, अब वह सीख चुका हूँ।" (पृ. 41) यह महात्मा गाँधी के अनुयायी की बदमाशी है, इसलिए क्षम्य है। भोळे ने अपनी सेवा और बदमाशी से देहातियों को जीत लिया है। भोळे की देश-सेवा की अपेक्षा इन्दु काळे ओर बिन्दुमाधव म्हसकर की प्रेम-चेष्टाएँ पाठकों को अधिक आकर्षित करती हैं। विनायकराव के मित्र नारायण पाठक उन्हें अछूतोद्धार के कार्य में सावधानी बरतने की सलाह देते हुए कहते हैं, "अछूतों से रोटी-व्यवहार करने में तत्त्वतः हर्ज नहीं है, परन्तु राजनीति की तरह समाजनीति भी 'दूर से' होनी चाहिए। "सावधानता सब जगह" रखकर सब ओर से विचार कर दूरदर्शिता व्यवहार करें, अन्यथा पछतावा होगा।" (पृ. 57) नारायण पाठक अपने मित्र को ऐसी धूर्त एवं व्यावहारिक सलाह देते हैं। इतना छद्म, इतनी सावधानता और व्यावहारिक दूरदर्शिता से अछूतों के साथ व्यवहार करने में क्या फायदा है?

विनायकराव ने शूद्रों और अतिशूद्रों के लिए स्कूल शुरू किये हैं। इस स्कूल में अछूत और मराठों के लड़के और लड़कियाँ पढ़ते हैं। अछूत और मराठों के लड़के

अश्लील हरकतें और गाली-गलौज करते दिखते हैं। इस कारण सरला भोळे को लगता है कि उन्हें कक्षा से निकाल दिया जाये। किन्तु विनायकराव का मत भिन्न है। वे कहते हैं, "बुरे लोगों का सुधार ही मेरे स्कूल का उद्देश्य है।" (पृ. 62) इसका अर्थ यह है कि अछूत और मराठें बुरे हैं, हमें उन्हें सुधारना है, यह गाँधीभक्त भोळे का अपना मत है ऐसा प्रतीत होता है। इतना ही नहीं बारह वर्षीय चिंगी नामक अछूत लड़की भोळे के स्कूल में पढ़ने आती है। वह उनके साथ लाड़-प्यार से बर्ताव करती है। उसके इस बर्ताव से भोळे के भीतर वासना पैदा होती है। (पृ. 62) इसके अलावा चिंगी के साथ एक और अछूत लड़की स्कूल आती है। ये दोनों लड़कियाँ चुस्त और होशियार हैं। इन होशियार अछूत लड़कियों को देखकर भोळे को लगता है कि "वे ब्राह्मणों की कुछ लड़कियों से अधिक गोरी और सुन्दर हैं।" (पृ. 61) अछूतों की सुन्दर लड़कियों को देखकर देशभक्त भोळे के मन में विकृत सन्देह पैदा होता है।" इन सुन्दर लड़कियों की माताएँ व्यभिचारी होंगी और उन्होंने ब्राह्मणों से संग किया होगा। (जैसे सुन्दरता केवल ब्राह्मणों की बपौती है) भोळे अपने सन्देह का निवारण करने हेतु हुए इन्दु काळे को पत्र लिखते हैं," उनकी ओर देखते ही मुझे धारू अण्णा नागे और कृष्णभट फुरशे की याद आती है। इनका साम्य उनके चेहरे में है। कुछ तो दाल में काला हो सकता है इसलिए पूछताछ की।" (पृ. 62) अमिताभ बच्चन, शाहरूख खान या सचिन तेन्डुलकर के डुप्लीकेट हम टेलीविजन पर देखते हैं, तब ऐसा सन्देह किसी को नहीं होता। लेखक ने यह सन्देह सही ठहराया है। एक प्रसंग में चिंगी कृष्णभट फुरशे को पहचान कर कहती है, "इसी ब्राह्मण ने मेरी माँ का हाथ पकड़ा था और इसी ने उसे मारा होगा।" (पृ. 99) चिंगी की बात सुनकर सरला भोळे भी हाँ भरती है। वह कहती है, "चिंगी का कहना सही होगा। मुझ पर भी इस दुष्टात्मा की बुरी नजर थी। इतने दिन मैंने इस बात को नहीं बताया।" (पृ. 99)–चिंगी और सरला को समझाया जाता है। कृष्णभट फुरशे को कोई कुछ नहीं बोल पाता। जैसे व्यवस्था ने उसे स्वैर बर्ताव का अधिकार ही प्रदान किया है।

विनायक भोळे अछूतों के हाथ से स्पर्श किया पानी पीते हैं, इसलिए गाँव के ब्राह्मण उन्हें बहिष्कृत करते हैं और उन्हें महारों की बस्ती में रहने के लिए विवश करते हैं। चिंगी की माँ मर चुकी है। (कृष्णभट्ट फुरशे ने उसे मार डाला था) उसका कोई अन्य रिश्तेदार नहीं है। इस कारण विनायकराव उसे अपने घर में पनाह देते हैं। चिंगी उनके परिवार का एक हिस्सा बनती है। चिंगी को अपने घर में पनाह देने के कारण विनायकराव को सवर्णों के कुएँ पर पानी भरने से प्रतिबन्ध किया जाता है। भोळे अछूतों के कुएँ का पानी पीने लगे हैं। भोळे महात्मा गाँधी के अनुयायी हैं। उन्होंने लोगों की सेवा की है। किन्तु ऐसी विकट स्थिति में कोई भी भोळे का साथ नहीं देता। विनायकराव जैसे देशभक्त समाजसेवक

को सभी बहिष्कृत करते हैं, किन्तु खूनी और बदजात कृष्णभट फुरशे को कोई भी बहिष्कृत नहीं करता।

विनायकराव का परिवार अछूतों के कुएँ का अशुद्ध जल पीने लगा। (यहाँ लेखक ने एक और धारणा को माना है, वह यह कि अछूतों के कुएँ का जल अशुद्ध ही होता है।) उस जल को पीने से भोळे के बच्चों को हैजा होता है और उससे उनकी मृत्यु होती है। ब्राह्मण साजिश रचते हैं कि उन बच्चों के "शव ब्राह्मणों के श्मशान में नहीं जलाने देंगे।"(पृ. 81) नतीजा विनायकराव के बच्चों के शवों को अछूतों के श्मशान में ले जाया जाता है। इस दृश्य को देखकर भाऊराव काळे व्यथित होते हैं और कहते हैं, "ऐसा लगता है कि हमें सन्तान-सुख नहीं है यही अच्छा है।" (पृ. 82) किन्तु अमानुष बर्ताव करने वाले ब्राह्मणों के प्रति उनमें रंचमात्र भी क्षोभ नहीं दिखता। शायद ब्राह्मणों का ऐसा बर्ताव गृहीत माना गया है। विनायकराव देश के लिए कई बार जेल यात्रा करते दिखते हैं परन्तु अछूतों के लिए एक बार भी जेल नहीं जाते। ब्राह्मणों की खबर नहीं लेते। जवाब नहीं माँगते। ऐसा दिखाई देता है कि ब्राह्मण्य के विषय में उन्होंने मौन रखा है। एक महान देशभक्त अपने जाति-बन्धुओं में परिवर्तन नहीं कर सकता।

विनायकराव जेल जाते हैं। उनके पश्चात् उनकी पत्नी चिंगी का एक अछूत युवक के साथ ब्याह करवा देती है। विनायकराव बीमार बनकर जेल से बाहर आते हैं। इस बीमारी में उनकी मृत्यु हो जाती है। उनका अधूरा कार्य उनकी पत्नी सरला भोळे अपने कन्धों पर लेती है।

'इन्दु काळे और सरला भोळे' उपन्यास में 'अछूतोद्धार का प्रकरण' अत्यन्त अल्प है। उसी की छान-बीन यहाँ की है। उपन्यास को पढ़कर अछूतों के प्रति दुःख प्रतीत होने के बजाय विनायकराव भोळे के प्रति दुःख होता है। लेखक ने विनायकराव भोळे को पाठकों की सहानुभूति का विषय बनाया है।

2

वा. म. जोशी के 'इन्दु काळे और सरला भोळे' (1934) तथा अरुण साधु के 'बहिष्कृत' की तुलना की जा सकती है। दोनों उपन्यास भिन्न कालखण्डों के हैं, फिर भी उनमें स्थित सामाजिक परिस्थितियों में अधिक अन्तर नहीं दिखाई देता। वा. म. जोशी की शैली विचार प्रवर्तक है, वहीं अरुण साधु की शैली मध्यवर्गीय स्वभाव लिए हुए है। साहित्यिक दृष्टि से 'इन्दु काळे और सरला भोळे' की अपेक्षा 'बहिष्कृत' श्रेष्ठ उपन्यास प्रतीत होता है।

'इन्दु काळे और सरला भोळे' के विनायकराव भोळे शूद्रातिशूद्रों में सुधार लाने हेतु देहात में जाकर स्कूल शुरू करते हैं तो 'बहिष्कृत' के विधायक देशमुख अपने मतदाताओं की सुविधा के लिए स्कूल शुरू करते हैं। स्कूल के अध्यापकों को वे नौकरों की तरह रखते हैं। पराधीनता के काल में जिस उद्देश्य से शिक्षा संस्थाओं की स्थापना की जाती थी, स्वातन्त्र्योत्तर कालखण्ड में वह उद्देश्य लुप्तप्राय दिखता है। शिक्षा संस्थाएँ भ्रष्टाचार के मैदान बनी दिखेंगी। 'इन्दु काळे और सरला भोळे' उपन्यास के विनायकराव गाँधीवादी शिक्षक हैं। वे गाँधीवाद से प्रेरित होकर कार्य करते दिखते हैं, तो 'बहिष्कृत' के चवर गुरुजी राष्ट्र सेवा दल से सम्बद्ध हैं। 'मैं सेवा दल में था', इतना कहने तक ही उनका गाँधीवाद से सम्बन्ध है। ऐसा होते हुए भी अशोक इंगळे नामक दलित शिक्षक के प्रति उनमें पूरी सहानुभूति दिखती है। 'इन्दु काळे और सरला भोळे' के सवर्ण पात्र दलित स्त्रियों की ओर बुरी निगाहों से देखते हैं, तो 'बहिष्कृत' का दलित नायक अशोक इंगळे भी सवर्ण स्त्रियों की ओर बुरी निगाह से देखता है। उसे लगता है, "श्रीमती देशमुख दिखने में बहुत अच्छी हैं। उनका जिस्म कैसे भरा हुआ है।" (पृ. 47) "चवर की पत्नी कितनी नाजुक और सुन्दर है।" (पृ. 47) इनका ही नहीं बल्कि श्रीमती देशमुख विवस्त्र अवस्था में अशोक इंगळे के सपने में आती है। इसका उसे बुरा लगता है। ऐसा प्रतीत होता है कि श्रीमती देशमुख की बजाय चवर की पत्नी अथवा सुमित्रा सपने में आती तो चल सकता था। पुरुष ब्राह्मण हो या दलित, वह स्त्री की ओर भोगवादी निगाह से ही देखता है। 'बहिष्कृत' के शिक्षक हेडमास्टर कुलकर्णी की बेटी सुमित्रा और विधायक की बेटी मीरा के विषय में क्षुद्र एवं असभ्यतापूर्ण गपबाजी करते दिखते हैं। भोळे जैसा ध्येयवादी शिक्षक 'बहिष्कृत' में नहीं दिखता।

'इन्दु काळे और सरला भोळे' के विनायकराव भोळे अछूतों के हाथ का छुआ पानी पीते हैं और चिंगी नामक अछूत लड़की को अपने घर में पनाह देते हैं। वहीं 'बहिष्कृत' के हेडमास्टर कुलकर्णी अशोक इंगळे को अपने बरामदे में सोने के लिए जगह देने के बजाय स्कूल का रास्ता दिखाते हैं। वे कहते हैं, "सहारा देना है तो लोग जरा बिचकते हैं।" (पृ. 11) उनकी पत्नी अपनी बेटी से कहती है, "उन्हें वही लोटा और गिलास दे दे, नहीं तो तू छूत-छात के और बर्तन बढ़ाकर रखेगी।" (पृ. 14) तो हेडमास्टर कुलकर्णी की बेटी सुमित्रा को लगता है, "उसे बरामदे में सोने दिया होता तो क्या हो जाता? महार हुआ तो क्या हुआ?" (पृ. 20) 'इन्दु काळे और सरला भोळे' के विनायकराव को सुन्दर अछूत कन्याओं को देखकर लगता है कि उनकी माताओं ने व्यभिचार किया होगा, तो 'बहिष्कृत' के हेडमास्टर कुलकर्णी अशोक इंगळे से कहते हैं, "शायद तुम रिजर्वेशन से हो!" (पृ. 8) कुलकर्णी की पत्नी कहती है, "तुम्हारे अंडर अब ब्राह्मणों के लड़के पढ़ेंगे। खुशी है! शायद दिन फिरे

हैं!" (पृ. 15) ब्राह्मणों के पढ़ने-पढ़ाने के एकाधिकार के भंग होने के बाद व्यक्त होने वाला यह आक्रोश है। वह आगे कहती है, "बिना बताये...नहीं समझेंगे तेरा।" (पृ. 16) अछूत कैसा दिखना चाहिए और कैसा होना चाहिए, इसका अभद्र चित्र प्रत्येक सवर्ण मनुष्य के मन में पैठ गया है। पाटील गुरुजी कहते हैं, "रिजर्वेशन के लोगों की भर्ती करनी थी कह। इधर इंगळे गुरुजी आया, उधर हमारा अभागा भाई बैठा घर पर।" (पृ. 52) अछूत आदमी के घर बैठने की अपेक्षा सवर्ण मनुष्य घर बैठा है, इस बात का यह दुःख है। 'इन्दु काळे और सरला भोळे' तथा 'बहिष्कृत' के सवर्ण पात्र दलितों की ओर जातिवादी निगाह से और घृणा से देखते हैं। 'इन्दु काळे और सरला भोळे' के कृष्णभट फुरशे तथा 'बहिष्कृत' के विधायक देशमुख व्यभिचारी हैं। उनको लेकर विनायकराव भोळे और हेडमास्टर कुलकर्णी विवश दिखते हैं।

'इन्दु काळे और सरला भोळे' के विनायकराव भोळे की गाँव में कीर्ति थी। परन्तु जब वे अछूतों का पक्ष लेते हैं, तब उन्हें अछूतों की बस्ती के समीप रहना पड़ता है और महारों के कुएँ का पानी पीना पड़ता है। 'बहिष्कृत' के अशोक इंगळे को भी प्रारम्भ में सभी समझदारी और सब्र की सलाह देते हैं। हेडमास्टर कुलकर्णी कहते हैं, "सभी समझदार लोग हैं यहाँ के।" (पृ. 8) चवर गुरुजी कहते हैं, "मैं कुछ जात-पाँत नहीं मानता।" (पृ. 30) विधायक देशमुख कहते हैं, "वैसे हमारे गाँव में भेदभाव बिल्कुल नहीं है। (पृ. 38) परन्तु जब अशोक इंगळे महारों के लड़कों को सामने बैठाने लगता है और कॉमन घड़े का पानी स्वयं लेकर पीने लगता है, तब सबकी भाषा बदलती दिखती है। हेडमास्टर कुलकर्णी कहते हैं, "ऐसी जल्दबाजी करोगे तो गाँव का वातावरण बिगाड़ डालोगे।" (पृ. 93), विधायक देशमुख कहता है, "बुद्ध लोगों को बड़ी मस्ती चढ़ी है।" (पृ. 28) अछूतों का पक्ष लेने वाले विनायकराव भोळे की जो अवस्था होती है, वही शोचनीय अवस्था अशोक इंगळे की भी होती है। 'इन्दु काळे और सरला भोळे' का नायक ब्राह्मण शिक्षक है, तो 'बहिष्कृत' का नायक महार शिक्षक है। ये दोनों अपनी भूमिका के लिए परिणाम भुगतते दिखते हैं। वे अपनी भूमिका पर ठोस दिखेंगे। इन दोनों को गाँव द्वारा गाँव के बाहर रखा दिखेगा।

अशोक इंगळे जब पीने का पानी चाहता है, तब स्कूल का चपरासी, भीमा अलग गिलास में पानी लाकर देता है। (चपरासी का नाम 'भीमा' ही क्यों रखा होगा? मुझे अकारण डॉ. बाबासाहब आम्बेडकर के 'भीमराव' नाम की याद आती है और मैं बेचैनी महसूस करता हूँ।) यह समझ में आने पर अशोक इंगळे स्वयं उठकर अपने हाथ से कॉमन घड़े से पानी लेकर पीता है। स्कूल के अन्य अध्यापक गुस्सा होते हैं और अशोक इंगळे के लिए दूसरा घड़ा लाकर रख देते हैं। (पृ. 98) इस दूसरे घड़े के सम्बन्ध में इंगळे की प्रतिक्रिया समझ में नहीं आती।

'इन्दु काळे और सरला भोळे' तथा 'बहिष्कृत' में दलितों के लिए अलग कुएँ

हैं। इन कुओं का पानी गन्दा और अशुद्ध है। अछूतों के कुओं का पानी गन्दा होता है, ऐसा कदाचित् वा. म. जोशी और अरुण साधु ने गृहीत माना है। नतीजा दोनों उपन्यासों में संक्रामक रोगों का प्रादुर्भाव होता है। 'इन्दु काळे और सरला भोळे' में संक्रामक रोग से विनायकराव भोळे के बच्चे मरते हैं, तो 'बहिष्कृत में अछूत रूपा पैलवान और सुकडया एलगारे की माँएँ मरती दिखती हैं। 'इन्दु काळे और सरला भोळे' के विनायकराव गाँव का कुआँ दलितों के लिए खुलवाने के लिए सत्याग्रह नहीं करते हैं, परन्तु 'बहिष्कृत' का नायक अशोक इंगळे ऐसा आन्दोलन करता हुआ दिखाई देता है। "मुर्गे मारकर दस्त कम नहीं होंगे। पानी ही बदलना होगा।" (पृ. 125) इस तरह की आन्दोलकर्ताओं की भाषा है, तो विधायक देशमुख कहते हैं, "जो मिलता है, वह पानी लो; व्यर्थ अधिकारों और आम्बेडकर की बातें मत करो।" (पृ. 131) इस आन्दोलन में दलितों की हत्या होती है। अशोक इंगळे की भी हत्या होती है। 'इन्दु काळे और सरला भोळे' के विनायकराव की मृत्यु के बाद सरकार की ओर से सार्वजनिक छुट्टी का ऐलान किया जाता है, तो अशोक इंगळे की हत्या के बाद ढिंढोरा पीटा जाता है कि गाँव का कुआँ सबके लिए खुला है।

'इन्दु काळे और सरला भोळे' के इन्दु काळे तथा बिन्दु माधव म्हसकर के सम्बन्ध और 'बहिष्कृत' के सुमित्रा तथा अशोक इंगळे का सुप्त आकर्षण जैसी बातें पाठकों की उत्कंठा को बढ़ाती हैं। दोनों उपन्यासों का फॉर्मूला थोड़े-बहुत अन्तर के साथ एक जैसा ही है।भोळे और इंगळे द्वारा व्यवस्था के खिलाफ किये गये संघर्ष पर ये उपन्यास आधारित हैं।

चिंगारी

(तकषी शिवशंकर पिल्लै)

तकषी शिवशंकर पिल्लै मलयालम भाषा के श्रेष्ठ लेखक हैं। उनके दीर्घ उपन्यास 'कयर' को ज्ञानपीठ पुरस्कार प्राप्त हुआ है। मलयालम साहित्य को जीवनाभिमुख और यथार्थवादी बनाने का श्रेय पिल्लै के लेखन को दिया जाता है। 20वीं सदी का प्रारम्भिक काल केरल के वैचारिक संक्रमण का काल था। इस काल में तकषी शिवशंकर पिल्लै के भीतरी लेखक का विकास हुआ। उनके प्रारम्भिक सभी उपन्यासों में सामाजिक विषमता, अन्याय, दरिद्रता, शोषण और उसके खिलाफ संगठित होने वाले असन्तोष का प्रकटीकरण ही दिखेगा। सामाजिक एवं राजणीतिक परिवर्तन पिल्लै के लेखनगत आस्था के विषय हैं।

तकषी शिवशंकर पिल्लै का उपन्यास 'तोट्टीयुड़े मकन' (1947) भंगियों के जीवन पर आधारित है। मराठी के दलित चेतना से सम्पन्न लेखक बाबूराव बागुल की कहानी 'विद्रोह' और पिल्लै का उपन्यास 'तोट्टीयुड़े मकन' (भंगी का छोरा) में साम्य दिखाई देता है। बागुल और पिल्लै ने गन्दगी ढोकर ले जाने वाले भंगियों के जीवन की पीड़ा और विद्रोह को अपने साहित्य के द्वारा अभिव्यक्त किया है।

1

इशुकमुतु विगत तीस वर्षों से आलपुरा नगर निगम में भंगी का काम कर रहा है। नौकरी कायम रखने के लिए वह अपने वेतन का एक तिहाई हिस्सा ओवरसियर केशव पिल्लै को देता आया है। वृद्धावस्था के कारण अब इशुकमुतु बीमार है। उसकी इच्छा है कि दुनिया त्यागने से पहले वह अपनी बाल्टी और फावड़ा बेटे को सौंप दे। (पृ. 5) यही नहीं, बल्कि शौच साफ करने में अपने बेटे को आसानी हो, इसलिए वह अनेक मकान मालिकों द्वारा उनके शौचालयों की दुरुस्ती करवा लेता है। लगातार तीस वर्ष भंगी का काम करने वाले और एक तिहाई वेतन ओवरसियर

को देने वाले इशुकमुतु को बीमार पड़ने पर दो दिन की छुट्टी तक नहीं मिलती। उलटे उसे धमकाया जाता है कि काम से निकाल दिया जायेगा।

इशुकमुतु ओवरसियर केशव पिल्लै से मिलकर विनती करता है कि उसके स्थान पर उसके बेटे चुडलमुतु को ले लिया जाये और इस काम के लिए वह अपनी एक माह की तनख्वाह देना भी कबूल करता है। चुडलमुतु को आलपुरा नगर निगम में भंगी का काम मिलता है। नौकरी पाने के बाद वह दो बातों का निश्चय करता है। एक यह कि शराब को नहीं छुएगा और दूसरा रुपयों की बचत करेगा। इन बातों को मन ही मन तय करता है और उनके मुताबिक बर्ताव भी करता है। (पृ. 7) व्यसनी तथा कर्ज बाजारी भंगियों के बीच चुडलमुतु का यह विचार नवीन प्रतीत होता है।

भंगी का काम गन्दा और निम्न स्तरीय होता है। हर एक के घर जाकर शौचालय साफ करना और मल बाल्टी में भरकर आगे निकलना। मल से बाल्टी भरने के बाद उसे ठेले पर रखो और फिर उसे ढकेलते हुए नाईट सॉइल डेपो की ओर ले जाओ। ठेला ढकेलते हुए यदि मल नीचे गिर जाये तो रुककर मल उठाकर रास्ता साफ करो। लोग भंगी को सुबह ही पहचान पाते हैं। उसके आने-जाने का रास्ता पिछले दरवाजे से होता है। सुबह उसके हाथ मल से सने होते हैं, तब उसे खाने को मिलता है और श्याम को उसके हाथ स्वच्छ होते हैं, तब उसे कोई नहीं पहचानता।

चुडलमुतु की माँ तभी मर चुकी थी जब वह मात्र डेढ़ साल का बच्चा था। पिता द्वारा मल की ठेलागाड़ी पर लाया गया अन्न खाकर वह बड़ा हुआ था। वह अनेक बार सोचता, "यदि भंगी न होता तो? भंगी का काम कोई ना करे तो! इस शहर की क्या हालत होगी! सब बड़े असामी नाक पकड़कर भागते फिरेंगे।" (पृ. 12) इशुकमुतु की मृत्यु के बाद उसका शव कम्पाउंड के भीतर ही दफनाया जाता है। भंगी के शव की दुर्दशा को पढ़ते हुए बदन पर रोंगटे खड़े हो जाते हैं।

चुडलमुतु जब मल का ठेला ढकेलते हुए रास्ते से चल रहा होता है, तब उसे देखकर लोग नाक पकड़कर दूर से जाते हैं। हमेशा गन्दगी में काम करने के कारण भंगी के नाक और होंठ के स्नायु ऊपर की ओर खींचे जैसे हो जाते हैं। इस कारण चुडलमुतु को सन्देह होता है कि "अपना मुँह अपने अनजाने में क्या ऐसा ही टेढ़ा हो जायेगा?" पळणीयांडी, वडिवेलु, पिचाण्डी, शप्पू, शिवनाण्डी, वल्ली नायक, सुन्दरीन, केळू, पप्पू, मुनिस्वामी और वीर बाहु जैसे कई पात्र इस उपन्यास में भंगी का काम करते देखे जाते हैं। ये भंगी मल ढोकर नाईट सॉईल डेपो के गड्ढे में डालते हैं। वहाँ इकट्ठे होकर गपबाजी करते दिखते हैं। जोसेफ नामक एक धर्मांतरित ईसाई भंगी होता है। वह सब को धर्मान्तर के लिए प्रवृत्त करता है। भंगी को लेकर लोगों की शिकायतें हैं। वे कहते हैं, "भंगी आकर गया, पर पाखाने गन्दे ही हैं। भंगी अच्छा

काम नहीं करते। वे असभ्यता से पेश आते हैं।" तो भंगियों की भी लोगों के बारे में शिकायतें हैं। वे कहते हैं, "सभी पाखाने मल से सने होते हैं। लोग खाते हैं और हगते हैं। वे भंगी के काम का महत्त्व नहीं जानते। उन्हे अपने घर में स्थित पाखाने का एहसास हुए बगैर वे भंगी का महत्त्व नहीं जान पाएँगे।'' भंगी अलग-अलग पाखानों के विषय में चर्चा करते और अपने धन्धे के किस्से कहते दिखते हैं।

भंगी का वेतन कितना होता है, यह भी उन्हें मालूम नहीं होता। उन्हें काम पाने के लिए नगर निगम के अधिकारियों को घूस देनी पड़ती है। गालियाँ सुननी पड़ती है। लोग उनसे हीन बर्ताव करते हैं। काम से निकाल देने की धमकी मिलती है। इस कारण सभी भंगी एक होकर संगठन स्थापित करने की ठान लेते हैं। संगठन की स्थापना करने पर पूरा वेतन मिलेगा, काम के घण्टे कम होंगे, काम हेतु किसी को घूस नहीं देनी पड़ेगी, नगर निगम पर दबाव डाला जा सकेगा; ऐसी सोच के साथ सभी भंगी संगठित होते हैं। संगठन की स्थापना करने के लिए सभा (oblique) बैठक का आयोजन किया जाता हे। चुडलमुतु इस बैठक का निमन्त्रक था। बैठक सम्पन्न होती है और भंगियों की यूनियन की स्थापना की जाती है। यूनियन के नेता के आक्रामक विचार चुडलमुतु को पसन्द नहीं। वह यूनियन से दूर रहने का इरादा करता है। उसकी महत्त्वाकांक्षा थी कि उसे जीवन में बहुत कुछ हासिल करना है। (पृ. 29) खुद भंगी होकर भी वह अपने बेटे को भंगी नहीं बनाना चाहता। (पृ. 32) इसी कारण भंगियों के संगठन में और संघर्ष में उसे रुचि नहीं थी।

भंगियों के संगठन की स्थापना के बाद नगर निगम सतर्क हो जाता है। ओवरसियर केशव पिल्लै और नगरपाल ने चुडलमुतु को बुला लिया था। ओवर सिवर पिल्लै को विश्वास था कि ''चुडलमुतु ने यदि चाहा तो वह इस संगठन में सहज ही दरार पैदा कर सकता है।'' इस कारण चुडलमुतु को धमकाया जाता है। ''लोगों की तुम्हारे खिलाफ शिकायतें हैं, इसलिए तुम्हें काम से निकाल देना पड़ेगा।'' इस तरह धमकाये जाने पर चुडलमुतु डर जाता है और वह नगरपाल तथा ओवरसियर पिल्लै की हर बात मानने पर राजी हो जाता है। ओवरसियर चुडलमुतु की प्रशंसा करता है और नगरपाल से कहता है कि चुडलमुतु निर्व्यसनी है और रुपयों की बचत करता है।

ओवरसियर : 'इकट्ठा किये हुए रुपयों को उसे यहाँ लाकर रखने दे। अपनी कमाई भी वह यहाँ रखता जाएगा। पर्याप्त रुपये इकट्ठा होने पर हम उसे मकान और जमीन खरीद देंगे।'

नगरपाल : 'ठीक है। यही नहीं, बल्कि जरूरत पड़ने पर मैं उसे अपनी ओर से भी रुपये दूँगा। जो वास्तव में उन्नति करना चाहता है, उसे मदद करनी चाहिए।'

ओवरसियर : तेरे पास जो रुपये हैं, वे कल यहाँ ले आना। समझा।' (पृ.37) ओवरसियर पिल्लै और नगरपाल चुडलमुतु को राजदार बनाकर उसे धोखा देने की

साजिश रच रहे थे और चुडलमुतु उनके बहकावे में आता जा रहा था। वह अपनी पूँजी नगरपाल के पास जमा करता जाता था। उसे इस बात की खुशी थी कि नगरपाल और ओवरसियर उसके साथ हैं। वह इनका पिट्ठू बनकर संगठन के खिलाफ काम शुरू करता है। ऐसी चर्चा शुरू होती है कि "संगठन में रहने वालों की नौकरी जाएगी।" उसकी यह गद्दारी देखकर पिचाण्डी, शिवनाण्डी, वडिवेलु आदि भंगी बेचैन होने लगते हैं। उन्हें संगठन के बिखरने का डर लगने लगता है।

लोगों की शिकायतों की आड़ में केळू और पप्पू नामक भंगियों को काम से निकाल दिया जाता है। भंगियों में घबराहट फैल जाती है। ऐसी अफवाह फैलती है कि वडिवेलु और शिवनाण्डी को भी नौकरी से निकाल दिया जाएगा। यह चर्चा भी शुरू होती है कि यूनियन से सम्बद्ध भंगियों को निकालकर उनके स्थान पर तिरूनलवेल्ली के भंगियों को लाकर उन्हें काम दिया जाएगा। यूनियन के नेताओं को मिलने के लिए समय नहीं दिया जाता। यूनियन के कार्यकर्ताओं को कैंची में पकड़ने के प्रयत्न किये जाते हैं। नाईट सॉईल डेपो, ताड़ी की दुकान और भंगियों के घर-घर में यही चर्चा सुनाई पड़ती है कि 'आगे क्या होगा?' काम से निकाले गये पप्पू को फिर से काम पर लिया जाता है और वह संगठन को त्यागपत्र दे देता है। उसके साथ-साथ कई भंगी संगठन से दूर हो जाते हैं। संगठन के अध्यक्ष पर बलात्कार का आरोप कर उसे कैद किया जाता है। संगठन के कार्यालय में हज्जाम की दुकान शुरू होती है। यूनियन में दरार डालने के कारण चुडलमुतु का नगरपाल के हाथों से सम्मान किया जाता है।

नगर निगम स्वयं अगुआई करते हुए भंगियों के संगठन की स्थापना करती है। ओवरसियर पिल्लै इस संगठन का अध्यक्ष बनता है। शहर के नाट्यगृह में संगठन के उद्घाटन का आयोजन किया जाता है। कार्यक्रम में अतिथि के रूप में स्वामी को और अध्यक्ष के रूप में शहर के उद्योगपति को आमन्त्रित किया जाता है। संगठन के सदस्य बनने के उपलक्ष्य में धोती भेंट करके भंगियों का सम्मान किया जाता है। उन्हें भोजन भीं दिया जाता है। स्वामी जी अपने उद्घाटन-वक्तव्य में कहते हैं, "शराब से दूर रहो। शराब का व्यसन बुरा है। ईश्वर के विस्मरण से बचो।" नगरपालिका के संगठन में शामिल होने के बावजूद भी भंगियों को अपने शोषण का एहसास हो गया था।

आलपुरा गाँव में मेहतरानी का काम करने वाली वल्ली के साथ चुडलमुतु का ब्याह होता है। भंगी होने के बावजूद भी चुडुलमुतु सफेदपोश बन गया था। प्रतिष्ठित लोगों की बस्ती के प्रति उसमें रुचि पैदा हो गयी थी। वह उनके बोलचाल और रहन-सहन का अनुकरण करने लगा था। उसे लगने लगा था कि वह प्रतिष्ठित लोगों की बस्ती में जाकर रहे। अपने लोग और बस्ती से उसे घृणा होने लगी थी।

शादी के बाद वल्लि को लेकर वह हनीमून के लिए एरनाकुलम गया। वल्लि इस नई दुनिया को देखकर बड़ी खुश हुई। ''भंगी खाद्य पदार्थों का स्वाद ले सकता है। भिन्न-भिन्न गन्ध का एहसास उसे भी होता है। तरह-तरह के स्पर्श का अनुभव ग्रहण करने की संवेदना उसमें भी है। सुन्दर आवाज को समझने की रसज्ञता उसमें है।'' (पृ. 51) एरनाकुलम की खाड़ी के किनारे सिल्क की सुन्दर साड़ी पहनकर और बालों में बेले के फूलों को खोंसकर वल्लि घुमी थी। उसे लगा था कि आलपुरा के समन्दर के किनारे पर भी ऐसी एक श्याम गुजरे। अपना अनुभव वह पड़ोस की भंगी औरतों को कहना चाहती थी, किन्तु चुडलमुतु ने उसे भंगियों से चार हाथ दूर रहने की ताकीद दी थी।

हनीमून से वापस आने के बाद चुडलमुतु केवल रुपयों के पीछे दौड़ता दिखाई देता है। वह भंगियों को सूद पर रुपये उधार देता है। मेहनत करके रुपये इकट्ठा करता है और अपनी कमाई नगरपाल को सौंपता रहता है। अपने पति के इस बर्ताव से वल्लि बेचैन थी। यदि नगरपाल ने कल विश्वासघात किया तो क्या करेंगे; यह सवाल उसे खाए जा रहा था। उधर चुडलमुतु बड़ी निष्ठा और नियमित रूप से अपने रुपये नगरपाल को सौंपता रहता है।

आलपुरा में शीतला का प्रकोप शुरू होता है। एक के बाद एक लोग मरते जाते हैं। कई परिवार तबाह हो जाते हैं। संक्रामक रोग के कारण कई भंगियों की मौत हो जाती है। संक्रामक रोग का विकट और भयावह रूप देखकर कई धर्म के लोग एक साथ पूजा-पाठ करने लगते हैं। उन्हें संक्रामक रोग ने परस्पर निकट पहुँचा दिया था। आलपुरा के कई भंगियों की मृत्यु के कारण दूसरे गाँवों से भंगी लाये जाते हैं।

एक बार फिर भंगी इकट्ठा होकर संगठन बनाते हैं। पिचाण्डी इस संगठन का अध्यक्ष बनता है। सब भंगी चुडलमुतु को बहिष्कृत करते हैं। ओवरसियर पिल्लै और चुडलमुतु पिचाण्डी पर चोरी का इल्जाम लगाते हैं। पुलिस उसे पकड़कर ले जाती है। पिचाण्डी के जेल जाने के बाद सब भंगी फिर से चुडलमुतु से रुपये उधार लेने लगे। ओवरसियर पिल्लै पिचाण्डी की पत्नी और बच्चों को घर से निकाल भगाता है और पिचाण्डी के स्थान पर आये नये भंगी को वह दिया जाता है। चुडलमुतु की पत्नी वल्ली के पैर भारी थे। चुडलमुतु अपनी पत्नी का खयाल रखता है। पत्नी को वह समझाता है कि गर्भावस्था में क्या खाए और क्या न खाए। यही नहीं बल्कि वह मुलकल्लल के आश्रम जाकर वहाँ के स्वामी से मिलता है। स्वामी उसका मार्गदर्शन करते हैं कि ''उसे कहो कि अच्छी बातों को मन में लाओ ताकि अच्छी सन्तान जन्म ले। उसके लिए ऐसे सपने देखने चाहिए कि वह जज, डॉक्टर और नगरपाल बने।'' (पृ. 91) इससे यह स्पष्ट होता है कि स्वामी कितने प्रगतिशील थे। किन्तु ये विचार स्वामी के हैं या लेखक के?

चुडलमुलु को बेटा होता है। वह अपने बेटे को हाथों से उठाने से भी डरता है। "हम एक भंगी हैं। जिस हाथ से हम पाखाना साफ करते हैं, क्या उन हाथों से इस बच्चे को उठायें?" (पृ. 93) अपने भंगी होने पर चुडलमुतु को घृणा होती है। वह अपनी पत्नी, पिता और बेटे से बहुत लगाव रखता दिखता है। वह कुटुम्ब वत्सल आदमी है। किन्तु वही चुडलमुतु स्वार्थ की खातिर अनेक भंगियों को बरबाद करता है। अपने बेटे की पत्रिका अच्छी निकले, इसलिए वह भगवान की मन्नत मानता है। अपने बेटे का नाम भंगी जैसा न रखकर 'मोहन' रखता है। इसलिए उसका उपहास उड़ाया जाता है। उसे बुरा लगता है कि "अपने बेटे को अपना चहेता नाम देने का अधिकार भी मुझे नहीं है।" वह अपनी पत्नी से कहता है, "मैं उसे भंगी के बेटे की तरह नहीं रखूँगा। वह भंगी का बेटा होकर भी भंगी नहीं बनेगा।" (पृ. 110) चुडलमुतु 'मोहन' को स्कूल भेजना चाहता है, किन्तु 'भंगी का बेटा' होने के कारण उसे कोई भी स्कूल में प्रवेश नहीं देता।

ओवरसियर पिल्लै की मध्यस्थता से मोहन को स्कूल में प्रवेश मिलता है। इसके लिए चुडलमुतु को हेडमास्टर को अन्यों की अपेक्षा प्रतिमाह दस रुपये ज्यादा चन्दा देना पड़ता है। यही नहीं, बल्कि उसके बेटे के नाम के साथ चुडलमुतु का नाम न लगाकर किसी अन्य का नाम लगाना पड़ता है। मोहन चुडलमुतु के बेटे के रूप में नहीं बल्कि नगरपाल के भतीजे के रूप में ग्रैंड स्कूल में दाखिला पाता है। चुडलमुतु अपनी पत्नी से कहता है, "क्या तुम जानना चाहोगी कि हमारे बेटे को स्कूल में दाखिला क्यों नहीं मिलता? उन्हें यह डर है कि भंगी का बेटा स्कूल में पढ़ेगा तो भंगी का काम कौन करेगा?" (पृ. 114) मोहन के पिता द्वारा नाम बदलने के बावजूद भी उसके अध्यापक भंगी कहकर उसकी अवहेलना करते हैं। उसके सहपाठी उसे देखकर नाक पकड़कर दूर चले जाते हैं। इस कारण मोहन अपनी माँ से कहता है "माँ, तुम बाबा से कहो कि वह भंगी का काम छोड़ दे।" (पृ. 120) वल्ली अपने बेटे को समझाती है। उसे नहलाती है। स्वच्छ करती है। उसे तैयार करती है। किन्तु उसके मन में शल्य है। वह मन ही मन कहती है, "मेरे अभागे बच्चे क्या करूँ बताओ? यह गन्दगी तेरे साथ जीवनभर रहेगी और तेरे वंश के साथ भी चिपकी रहेगी।" (पृ. 116) भंगी कितना भी साफ-सुथरा रहे फिर भी उसकी तरफ देखने का लोगों का तिरस्कार भरा दृष्टिकोण नहीं बदलेगा। वल्ली इस विदारक सच्चाई को व्यक्त करती हुई दिखाई देती है। यह पीड़ा अकेली वल्ली की नहीं है, बल्कि उसके समूचे वंश की पीड़ा है।

आलपुरा शहर में कॉलरा का प्रकोप होता है। मौत का ताण्डव चारों ओर फैला था। हर रोज कई लोग मरते थे। इस दौरान चुडलमुतु की नियुक्ति श्मशान में वॉचमैन के रूप में की जाती है। प्रकोप के शिकार हुए लोगों के शवों के निस्तारण

की जिम्मेदारी उस पर सौंपी गयी थी। चुडलमुतु और उसकी पत्नी वल्ली दोनों की कॉलरा के प्रकोप से मृत्यु हो जाती है। मोहन अनाथ बन जाता है।

उपन्यास के अन्त में मोहन को यूनियन का नेता दिखाया गया है। नेता बनने के बावजूद भी वह भंगी का काम करता है। अपने बाप को लूटने वाले नगरपाल की इमारत में वह आग लगाता है। वह शोषितों के आन्दोलन का नेतृत्व करता हुआ दिखता है।

2

हजारों वर्षों से भंगियों को मनुष्य की गन्दगी ढोनी पड़ती है। भंगी औरतें और लड़के गन्दगी ढोने का गन्दा काम करते दिखते हैं। अत्यन्त गन्दा और हीन काम भंगियों पर लादा गया है। यह मानव-सभ्यता पर कलंक है। शासन द्वारा गन्दगी ढोने की प्रथा को बन्द किया गया है, फिर भी आज अनेक भंगी इस गन्दे काम को करते हुए दिखेंगे। तकषी शिवशंकर पिल्लै ने भंगी-जीवन को ही अपने लेखन का आधार बनाया है। इस उपन्यास में भंगियों का जीवन सम्बन्धी दाहक विवरण आद्योपान्त मिलेगा। पिल्लै ने भंगियों के मन और काम का सूक्ष्म निरीक्षण करने का प्रयास किया है। 'तोट्टीयुड़े मकन' उपन्यास में भंगियों की तीन पीढ़ियाँ हैं। इशुकमुतु, चुडलमुतु और मोहन तीन पीढ़ियों के प्रतिनिधि हैं। इशुकमुतु को लगता है कि उसका बेटा भंगी बने किन्तु चुडलमुतु चाहता है कि उसका बेटा भंगी न बने। मोहन का बेटा भंगी बना तो उसे बुरा नहीं लगेगा। कुल 148 पृष्ठों का यह उपन्यास है। प्रथम चार पृष्ठों में इशुकमुतु की मृत्यु हो जाती है, तो अन्तिम चार पृष्ठों में मोहन का अति संक्षिप्त चित्रण प्रस्तुत किया है। यह पूरा उपन्यास चुडलमुतु पर आधारित है। उपन्यास को पढ़कर भ्रम पैदा होता है कि चुडलमुतु इस उपन्यास का नायक है या खलनायक। एक खलनायक को ही नायक बनाकर उपन्यास की रचना की गयी है।

चुडलमुतु भंगियों की यूनियन में दरार डालता है। यूनियन के नेताओं पर झूठे इल्जाम लगाने में स्थापितों की मदद करता है। भंगियों से घृणा करता है। उसे बड़े लोगों के जीवन के प्रति आकर्षण है। अपने बेटे की पत्रिका देखकर प्रसन्न होता है। वह मात्र अपने बारे में सोच-विचार करने वाला आदमी है। स्वयं तथा स्वयं का घर-परिवार, इसके अतिरिक्त उसे कुछ भी नहीं दिखाई देता। रुपये इकट्ठा करने के लिए वह भंगियों को कर्ज देता है और उनका शोषण करता है। चुडलमुतु में नायक के कोई भी गुण नहीं दिखते। वह भंगियों का प्रतिनिधि नहीं, बल्कि स्थापितों के हाथ का खिलौना प्रतीत होता है। वह भंगियों के लिए खलनायक ही ठहरा है। लेखक

ने एक भ्रष्ट और पाजी भंगी को नायक बनाकर क्या हासिल किया है? मोहन को भंगियों के आन्दोलन का क्रान्तिकारी नेता दिखाया है, परन्तु उसे दो-चार पृष्ठों में ही समेट लिया है। स्वार्थी भंगी चुडलमुतु ही पाठकों को याद रहता है।

उपन्यास के अन्त में मोहन अपने बाप की तरह बाल्टी और फावड़े से पाखाना साफ करते हुए दिखाई देता है। वह भंगी था और भंगियों के संगठन का नेता भी था। मोहन के नेतृत्व में सारे भंगी संगठित हो गये हैं। उन्हें पूरी तनख्वाह मिलती है। अब उन्हें किसी का भय नहीं लगता। सुबह वे भंगी का काम करते हैं और शाम को समुद्र तट पर मौज में घूमते हैं। भंगी का काम उन्हें बुरा नहीं लगता। कोई उनका शोषण नहीं करता। ऐसे वर्णन से लेखक क्या सूचित करना चाहता है? क्या यही सूचित करना है कि हर एक जाति अपना पारम्परिक काम बिना शिकायत के करे? भंगियों की यूनियन वेतन वृद्धि की दृष्टि से उपयोगी ठहर सकती है। परन्तु गन्दगी ढोने जैसे निन्दनीय काम का क्या? भंगी का काम बुरा नहीं है, उसे भंगियों को करना चाहिए, भंगी को काम करने के बाद स्वच्छ रहना चाहिए, मौज-मस्ती करनी चाहिए, भंगी का कोई शोषण न करे; इस तरह का गुलाबी चित्र लेखक ने रखांकित किया है। गन्दगी ढोकर अभद्र जीवन जीने के लिए विवश भंगी के आत्मसम्मान का क्या? मात्र पूरी तनख्वाह पाना, सिगरेट खींचना और समुद्र तट पर घूमना ही भंगी-जीवन का अन्तिम उद्देश्य नहीं हो सकता। इस गन्दी तथा क्रूर परम्परा को समूल नष्ट करना ही भंगियों के जीने का अन्तिम उद्देश्य हो सकता है।

तकषी शिवशंकर पिल्लै के लेखन के लिए कारणभूत उनकी सोच को समझना महत्त्वपूर्ण होगा। वे लिखते हैं–

(अ) आज हमारे मन में डर है। यह डर इस व्यक्ति का नहीं, इन सभी मनुष्यों की धधकती हुई भावनाओं का है। क्षण-प्रतिक्षण उन भावनाओं का मिलकर बना शोला राक्षस की भाँति बढ़ रहा है। क्या हमारे मन में मात्र यह डर ही है? क्या ऐसा हम कह सकते हैं कि उन पर किये गये अन्याय से सम्बद्ध अपराध-भाव उस डर की तह में बिल्कुल नहीं है। (पृ. 149-146)

(आ) हम अपने सुखी जीवन को मौज के साथ उपभोग करते हुए यह कभी सोच भी नहीं पाए कि एकाध समाज का इतनी प्रचण्ड संख्या में अस्तित्व भी है। (पृ. 146)

(इ) ये सभी तो हमारे ही पड़ोसी हैं। हमारी पहचान के। हमेशा हमारे सामने अदब से खड़े होने वाले। हमारी पनाह में बढ़ने वाले। इनमें से एक का भी डर हमें नहीं लगता। किन्तु उनका प्रचण्ड जमघट गर्जना करते जाते हुए देखकर भय लगता है। उनके भीतर की यह शक्ति, उनकी आँखों में स्थित यह द्वेष इतने दिन कहाँ लुप्त हो गया था? (पृ. 146, 147)

(ई) यह हमारे पूर्व कर्मों का मूल है। हजारों साल पहले समाज में पड़ा यह बीज लगातार बढ़ रहा है। आज उसका दृश्य स्वरूप हम देख रहे हैं। (पृ. 147)

क्या तकषी शिवशंकर पिल्लै के उपर्युक्त सभी उद्धरणों को स्पष्ट करने की आवश्यकता है? दलित समाज विषयक अपराधबोध उनमें स्पष्ट रूप से व्यक्त हुआ है। इन भावनाओं को मात्र अपराध-भाव से या भय के सीमित अर्थ में देखकर काम नहीं चलेगा। यहाँ के स्थापितों के पूर्वकर्मों का यह नतीजा है। वह राक्षसी रूप में प्रकट हुआ है। दबे हुए जन-समूह संगठित होकर संघर्ष की मुद्रा में खड़े हो गये हैं। इस जागे हुए ज्वालामुखी के साथ समानता का व्यवहार न होने पर उसका विस्फोट होगा और उस विस्फोट में यह व्यवस्था खाक हो जाएगी। स्व-सुरक्षा की भूमिका इस उपन्यास में व्यक्त हुई है। प्रस्तुत उपन्यास यह सूचित करता है कि अतीत की गम्भीर गलतियों को समझना होगा और उनमें अनिवार्य रूप से सुधार करना होगा। तथाकथित स्थापित वर्ग इस सूचना को गम्भीरता से लें, इसी कारण मोहन को नगरपाल की ऊँची इमारत में आग लगाते हुए दिखाया गया है। ऐसे कई मोहन मशालें लेकर खड़े हैं। हमें इस आग से सावधान होना होगा, यही सन्देश इस उपन्यास द्वारा दिया गया है। यह उपन्यास जहाँ एक ओर स्थापितों को सावधान होने की सलाह देता है, वहीं दूसरी ओर भंगियों को अपना कर्म करते रहने की सलाह भी देता है।

तकषी शिवशंकर पिल्लै के 'तोट्टीयुडे मकन' शीर्षक का अनुवाद है, 'भंगी का छोरा', परन्तु प्रकाशक द्वारा प्रस्तुत उपन्यास का शीर्षक बदलकर 'चिंगारी' रखा गया है। इस परिवर्तन के पीछे यह ब्राह्मणी सोच निहित है कि 'भंगी का छोरा' नाम रखने पर किताब की न तो बिक्री होगी और न ही वह पढ़ी जाएगी।

चन्दनवाड़ी

(ग. त्र्यं. माडखोलकर)

1

अखिल विश्व द्वितीय विश्वयुद्ध की भयावह विपदा में फँसा हुआ था और भारत का स्वाधीनता आन्दोलन अन्तिम पड़ाव पर आ पहुँचा था। ऐसे घमासान कालखण्ड में ग. त्र्यं. माडखोलकर का उपन्यास 'चन्दनवाड़ी' (1943) प्रकाशित हुआ। यही कारण है कि प्रस्तुत उपन्यास में तत्कालीन डाँवाडोल परिस्थितियों का एहसास हुए बिना नहीं रहता। ब्रिटिश शासन और ईसाईं धर्म-प्रचार के प्रति हिन्दू-चित्त का असन्तोष इस उपन्यास में व्यक्त हुआ है। उपन्यास का कथ्य अत्यन्त साधारण होकर भी उसमें स्थित सामाजिक-राजनीतिक मत-मतान्तर के कारण वह विचारणीय बन गया है।

'चन्दनवाड़ी' उपन्यास का कथानक नन्दू देशमुख नामक किसान परिवार को केन्द्र में रखकर रचा गया है। नन्दू ने किसी एक पूर्वज के प्रथम रघोजी भोसले की बंगाल-मुहिम में वीरता दिखाई थी, जिसके इनाम के रूप में उसे चन्दनवाड़ी की देशमुखी प्रदान की गयी थी। कालान्तर में यह देशमुखी नष्ट हुई और नन्दू कर्ज के फेरे में फँसा। अपना कर्ज अदा करने के लिए वह दादा साहब देशपाण्डे के पिता को चन्दनवाड़ी बेच देता है। चन्दनवाड़ी बेचने के बाद वह मजदूरी कर जीविका चलाने लगा है। नन्दू के परिवार में उसकी पत्नी येसु, बेटा किसन, किसन की बहू रखमा और बेटी चन्दन आदि सदस्य थे। किसन मिल में मजदूरी कर अपने पिता की सहायता करता था। वैभव के आदी नन्दू के परिवार को बदहाली में दिन काटने पड़ते हैं। इसी बिच मिल के पट्टे में फँसकर किसन की मौत हो गयी। किसन के बाद नन्दू की भी मृत्यु हो गयी और नन्दू और किसन की विधवाओं को प्रतिकूल स्थितियों का सामना करना पड़ता है।

रखमा जवान थी। घर चलाने के लिए उसे खेत में मजदूरी करनी पड़ती है। येसु बूढ़ी होने के कारण घर बैठकर चन्दन की परवरिश करती है। दादासाहब देशपाण्डे रखमा की सुन्दरता पर आसक्त था। उसे लगता है कि रखमा उसके खेत में सालाना

तरीके से मजदूरी करे और उसकी रखैल बनकर रहे। किन्तु इसके लिए रखमा राजी नहीं होती। नतीजा चोट खाया हुआ दादासाहब देशपाण्डे रखमा के मकान की जब्ती करवाता है। मकान की जब्ती के पश्चात् येसु और रखमा–सास-बहू जीने के लिए नागपुर चले जाते हैं। वहाँ रखमा मिल में काम करने लगी है। 'चन्दनवाड़ी' उपन्यास रखमा नामक अपढ़ औरत की बेटी के जीवन पर आधारित है। इस उपन्यास की प्रस्तावना में शान्ता माडखोलकर ने कहा है कि प्रस्तुत उपन्यास का कथाबीज मालगुजारी के अन्याय पूर्ण जुल्म में है। (पृ. ८) परन्तु जहाँ इस उपन्यास की शुरुआत होती है, वहीं पर मालगुजार और किसानों के सम्बन्ध खत्म हुए हैं। रखमा मालगुजार के घर सालाना मजदूरी करने से इनकार कर देती है और नागपुर आकर मिल में काम करने लगी। यह उपन्यास जिस तरह किसानों के जीवन पर आधारित नहीं, वैसे मिल मजदूरों के जीवन से भी सम्बद्ध नहीं है। ग. त्र्यं. माडखोलकर ने स्वतन्त्रतापूर्व सामाजिक-राजनीतिक परिस्थितियों पर प्रकाश डालने के लिए यह उपन्यास लिखा है। इस उपन्यास में सामाजिक और राजनीतिक बहस यद्यपि सीमित है, फिर भी उसमें से तत्कालीन परिस्थितियों का अनुमान किया जा सकता है।

रखमा जहाँ रहती थी, वहाँ चर्च था। मिशन का बड़ा दरवाजा खुलते ही बीच का रमणीय परिसर दिखता था। चन्दन को इस परिसर के प्रति आकर्षण था। एक दिन वह डरते-डरते चर्च के परिसर में प्रवेश करती है। वहाँ उसे यतीम, अपाहिज और भिखारी दिखते हैं। वहाँ की सिस्टर इन दीन-दलितों की सेवा करती है। सिस्टर क्रिस्टीना की निगाह चन्दन पर पड़ती है। सिस्टर चन्दन के पास जाकर आत्मीयता से उससे पूछताछ करती है। चन्दन को क्रिस्टीना का स्वभाव भा जाता है। सिस्टर की सूचना के मुताबिक चन्दन दूसरे दिन से ईसाई मिशन के स्कूल में दाखिला लेती है और उसकी शिक्षा का प्रारम्भ होता है।

चन्दन और हीरा सहपाठी थीं। हीरा जाति से महार थी। हीरा चन्दन के घर जाती है और चन्दन हीरा के घर। इस कारण हीरा के भाई अभिमन्यु से चन्दन का परिचय होता है। अभिमन्यु के कारण उसके मित्र अवधूत से भी चन्दन का परिचय होता है। अवधूत दादासाहब देशपाण्डे के बेटा था, जिसने रखमा की जिन्दगी से खेलने की कोशिश की थी।

चन्दन अब कॉलेज की छात्रा थी। इसी बीच वह अवधूत से प्यार करने लगती है। अवधूत मिल-मजदूरों का संगठन चलाता है। मिल-मजदूरों की समस्याओं को लेकर संघर्षरत है तथा उनकी सभाओं का आयोजन करता है। अवधूत, अभिमन्यु और सिराज की मित्रता थी। अवधूत हिन्दुओं के पक्ष में बात करता दिखता है। अभिमन्यु हरिजनों का प्रतिनिधि है, तो सिराज मुस्लिमों का समर्थन करता दिखता है। सिराज चित्रकार है। चन्दन, अवधूत, अभिमन्यु और सिराज नई पीढ़ी के प्रतिनिधि हैं।

चन्दन और अवधूत विवाह के निर्णय पर पहुँचते हैं परन्तु उसके लिए अवधूत के घरवाले विरोध करते हैं। उसी तरह चन्दन के घरवाले इस विवाह का विरोध करते हैं। रखमा कहती है, 'उसके बाप की रखैल बनने से मैंने इनकार किया था और तू उससे सम्बन्ध बनाकर उसकी रखैल बनना चाहती है?' (पृ. 263) रखमा अपने अपमान को भूलना नहीं चाहती। उसके भीतर दादासाहब देशपाण्डे के प्रति उबलता द्वेष दिखता है। इसी कारण वह चन्दन और अवधूत के सम्बन्धों का तीव्रता के साथ इनकार करती है। चन्दन और अवधूत अपने परिवार के सदस्यों को अन्धेरे में रखकर अगला कदम उठाते हैं। "अवधूत अपने पिता की अपेक्षा भिन्न विचारों वाला युवक है। वह घर का त्याग करेगा और मेरे साथ शादी करेगा।" इस तरह के विचारों से चन्दन अभिभूत थी। चन्दन और अवधूत विवाह से पहले मिलते हैं। दूसरे दिन उनकी शादी होने ही वाली थी। वे एक-दूसरे को शरीर सौंप देते हैं।

अवधूत एक ओर विवाह-बन्धन में बन्धने की तैयारी कर रहा था, वहीं दूसरी ओर उसने मिल-मजदूरों की हड़ताल शुरू कर रखी थी। ब्रिटिश पुलिस अवधूत को कम्युनिस्ट मानकर गिरफ्तार करती है। अवधूत को जेल भेजा जाता है। दूसरा विश्वयुद्ध खत्म होने से पहले उसका जेल से छूटना सम्भव नहीं था। उधर चन्दन गर्भवती होने कारण मुसीबत में फँसी थी। सिस्टर क्रिस्टीना चन्दन का मनोबल बढ़ाने का प्रयत्न कर रही थी। चन्दन के बदले हुए बर्ताव को रखमा ताड़ जाती है। रखमा चन्दन से आत्मीयता बरतते हुए सच्चाई से वाकिफ हो जाती है। चन्दन के गर्भवती होने की बात को सुनकर रखमा काँप उठी। दादासाहब देशपाण्डे के बेटे द्वारा बदला लिए जाने की यह बात उसे हैरान कर देती है। वह चन्दन का गर्भपात करवाना चाहती थी। रखमा चन्दन को देसी औषधि पीने के लिए देती है। परिस्थितियों की चुंगल में फँसी चन्दन देसी औषधि पी जाती है। अति रक्तस्राव से चन्दन की मृत्यु हो जाती है। चन्दन के उपचार के लिए सिस्टर क्रिस्टीना और डॉ. फर्नांडिस आते हैं। परन्तु वे कुछ नहीं कर पाते। यह इस उपन्यास का कथानक है।

2

'चन्दनवाड़ी' में जो सामाजिक और राजनीतिक बहस हुई है, उसे जान लेना जरूरी प्रतीत होता है। लोकतन्त्र के नाम पर द्वितीय विश्वयुद्ध लड़ा गया। द्वितीय विश्वयुद्ध की समाप्ति के बाद दुनिया के आधे से अधिक छोटे देश आजाद हुए। भारत को भी आजादी मिलेगी और केवल हिन्दू इस आजादी के मालिक न बनें, इसके लिए अल्पसंख्यक जनजातियाँ सक्रिय हुईं। महात्मा गाँधी, बै. जिन्ना और बाबासाहब

आम्बेडकर द्वारा इस कालखण्ड में ली गयी भूमिकाओं की प्रतिध्वनि इस उपन्यास में सुनी जा सकती है।

अभिमन्यु कहता है, ''हम में और हिन्दुओं में क्या समान है? हमारे और उनके कौन से हित सम्बन्ध एक जैसे हैं? हिन्दूत्व का ऐसा कौन-सा अधिकार हमें मिला है कि जिसकी अभिलाषा से हम स्वयं को हिन्दू कहें? हमारा और उनका समाज एक नहीं, धर्मग्रन्थ एक नहीं, मन्दिर एक नहीं, इतना ही नहीं बल्कि मरने के बाद अन्तिम संस्कार की जगह अर्थात् श्मशान भी एक नहीं। हमारा और हिन्दुओं का ऐसा कौन-सा सम्बन्ध है कि जिसके कारण हम स्वयं को हिन्दू कहे?'' (पृ. 108) अभिमन्यु कहता है, ''एक गाँव और एक शहर में रहने वाले हिन्दू और मुसलमान—ये परस्पर जितने विभक्त होते हैं, उनके आचार-विचार परस्पर जितने विभक्त होते हैं, उतने ही हम हिन्दुओं से विभक्त हैं। हमारे आचार-विचार भिन्न है। इसलिए मुसलमानों के जैसा बिल्कुल भिन्न स्वतन्त्र देश है।'' (पृ. 109)

अभिमन्यु कहता है, ''तुम्हें क्या अधिकार है कि तुम्हारी राजनीतिक लड़ाई में तुम्हारे कन्धे से कन्धा मिलाकर खड़ा रहने की आशा करने का? भ्रष्ट होकर परधर्म में जाने वाला प्रत्येक अछूत अपने धर्म का, संस्कृति का और देश का कम-अधिक मात्रा में शत्रु बनता है। यह सरल बात जिनकी कमजोर बुद्धि समझ नहीं पाई, उन स्पृश्य हिन्दुओं को अब पाकिस्तान की माँग को लेकर मुस्लिमों के नाम लेकर चिल्लाने की क्या जरूरत थी? अल्पसंख्यकों का प्रश्न भी ब्रिटिश भेदनीति के कारण उत्पन्न नहीं हुआ है। वह तो तुम हिन्दुओं के छूआछूत के कर्मकाण्ड और जातिभेद की कल्पना से जन्मा है। कल के हिन्दी राष्ट्र में जब तक हमारा ओहदा और दर्जा निर्धारित नहीं होता, तब तक हम हर चीज की तरफ अपनी जाति के हित की दृष्टि से ही देखेंगे। (पृ. 209)

अभिमन्यु कहता है, ''हमें भी हमारी आबादी के हिसाब से तीसरा स्वतन्त्र देश हिस्से के रूप में दो।'' (पृ. 110)

अभिमन्यु एक हरिजन युवक है। उसके वक्तव्यों को गम्भीरता से पढ़ने पर स्वतन्त्रतापूर्व काल के अछूतों की विस्फोटक मानसिकता को समझा जा सकता है। देश का विभाजन कर मुस्लिमों को जिस तरह स्वतन्त्र देश दिया गया, उस तरह अछूतों को भी दिया जाना चाहिए—इस तरह की विस्फोटक माँग ग. त्र्यं. माडखोलकर के उपन्यास का अभिमन्यु करता है। माडखोलकर पत्रकार थे। वे समाजमन से भलिभाँति परिचित थे। यही कारण है कि उन्होंने तत्कालीन अछूतों के चित्त में स्थित बेचैनी को मार्मिकता से व्यक्त किया है। 'आबादी की मात्रा के हिसाब से तीसरा पृथक देश हमें मिलना चाहिए' की माँग अभिमन्यु करता है। अखण्ड भारत के विभाजन के लिए 'धर्मान्तर ही कारणभूत है। हिन्दू लेखक 'धर्मान्तर ही देशान्तर हैं' इसी

तरह की भूमिका लेते हुए दिखाई देते हैं। 'भ्रष्ट' होकर परधर्म में जाने वाला प्रत्येक अछूत हमारे धर्म का, संस्कृति का और देश का कम-अधिक मात्रा में दुश्मन बनता है। इस विधान के पीछे इसी विचार का होना दिखता है। 'दलित धर्मान्तर न करें' इसके लिए हिन्दुओं को छुआछूत नष्ट करनी चाहिए। गैर-दलित लेखक इस भूमिका के साथ लेखन करते हैं। अपने साहित्य के माध्यम से हिन्दू-धर्म-सुधार का समर्थन करते हुए इस्लाम और 'ईसाईं धर्म प्रसार के खिलाफ युद्ध की पुकार करते दिखते हैं। चन्दनवाड़ी में स्थित चर्च, सिस्टर और मिशनरी का चित्रण इसी उद्देश्य के साथ किया गया है। माडखोलकर इस सन्दर्भ में कहते हैं, "मैंने यह जो 'चन्दनवाड़ी' लिखा है, वह कैथोलिक ईसाईं धर्म सम्बन्धी वर्णन करने के इरादे से नहीं, बल्कि नाग नदी के दक्षिणी तट पर स्थित ऊँटखाने के 'पुअर हाउस' के ईर्द-गिर्द गरीबों की बस्ती में जो घटनाएँ घटित हुईं, उन्हें हम दोनों ने सुना और अंशतः देखा भी, उसका चित्रण, फिलहाल चल रहे सामाजिक संघर्ष के एक पक्ष के रूप में करने के उद्देश्य से लिखा है।" (पृ. 23) मुस्लिम राज में असंख्य अछूतों ने इस्लाम धर्म को स्वीकार किया। तो ब्रिटिश राज में असंख्य अछूतों ने ईसाईं धर्म को स्वीकार किया। जिसके कारण हिन्दू समाज के सामने बड़ा धर्म संकट खड़ा हुआ। इस धर्म संकट के निवारण हेतु अनेक गैर-दलित लेखकों ने अपने साहित्य द्वारा मानवता का सुर छेड़ने का प्रयास किया है।

'चन्दनवाड़ी' उपन्यास में लिखी प्रस्तावना में शान्ता माडखोलकर ने कहा है, "इस बात में सन्देह नहीं है कि ईसाईं धर्म दयाशील, सेवातत्पर' और अनाथ-अपाहिजों की दृष्टि से दयालु है, परन्तु यह दया और सेवा निरपेक्ष नहीं है। अनाज, शिक्षा और औषधि जैसी तीन जीवनावश्यक वस्तुओं के मोहवश लोगों को अपने धर्म की ओर खींचना; इसमें दया का, सेवा का अथवा धर्म का निरपेक्ष तत्त्व और आचरण कहाँ है?" (पृ. 13) अभिमन्यु के मुँह से भी शान्ता माडखोलकर के ही विचार सुनने को मिलते हैं।

अभिमन्यु कहता है, "मुसलमान और ईसाई—इन दो धर्मों का आक्रमण हमारी जाति पर कितने प्रकार से और कितनी संख्या में लगातार जारी है, इसकी कल्पना भी तुम उच्च जाति के लोगों को नहीं है?" (पृ. 105)

अभिमन्यु कहता है, "इस ईसाईं मिशनरी के सूक्ष्म, सौम्य और सर्वव्यापी धर्म प्रसार की अपेक्षा मुसलमानों का उद्दंड धर्म प्रचार ठीक। उनके बारे में मनुष्य हमेशा सावधान रहता है। परन्तु स्कूल, कॉलेज, अस्पताल, अनाथालय, कंगालखाने वगैरह विभिन्न संस्थाओं के जरिए ये ईसाईं मिशनरी जिस सात्विक ढंग से अपने धर्म का प्रसार अप्रत्यक्ष रूप से लगातार कर रही हैं, उसका एहसास हमें तीव्रता से नहीं होता। उनके आश्रय, उनकी औषधियों, उनकी शिष्य वृत्तियों, उनकी किताबों, उनके

सौजन्य आदि सब में उनका धर्म भरा रहता है। वह लगातार जाने-अनजाने में हम पर आक्रमण करता है।" (पृ. 106, 107)

शान्ता माडखोलकर यद्यपि ईसाई धर्म प्रचार की आलोचना करती है और 'चन्दनवाड़ी' का अभिमन्यु भी उसी बात की पुनरावृत्ति करता है; फिर भी 'चन्दनवाड़ी' में स्थित चर्च, सिस्टर और मिशन पर यह आरोप लागू नहीं होता। माडखोलकर ने ईसाई मिशनरी, सिस्टर और चर्च का वर्णन बड़ी तटस्थता और संयत ढंग से किया है। सिस्टर क्रिस्टीना चन्दन को मानसिक आधार देती है। कुमारी माता मेरी का उदाहरण देकर उसका मनोबल बढ़ाती है, वहीं जन्मदात्री रखमा चन्दन को ग्रामीण औषधि पिलाती है। ये दो भिन्न तरह की जीवनपद्धतियाँ हैं।

ऐसा प्रतीत नहीं होता कि माडखोलकर ने यह उपन्यास लिखकर मालगुजारों द्वारा किसानों पर किये जाने वाले जुल्म और ईसाई धर्म के अत्याचारपूर्ण आक्रमण पर प्रकाश डाला है। प्रस्तुत उपन्यास के नारी पात्र परिस्थितियों के शिकार हैं। प्रेमभंग के कारण सिस्टर क्रिस्टीना जोगन बनी है। वैधव्य के कारण येसु और रखमा परिस्थितिशरण बन गयी हैं। परिस्थितियों की कैंची में फँसी चन्दन तो अपनी जिन्दगी को खत्म करती दिखाई देती है। अंजिरा के जीवन की हालत भी कुछ भिन्न नहीं है। प्रतिकूल परिस्थितियों का मुकाबला करने वाली औरतों की होने वाली दयनीय परिणति व्यक्त करने वाला यह उपन्यास है। यह उपन्यास लगातार घुटन और प्रताड़ना को सहते हुए जीने वाली लाचार और अबोल स्त्रियों की करुण कहानी है। येसु, रखमा, अंजिरा, क्रिस्टीना और चन्दन–सबकी वेदना व्यथित करने वाली है। सामाजिक, राजनीतिक, धार्मिक और आर्थिक पाटों में कुचली जाने वाली स्त्रियों का आक्रोश व्यक्त करने वाला यह उपन्यास है।

चोमा महार

(शिवराम कारंत)

शिवराम कारंत ज्ञानपीठ से पुरस्कृत कन्नड़ साहित्यकार हैं। उन्होंने कन्नड़ भाषा में विपुल लेखन किया है। उनका चर्चित उपन्यास 'चोमन दुड़ी' दक्षिण कर्नाटक के दक्षिण कन्नड़ जिले के महारी जीवन पर आधारित है। कर्नाटक में महारों में मारी, मेर, बैर, अजिल आदि उपजातियाँ हैं। कर्नाटक में मारी उपजाति से सम्बद्ध महारों को अत्यन्त हीन (तुच्छ) समझा जाता है। इसी मारी जाति के चोमा नामक एक दलित के जीवन को केन्द्र में रखकर 'चोमन दुड़ी' उपन्यास लिखा गया है। 'चोमन दुड़ी' का सरल शब्दार्थ है, 'चोमा का ढोल।' चोमा महार और उसका ढोल पूरे उपन्यास में पाठकों का ध्यान अपनी ओर खींच लेते हैं। महाराष्ट्र में भी महारों की साढ़े बारह उपजातियाँ हैं। महाराष्ट्र के महारों द्वारा बौद्ध धर्म स्वीकार करने के बाद उनसे सम्बद्ध उपजातियाँ लुप्त होती हुई दिखती हैं।

उपन्यास का चोमा महार भोगनहल्ली का निवासी है। वह संकप्पय्या का पुश्तैनी महार है। (पृ. 6) चोमा संकप्पय्या का पुश्तैनी महार होने के बावजूद भी कलसगाँव के मिंगळे साहब के कॉफी के खेत में मजदूरी करता था। पत्नी के निधन के बाद चोमा अपने पाँच बच्चों को लेकर भोगनहल्ली में रहता हे। भोगनहल्ली पाँच-पचास मकानों वाली बस्ती है। इस बस्ती के बाहर चोमा की झोंपड़ी है। चोमा महार अर्थात् दलितों की बस्ती में नहीं रहता। उसके चार बेटे और एक बेटी हैं। पहला चोमा, दूसरा गुरवा, तीसरी बेल्ली, चौथा कालू और पाँचवाँ नीलू है। माँ की मृत्यु के पश्चात् बेल्ली ही चोमा की गृहस्थी चलाती है। भोगनहल्ली-पहाड़ी इलाके में स्थित छोटा-सा जनपद है। भोगनहल्ली से सटकर सरकारी फारेस्ट है। यह पूरा परिसर नयन मनोहारी प्रकृति और पहाड़ियों से सजा है। इस इलाके में बाघ जैसे खूँख्वार पशु भी हैं। भोगनहल्ली के समीप पंजगाँव नामक एक देहात है। यहाँ हर साल मेला लगता है। इस मेले में शरीक होने के लिए आस-पास के इलाकों से बड़ी संख्या में लोग आते हैं। पंजगाँव से आगे बेलन्तगड़ी और उसके बाद कलसगाँव है। उपन्यास की कथा चोमा महार, पंजगाँव का मेला और कलसगाँव की कॉफी की खेती के इर्द-गिर्द चक्कर काटती है।

भोगनहल्ली के समीपवर्ती जंगल में चोमा को दो बछड़े मिले थे। चोमा इन बछड़ों को खिला-पिला कर बड़ा करता है। चोमा के बैलों की यह जोड़ी पूरे उपन्यास में एक प्रतीक की भाँति विचरण करती दिखती है। यह बैलजोड़ी यानी चोमा का जीवन्त स्वप्न है। इन बैलों के कारण चोमा को लगता है कि वह किसान बने। इसी कारण वह बड़े से बड़े संकट में भी इन बैलों को नहीं बेचता। बैलों की वह जोड़ी चोमा की आत्मा के बराबर है। क्योंकि इन्हीं बैलों ने उसमें जीवन की अभिलाषा कायम रखी है। इन बैलों के साथ बाडु नामक एक काला कुत्ता भी है। बैल, काला कुत्ता और ढोल चोमा की दौलत है। चोमा शराब और कर्ज में डूबा हुआ है। कलसगाँव की कॉफी की खेती में मेहनत के दौरान उसने पाँच रुपये का कर्ज लिया था जो अब चक्रवृद्धि ब्याज के कारण लगातार बढ़ता जा रहा है।

संकप्पय्या चोमा का मालिक है। उसके पिता की मृत्यु हो चुकी है। वह अपनी विधवा माँ के साथ रहता है। संकप्पय्या चोमा के बड़े बेटे की उम्र का गृहस्थ है। संकप्पाय्या की कोठी में केवल चोमा ही मेहनत करता है, ऐसी बात नहीं, बल्कि उसके बेटे भी वहाँ मजदूरी करते हैं। चोमा को मजदूरी के मुआवजे के रूप में आधा किलो चावल मिलता है और इस मुआवजे को वह शराब के नशे के लिए उड़ाता है। शराब पीना और डफली बजाना उसका नित्य काम है।

बेल्ली और संकप्पय्या दोनों इस उपन्यास के सहिष्णु पात्र हैं। बेल्ली अपनी माँ की मृत्यु के बाद गृहस्थी को चलाती है, तो संकप्पय्या भी पिता की मृत्यु के पश्चात् अपनी गृहस्थी को सँभालता है। बेल्ली अपने मालिक के पशुओं के लिए घास लाने का काम करती है। अपने परिवार की जीविका के लिए टोकरियाँ बुनती है। बेल्ली और संकप्पय्या अकाल प्रौढत्व में चले गये पात्र हैं। चोमा बेल्ली के आधार पर जिन्दा है इसलिए उसके ब्याह की और दुर्लक्ष्य करता है। (पृ. 10)

'चोमा महार' उपन्यास चोमा नामक पुरुष पात्र को केन्द्र में रखकर लिखा गया है। चोमा व्यसनी, कर्ज में बुरी तरह फँसा हुआ और अजीब तरह का आदमी है। वह विक्षिप्त की तरह व्यवहार करता और पागलों की भाँति हँसता दिखता है। हँसने के कारण कई बार उसका व्यक्तित्व कटता दिखता है। चोमा जब दिल में आए तब ढोल बजाता दिखता है। अपने ढोल के साथ वह अपने बच्चों को गाने की और नाचने की सख्ती करता दिखता है। लेखक ने चोमा को निर्बुद्ध, व्यसनी और विक्षिप्त दिखाकर एक दलित नायक पर अन्याय किया है। यह नायक दुर्बल और रीढ़ की हड्डी से विहीन है।

गाँव के लेहनों में और कॉफी की खेती में महार का कैसा अमानुष शोषण किया जाता है, इस बात का विषण्ण करने वाला चित्रण 'चोमा महार' में है। लेहना जातिव्यवस्था का हथियार है, तो बेगार सामन्तशाही का। इन दोनों हथियारों से शिकार

हुए एक महार परिवार की त्रासदी ही 'चोमा महार' उपन्यास है। एक ओर चोमा गाँव के लेहनों में नष्ट होता दिखता है, वही दूसरी ओर उसके बेटे कॉफी की खेती में बेगार के रूप में ध्वस्त होते दिखते हैं। चोमा की जिन्दगी मिंगळे और संकप्पय्या नामक दो छोरों के बीच स्थित खिंचाव की भाँति है। इस खिंचाव में मन्वेल जैसा पाशवी पत्थर रखा हुआ है, जो चोमा की पूरी जिन्दगी को तबाह करने पर तुला है। 'मजदूर' और 'महार' के रूप में जिन्दगी बिताने को विवश अछूतों (दलितों) की हैरान करने वाली व्यथा को पढ़ते हुए पाठक बेचैन हो जाता है।

1

हिन्दू-धर्म-व्यवस्था दलितों को मात्र त्रैवर्णिकों की चाकरी करने का आदेश देती है। चोमा तो अछूत महार है। उसे अपनी हीन जाति के कारण खेत में मजदूरी मिलना कठिन है। वहाँ वह किसान बनने का सपना देखता है। सामाजिक समता का आशय दुर्लभ स्वप्न है। शिवराम कारंत ने अच्छे विषय को चुना है। परन्तु यह नहीं दिखता कि उन्होंने इस विषय को क्षमतापूर्वक सँभाला है।

चोमा को लगता है कि उसकी खुद की भी खेती हो। वह अपनी अभिलाषा अपने मालिक से कहता है, "एक परती भूमि का टुकड़ा देते तो...तुम्हारे नाम से जिन्दगीभर दाना उगाकर खाया होता। मैं भी और मेरे बाल बच्चों ने भी।" (पृ. 20) रिवाज के मुताबिक संकप्पय्या चोमा को स्पष्ट इनकार कर सकता था। वह ऐसा नहीं करता। वह अपनी माँ के साथ विचार-विनिमय कर जवाब देता हुआ कहता है, "क्या आज तक हमारे समूचे खानदान में किसी ने तुम महारों को कसने के लिए जमीन दी है? तो फिर यहाँ से आगे भी कैसे दें? ऐसा नहीं होगा।" (पृ. 21) संकप्पय्या अपने जवाब की शुरुआत ही "आज तक हमारे समूचे खानदान में" का उदाहरण देते हुए करता है। यही जवाब संकप्पय्या की माँ भिन्न शब्दों में देती दिखती है, "कितनी चरबी बढ़ी है। इन ढेंढों को? अपनी औकात भी भूल रहे हैं आजकल..." (पृ. 21) संकप्पय्या की माँ न केवल चोमा को बल्कि चोमा की समूची जाति को ही गालियाँ देती है। वह महारों की चरबी का उल्लेख करती है और उन्हें उनकी औकात दिखाती है।

चोमा खुद की खेती चाहता था, इसका मतलब वह स्वावलम्बी और स्वाधीन जीवन जीना चाहता था। असल में स्थापितों को यह स्वीकार नहीं है कि दलित स्वाधीन और स्वावलम्बी जीवन जिये। ऐसी विषम और प्रतिकूल स्थितियों में चोमा किसान बनने का सपना देखता है, इस बात को समझ लेना जरूरी है। ऐसा होते हुए

भी, चोमा की यह खेती सपने के भीतर की खेती है और यह सपना जंगल में मिले बछड़ों के साथ वृद्धिगत हो रहा है। चोमा जो खेती चाहता है, वह अपने अधिकार या हक के रूप में नहीं, बल्कि साझे में मिली तो भी वह सुखी बनेगा। चोमा की माँग परिपाटी के विरुद्ध है।

कुछ काल के उपरान्त चोमा फिर से अपने मालिक के सामने खेती की माँग करता है। अब वह खेती का पृथक हिस्सा नहीं चाहता वह साझेदारी में खेती करने के लिए राजी हुआ है। संकप्पय्या के पास कई सवर्ण पट्टेदार हैं। वे ठीक तरह से खेती नहीं करते। इस कारण संकप्पय्या के मन में चोमा के प्रति सहानुभूति पैदा हुई। संकप्पय्या नई पीढ़ी का प्रतिनिधि है। वह चोमा के सम्बन्ध में अपनी माँ को समझाता है। उसकी माँ रूढिवादी पीढ़ी की प्रतिनिधि है। वह कहती है, "क्या गाँव-जवार में किसी ने ऐसा किया है? यदि किया हो, तो वैसा करने में मैं भी अड़ंगा नहीं डालूँगी। पर अपने हाथ से महार के गले में जनेऊ न बाँधो, नहीं तो सारी बिरादरी मुँह में गोबर ठूँसेगी। फिर गाँव में मुँह दिखाने के लिए जगह नहीं बचेगी।" (पृ. 40) माँ का यह जलन से भरा जवाब सुनकर संकप्पय्या को यथार्थ का एहसास हो जाता है। चोमा के प्रति दया बरतने पर वह समाज विरोधी कृत्य होगा और ऐसा करने पर लोग क्षुब्ध हो जाएँगे। संकप्पय्या चोमा के लिए इतनी बड़ी कीमत नहीं चुकाना चाहता। वह चोमा को समझाते हुए कहता है, "अब तेरी किस्मत में जो है ही नहीं, उसके लिए रोकर क्या करेगा?" (पृ. 40) यहाँ संकप्पय्या किस्मत की ओर निर्देश करता हुआ दिखता है। जो और जैसा किस्मत में होगा, वो और वैसा होगा। उसे बदलने का न तुम्हें अधिकार है और न मुझे। संकप्पय्या का यह जवाब सुनकर चोमा बेचैन हो जाता है।

चोमा को इस बात का एहसास होता है कि उसने एक महारिन की कोख से जन्म लिया है, इसलिए उसे जी तोड़ मेहनत करनी पड़ती है। खून के आँसू पीने पड़ते हैं। (पृ. 41) सभी स्त्री की कोख से ही पैदा होते हैं। क्योंकि यह प्राकृतिक नियम है, परन्तु ऐसी औरत को महारीन (दलित जातिवाचक शब्द प्रयोग) कहना सामाजिक विकृति है। इस सामाजिक विकृति के खिलाफ दलित साहित्य विद्रोह करते हुए दिखता है। परन्तु वैसा विद्रोही स्वर, 'चोमा महार' उपन्यास में व्यक्त होते हुए नहीं दिखाई देता। चोमा फिर एक बार भूमि के बारे में संकप्पय्या से पूछता है, तब संकप्पय्या कहता है, "अरे चोमा, मैं भी बहुत चाहता हूँ कि तुझे भूँय दे दूँ। पर गाँव-जवार की परिपाटी कैसे तोड़ूँ। और फिर यदि परिपाटी को तोड़ना ही है तो पहले यह हमारी महतारी मरे, तब न! उसके जीते जी भूँय के बारे में मत पूछ।" (पृ. 102) संकप्पय्या सीधे-सीधे इनकार नहीं करता। "जब तक हमारी महतारी जीवित है तब तक तुझे जमीन नहीं मिलेगी।" इस तरह का

खुलासा वह करता है। यह महतारी अर्थात् बुढ़िया रूढ़िवादी व्यवस्था की प्रतीक है। जब तक यह व्यवस्था चिरंजीव है, तब तक तुझे कोई अधिकार नहीं मिलेगा। इस तरह का यह गर्भित उत्तर है।

चोमा को उसका मालिक खेती देने के लिए राजी नहीं है, परन्तु तभी तहसीलदार सरकारी जमीन देने के लिए तैयार है। चोमा यह सरकारी जमीन नहीं चाहता। क्योंकि सरकारी जमीन लेने पर मालिक की चाकरी जाती रहेगी और इसके लिए वह राजी नहीं है। दूसरी ओर ईसाई पादरी चोमा को जमीन देने के लिए तैयार है। पादरी कहता है, "चोमा, उस आदमी की चाकरी करने की अपेक्षा ईसाई बना तो आजाद होगा और गिरजे की खेती भी देंगे। बोलो, बनेंगे ईसाई?" (पृ. 42) चोमा धर्मान्तर के लिए राजी नहीं है। क्योंकि उसे अपनी चाकरी और औकात ही प्यारी है। चोमा जमीन की माँग करता है, पर मालिक इनकार करता है। तहसीलदार और पादरी जमीन देने के लिए राजी हैं, परन्तु इसके लिए चोमा तैयार नहीं, ऐसी यह उलझन है। चोमा अपने घर पहुँचता है और अपने दर्द को ढोल की आवाज में डुबो देता है। (पृ. 42) ढोल बजाना ज्वलन्त समस्या का समाधान नहीं हो सकता। ढोल बजाकर दलितों को धर्मांतर, आजादी और उनकी खेती की समस्या का हल नहीं मिल पाएगा। लेखक को दलितों की समस्या की अपेक्षा उपन्यास में निहित नाटकीयता अधिक महत्त्वपूर्ण प्रतीत होती है। यही कारण है कि कारंत का लेखन गम्भीरता खोता हुआ प्रतीत होता है।

2

कलसगाँव में मिंगळे साहब की कॉफी की खेती है। इस खेती में मजदूरी के लिए हर साल मजदूर लाए जाते हैं। इन मजदूरों के रहने का प्रबन्ध वहीं पर किया जाता था। कॉफी की खेती में मेहनत करने वाले कुछ स्थायी और कुछ अस्थायी मजदूर हैं। इन पर ध्यान रखने के लिए जमादार हैं। जमादार अस्थायी मजदूरों को इकट्ठा करते हैं, उनकी उपस्थिति का रिकॉर्ड बनाते हैं और उनसे मेहनत करवाते हैं। इस उपन्यास में मन्वेल नामक जमादार है। वह धर्मांतरित ईसाई है पर मूल महार जाति का है। मन्वेल मजदूरों को इकट्ठा करने के लिए भोगनहल्ली में आता है और ऋण की अदायगी के नाम पर चोमा से मजदूरी का तकाजा करता है। खुद जाने की बजाय चोमा अपने दो जवान बेटों—चनिया एवं गुरवा को भेजता है। बूढ़े चोमा के बजाय दो जवान मजदूर पाकर मन्वेल खुश दिखाई देता है।

चनिया और गुरवा अपने बाप की ही भाँति पियक्कड़ हैं। वे दोनों साल भर

कॉफी की खेती में मशक्कत करते हैं, फिर भी कर्ज वैसा का वैस रहता है। इस दरमियान गुरवा एक धर्मांतरित ईसाईं परन्तु मूल महार जाति की मारी नामक लड़की से प्यार करने लगता है। वह मारी के साथ शादी करना चाहता था। चनिया इस शादी का विरोध करता है। "अरे! ब्याह करने निकला है उससे, तो जात-पाँत का कोई विचार? महार होने के बावजूद भी गिरजे में गये हुए लोग हैं वे, भ्रष्ट! इतनी जान डाल रहा है उस पर, इसे क्या सोना चिपका हुआ है?" (पृ. 52) चनिया मारी को भ्रष्ट ठहराता है। धर्मान्तर करने से अछूतों की छूत नष्ट होती दिखती हैं। भोगनहल्ली में आने पर मन्वेल संकप्पय्या की कोठी में खाना खाता हुआ दिखता है। (पृ. 21) संकप्पय्या और उसकी माँ के लिए धर्मांतरित महार मन्वेल अछूत नहीं है, परन्तु हिन्दू महार चोमा अछूत है, ऐसा यह विपरीत यथार्थ है।

गुरवा धर्मान्तर करता है। मारी से शादी कर कोक्कड़ निकल जाता है। चनिया भोगनहल्ली में वापस आता है। कॉफी की खेती में मलेरिया और कर्ज दोनों एक जैसे। एक बार यदि उसकी गिरफ्त में आए तो उससे मुक्ति उसी दिन, जीवनान्त में। (पृ. 15) चनिया अपने साथ कर्ज और मलेरिया ले आता है। भोगनहल्ली जैसे दुर्गम इलाके में न स्वास्थ्य सम्बन्धी सुविधाएँ पहुँची हैं और न ज्ञान-विज्ञान। मलेरिया से छटपटाने वाला चनिया जल्दी अच्छा हो जाए इसलिए बेल्ली ओझा के पास जाती है। चनिया मलेरिया का शिकार हो जाता है। चनिया और गुरवा कर्ज अदा करने जाते हैं और चोमा दोनों को खो देता है। गुरवा धर्मान्तर कर दूसरे रास्ते से चला जाता है। तो चनिया मलेरिया का शिकार बनता है। चोमा अपना दुःख भुलाने के लिए अपनी आदत के मुताबिक शराब पीकर ढोल पीटता दिखाई देता है। (पृ. 67)

अगले मौसम में मन्वेल फिर से चोमा के दरवाजे पर आ खड़ा होता है। कर्ज अदा करने के लिए किसी का तो जाना जरूरी था। इसलिए चोमा अब अपनी बेटी बेल्ली और कालू को मन्वेल के साथ भेजता है। बेल्ली जैसी सुन्दर युवती मजदूर के रूप में पाकर मन्वेल मन ही मन खुश हो जाता है। वह उसे और कालू को अपनी मोटर में बैठाकर ले जाता है। वह उसकी ठिठौली करता है और खातिरदारी भी।

बेल्ली कॉफी की खेती में काम करना शुरू करती है। वह आर्थिक तंगी का सामना कर रही होती है। मन्वेल बेल्ली को अपने घर में भी नौकरानी का काम देता है। बेल्ली को खेती और घरेलू काम से काफी रुपये मिलते हैं। मन्वेल बेल्ली को साड़ी खरीदकर देता है। कालू को कम्बल भेंट करता है। बेल्ली को बीच-बीच में पुरस्कार भी देता है और उसका उपभोग भी करता है। इस तरह बेल्ली मन्वेल की भोगदासी बनती है। एक दिन यह सुन्दर बेल्ली मिंगळे साहब को दिखती है। मिंगळे साहब उसे रात में अपने बंगले पर बुलाते हैं। मन्वेल बेल्ली को मिंगळे साहब

के बंगले में पहुँचाता है। मिंगळे साहब बेल्ली का रात भर उपभोग करता है। वह उसके बदले में बेल्ली को बख्शिस देता है। "पितृऋण से मुक्ति के लिए इतना बड़ा अवसर, इतनी आसानी से सामने होते हुए देह का क्या मोल है? यही है बेल्ली का विवेक। उसकी दृष्टि में धर्म, न्याय, नीति, शील और शुचिता ये सभी सवर्णों के आरक्षित कुरन हैं।" (पृ. 92) शिवराम कारंत ने जिसे पितृऋण सम्बोधित किया है, वह असल में भयावह शोषण है। इस शोषण के लिए 'पितृऋण' जैसा शब्द प्रयोग नहीं किया जा सकता। बेल्ली पितृऋण अदा करने के लिए अपना शील बेचती है और उसे यह बड़ा अवसर प्रतीत होता है। बेल्ली मन्वेल और मिंगळे के साथ जो रात गुजारती है वह एक बड़ा अवसर या पितृऋण अदा करने के लिए नहीं, वह तो उसकी विवशता है। वह इनकार नहीं कर सकती। यह घिनौना यथार्थ है। मन्वेल जैसा जमादार भी मिंगळे को इनकार नहीं कर सकता। बेल्ली की यह विवशता है। इसके लिए लेखक ने धर्म, न्याय, नीति, शील और शुचिता जैसे वजनदार शब्दों का प्रयोग किया है। यह मात्र शब्दों की आतिशबाजी है। लेखक के मतानुसार यदि बेल्ली को रुपये कमाने का बड़ा मौका मिला होता, तो उसने कॉफी की खेती में रहकर देह विक्रय किया होता। परन्तु ऐसा नहीं होता। बेल्ली पिता के कर्ज के रुपये अदा कर वापस भोगनहल्ली में आती है। बेल्ली की वापसी को ठीक से समझने की आवश्यकता है।

कर्ज अदा कर वापस आयी बेल्ली को देखकर चोमा खुश होता है। एक दिन चोमा अपने बच्चों को लेकर स्नान के लिए नदी जाता है। नदी में ऊपर की ओर सवर्ण कपड़े धो रहे थे। चोमा के बच्चे नीचे की तरफ तैरना शुरू करते हैं। वे पानी में मौज-मस्ती करते हैं। चोमा बच्चों के बाल धोने के लिए पत्ते लाने गया था। इधर नीलू पानी में डूबने लगता है। कालू किनारे पर आकर चिल्लाने लगता है। चोमा भी दौड़ता हुआ विलाप करने लगता है। चोमा को तैरना नहीं आता। वह चिल्लाता रहता है। लोग इकट्ठा तो हो जाते हैं परन्तु नीलू को कोई नहीं बचाता। क्योंकि वे सभी सवर्ण थे और नीलू अछूत। नीलू उन सबके सामने में पानी में डूबकर मर जाता है। उस भीड़ में स्थित एक ब्राह्मण युवक पानी में कूदना चाहता है। लोग उसे रोकते हैं। वह लोगों को दुत्कार कर कूद पड़ता है और नीलू का शव निकालकर चोमा को सौंपता है। यही ढाढस वह नीलू के मरने से पहले करता तो...?

शिवराम कारंत ने संकप्पय्या एवं ब्राह्मण युवक का चित्रण करते हुए प्रगतिशील दृष्टिकोण का परिचय दिया है, तो मन्वेल और मिंगळे जैसे ईसाई पात्रों को व्यभिचारी दिखाते हुए हिन्दुत्ववादी नीति का अवलम्ब किया है। नीलू की मृत्यु के पश्चात् चोमा ढोल बजाते हुए दिखाई देता है। कारंत लिखते हैं, "तड़के ढोल पीटने की कर्कश ध्वनि से ही गाँव जाग गया था।" (पृ. 104) चोमा के विलाप से ढोल की

आवाज ऊँची है। लेखक ने चोमा की पीड़ा की अपेक्षा ढोल की आवाज की ओर पाठकों का ध्यान खींचा है।

3

सवर्ण लेखक दलितों द्वारा किये गये धर्मान्तर को लेकर अधिक संवेदनशील बनते हुए दिखेंगे। सवर्ण लेखकों ने दलितों के धर्मान्तर के विषय में अवश्य लिखा है। यह उनकी भावना...और चिन्ता का मसला बना दिखाई देगा। 'चोमा महार' उपन्यास भी इसका अपवाद नहीं है।

गुरवा को इस रूप में चित्रित किया है कि वह स्त्री और खेती के लिए धर्मान्तर करता है। गुरवा के जरिये यह सन्देश दिया गया है कि "दलितों को लालच दिखाकर उनका धर्मान्तर किया जाता है। महार होने के कारण मुझे कोई खेती नहीं देता।" (पृ. 106)

"नीलू अन्य किसी भी जाति में पैदा होता तो बच गया होता।" (पृ. 106) इस तरह के विचार चोमा के दिमाग में उठते हैं और वह भी सोचने लगता है कि "हम भी गुरवा की राह क्यों न चुने?" बेल्ली के भीतर भी धर्मान्तर का भाव दृढ़ होता हुआ दिखता है। "मेरे ईसाईं बनने पर मन्वेल पत्नी के रूप में हमार स्वीकार भी करेगा"—बेल्ली इस तरह का सपना देखती है। 'चोमा महार' उपन्यास के पात्र व्यक्तिगत भलाई की खातिर धर्मान्तर का विचार करते दिखते हैं। इस धर्मान्तर के पीछे दलितों की मूल्य दृष्टि का अभाव दिखता है। दलितों का धर्मांतरण एक सामाजिक चेष्टा है। शिवराम कारंत इस समूचे विषय की ओर सुधारवादी दृष्टि से देखते हुए पाये जाते हैं।

4

मन्वेल प्रतिवर्ष की भाँति मजदूर इकट्ठा करने हेतु भोगनहल्ली आता है। बेल्ली को मिलने के लिए वह चोमा के घर गया। चोमा गुरवा के घर जाने की जल्दी में था। बेल्ली मन्वेल से कहती है, "तुम्हारी जात में आने वाले हैं हम भी अब।" (पृ. 109) मन्वेल हँसी के रूप में प्रतिक्रिया देता है।

दूसरे दिन चोमा गुरवा की तरफ कोक्कड़ की ओर निकल पड़ा। बेल्ली घर में अकेली थी। मन्वेल उसे मिलने आता है। उसके सानिध्य से बेल्ली अभिभूत हो ज.ती है।

चोमा गाँव के बाहर गया। रस्ते में बैताल को आखिरी वन्दन किया। तभी वह अपने भीतर कँपकँपी अनुभव करता है और उसे आभास होता है कि उसके साथ प्रत्यक्ष बैताल ने बात की। "चोमा, अरे मूँछें काली से सफेद बनने तक तू मेरे भरोसे रहा। अब ज्यादा से ज्यादा तीन-चार दिनों में मरेगा तू और अब तुझे पादरी बाबा याद आ रहे हैं? क्यों?" (पृ. 112) बैताल के साक्षात्कार से चोमा का मत परिवर्तन होता है। "पीढ़ी दर पीढ़ी की यह हमार कुल देवता है और अब इस चौथेपन (जिन्दगी की अन्तिम बेला में) उसे लताड़कर पराये धर्म में जाए? समझो, गया भी तो क्या किस्मत में लिखे परिश्रम टलेंगे थोड़े?" (पृ. 112) ऐसे विचारों से चोमा बेचैन दिखता है। जब दलितों ने धर्मान्तर किया तब घर में स्थित हिन्दू देवताओं को उठाकर कूड़े में डाल दिया था। परन्तु यहाँ चोमा पीढ़ी दर पीढ़ी पूजे गये कुल देवता और अपनी किस्मत में लिखे श्रम के बारे में सोचते हुए दिखता है। वह अपने 'कुल देवता' और 'किस्मत' को लाँघ नहीं पाता। वह चमत्कार की शरण में जाता है।

जब चोमा अपने घर लौटता है, तब वह देखता है कि मन्वेल बेल्ली का उपभोग कर रहा है। चोमा क्षुब्ध हो जाता है। वह इस सोच से पागल हो जाता है कि समय पर बेल्ली का ब्याह नहीं किया, इस कारण उसने वाम मार्ग का अवलम्ब किया। अपनी बेटी का शील भ्रष्ट होता देखकर वह सर्वनाश का रास्ता चुनता है। बेल्ली का गला दबाकर वह उसे घर के बाहर फेंक देता है। अपराध बोध एवं दुःखातिरेक से व्याकुल बेल्ली अचेत अवस्था में जमीन पर पड़ी रहती है। चोमा आजीवन जी जान से सँभाले हुए बैलों को जंगल में छोड़ देता है। खेती के काम के लिए बनाये गये हल को जला देता है। वह ध्वस्त हो जाना चाहता था। वह अपना ढोल सँभालकर उसे बेकाबू होकर पीटना शुरू करता है। ढोल की आवाज प्रलय की भाँति फैलती जाती है। आज तक ढोल ऐसा कभी नहीं बजा था। (पृ. 116) सारा परिवेश थर्रा उठता है।

कुछ देर पश्चात् ढोल की आवाज अचानक बन्द हो जाती है। चोमा द्वारा जंगल में छोड़े गये बैल वापस आ गये थे और चोमा ने अपने प्राण त्याग दिये थे। चोमा का ढोल हमेशा के लिए अनाथ बन गया था। इस तरह 'चोमा महार' उपन्यास खत्म होता दिखता है। धर्मान्तर करने निकला चोमा जिस तरह वापस लौटता है उसी तरह जंगल में छोड़े गये बैल भी वापस आ जाते हैं। ऐसा दिखाया गया है कि मनुष्य हो या पशु उन्हें आजादी की अपेक्षा सुरक्षा अधिक महत्त्वपूर्ण लगती है। चोमा और उसके बैल **यथास्थितिवादिता** और **परम्पराशरणता** के प्रतीक हैं। अब रही बात शीलभ्रष्ट बेल्ली की, तो वह गुरवा के पास जाकर धर्मान्तर करेगी या मन्वेल की भोगदासी बनेगी? या फिर संकप्पय्या की हलके काम करने की पुश्तैनी प्रथा को आगे बढ़ायेगी? इस तरह के सवाल अन्त में अनुत्तरित ही रहते हैं। इन प्रश्नों के समाधान 'चोमा महार' उपन्यास में नहीं खोजे जा सकते।

संस्कार

(यू. आर. अनन्तमूर्ति)

यू. आर. अनन्तमूर्ति का 'संस्कार' 'ज्ञानपीठ पुरस्कार' से सम्मानित एवं चर्चित उपन्यास है। कन्नड़ भाषा में लिखे गये इस उपन्यास का अन्य अनेक भाषाओं में अनुवाद हुआ है। 'ब्राह्मण' धर्म को केन्द्र में रखकर इस उपन्यास की रचना की गयी है। दलितों की ही तरह ब्राह्मण भी किस तरह असन्तुष्ट हैं, यह स्पष्ट करने वाला प्रस्तुत उपन्यास हैं। इस उपन्यास में त्रिआयामी बुनावट इस प्रकार है :

(अ) धर्माचरण करने वाले ब्राह्मण,

(आ) धर्मबाह्य जीवन जीने वाले ब्राह्मण और

(इ) प्लेग की महामारी।

'संस्कार' उपन्यास की कथा दुर्वासपुर, परिजातपुर और मेळेगे गाँव तथा नारणप्पा, चन्द्री और प्राणेशाचार्य नामक तीन प्रमुख पात्रों के इर्द-गिर्द चक्कर काटती है। अग्रहार दुर्वासपुर में स्थित उच्च कुलीन ब्राह्मणों की बस्ती है। यहाँ के ब्राह्मण वैदिकी पर जीवन जीते हैं। दासाचार्य, व्यंकटरमणाचार्य, श्रीनिवासाचार्य, गुंडाचार्य, हनुमन्ताचार्य, गरुडाचार्य, पद्मनाभाचार्य, दुर्गाभट और प्राणेशाचार्य ब्राह्मणधर्म का पालन करने वाले ब्राह्मण हैं। नारणप्पा ब्राह्मण विरोधी ब्राह्मण है। नाराणप्पा की संगति से श्याम और श्रीपति नामक अन्य ब्राह्मण भी ब्राह्मण धर्म पालन से दूर चले गये हैं। नारणप्पा की प्रतिकृति के रूप में महाबली की ओर देखा जा सकता है। धर्माचरण करने वाले तथा धर्माचरण को नकारने वाले—ऐसे दो प्रकार के ब्राह्मण हैं। धर्माचरण करने वाले ब्राह्मणों का नेतृत्व वेदान्तशिरोमणि प्राणेशाचार्य करते दिखते हैं, तो धर्म विरोधी ब्राह्मणों का नेतृत्व नारणप्पा करता दिखता है। यहाँ एक बात ध्यान देने योग्य है। धर्माचरण करने वाले ब्राह्मणों में धर्म द्वारा निषिद्ध की गयी बातों का आकर्षण दिखाई देता है। परन्तु निषिद्ध जीवन जीने वाले ब्राह्मणों को धर्माचरण का आकर्षण नहीं है। श्याम ब्राह्मण धर्म का पालन करने की अपेक्षा सेना में भर्ती हो जाता है। श्रीपति यक्षगान करने वाली मण्डली के साथ रहने लगता है। वेदान्त की पढ़ाई कर चुका महाबली एक वेश्या के साथ रहता है।

इन सब में नारणप्पा अधिक विद्रोही प्रतीत होता है। उसने चन्द्री नामक शूद्र औरत को रखैल बनाया है। वह चन्द्री के साथ दस वर्षों से रहता है। वह अभक्ष्य भक्षण करने वाला और अपेय पान करने वाला है। मांस भक्षण एवं मदिरापान उसके लिए वर्ज्य नहीं है। यही नहीं, बल्कि वह नाच-गाने में भी रुचि रखता है। वह उत्तम तबलावादक है। वह गीतों की धुन बनाने में माहिर है। उसके नेतृत्व में परिजातपुर के ब्राह्मणों ने 'परिजात नाटक मण्डली' की स्थापना की है। नारणप्पा के घर में ग्रामोफोन है। वह कांग्रेस के खद्दर का प्रचारक है। ऐसा नहीं कि वह मात्र चन्द्री के साथ प्रामाणिक है, 'पद्मावती' नामक वेश्या के पास भी हो आया है। वह अग्रहार के ब्राह्मणों को चुनौती देता है। वह कहता है, "अब तुम्हारे शास्त्र-पुराण नहीं चलेंगे। अब आगे आएगी तो कांग्रेस पंचमों को देवालयों में लेना होगा।'' (पृ. 21) और "मैं चार्वाक वंश का। ऋणं कृत्वा घृतं पिबेत कहने वालों में से।" (पृ. 21) इतना ही नहीं, बल्कि नारणप्पा ब्राह्मणों के खिलाफ सक्रिय दिखता है। वह कहता है, "आखिर जीत किसकी होगी, मेरी या उनकी यही देखना है। मैं ब्राह्मणों का नाश करूँगा...करूँगा मतलब करूँगा ...मैं भी एक पुराण कह रहा हूँ।" (पृ. 25) अथवा "बायकाट करो तो सही, मैं मुसलमान बनकर एक-एक ब्राह्मण को खम्भे से बाँधकर उनके मुँह में गो मांस डालता हूँ कि नहीं देखो।" (पृ. 12) ब्राह्मणों के प्रति अत्यधिक घृणा रखने वाला नारणप्पा एकादश के दिन अग्रहार के मुसलमानों को बुलाकर खाना खिलाता है। (पृ. 12) मुस्लिम बच्चों को इकट्ठा कर गणपति के तालाब में स्थित देवों की मछली का बन्दूक से शिकार करता है। (पृ. 11) यही कारण है कि अग्रहार के ब्राह्मण उससे कटकर रहते हैं।

दुर्वासपुर और परिजातपुर में तुंगा नामक नदी है। परिजातपुर में हीन कुलों के ब्राह्मण रहते हैं। परिजातपुर में मंजय्या नामक एक ब्राह्मण साहूकार है। मंजय्या की विशाल कोठी में श्रीपति, गणेश, गंगण्णा, मंजुनाथ आदि 'गुलबकावली' नामक नाटक की तैयारी कर रहे थे। नारणप्पा इस मण्डली के साथ था। नारणप्पा को अग्रहार के ब्राह्मण धर्म में स्थित व्यर्थता, प्राचीनता एवं काल विसंगति का एहसास हो गया है। जिस तरह परिवर्तित काल का एहसास उसे हो गया है, उसी तरह धर्माचरण के अभाव में भी चैन से जिया जा सकता है, यह भी अनुभव के आधार पर वह जान गया है। अग्रहार के ब्राह्मणों का चलन 'पाप-पुण्य' में चलने वाला है, तो नारणप्पा का चलन 'लेदर करन्सी' में समाविष्ट होता है। 'सनातनवाद' के खिलाफ 'इहवाद'—ऐसा संघर्ष प्रस्तुत उपन्यास में वर्णित है। इस संघर्ष के साथ ही साथ समूचे उपन्यास में प्लेग की महामारी फैली दिखती है। नारणप्पा शिमोगा हो आता है। शिमोगा में प्लेग की महामारी फैली थी। बीमार नारणप्पा प्लेग से पड़ता है। उसे बुखार था और बगल में गाँठ। नारणप्पा के कारण पूरे अग्रहार में प्लेग की महामारी फैल जाती है। प्लेग के प्रादुर्भाव से अनगिनत चूहे मरते हैं। मरे हुए चूहों

को उठाने के लिए श्मशान के गिद्ध अग्रहार में आते हैं। श्मशान के गिद्ध घरों पर आकर बैठने लगते हैं, इस कारण चहुँ ओर घबराहट फैल जाती है। गिद्धों को निकाल भगाने के लिए ब्राह्मणों ने तालियाँ बजायी, शंख फूँके, झाँझ बजाये फिर भी गिद्ध हिलने के लिए राजी नहीं थे। ब्राह्मणों को लगता है कि यह भयसूचक अपशकुन है। परन्तु वे यह नहीं जानते कि प्लेग की महामारी फैली हुई है। प्लेग वडवानल की भाँति फैलता जा रहा था और ब्राह्मणों पर बावली धार्मिक भावनाएँ हावी थीं। वे जीने का सहारा पोथी-पुराणों की पोटली में खोज रहे थे।

'संस्कार' उपन्यास का आरम्भ नारणप्पा की मृत्यु से होता है। अधर्मी बर्ताव वाले नारणप्पा के शव का अन्तिम संस्कार कौन करेगा? इस प्रश्न के उत्तर द्वारा उपन्यास खुलता जाता है। नारणप्पा का अन्तिम संस्कार करने के लिए ब्राह्मण तैयार नहीं हैं। नारणप्पा की रखैल चन्द्री अपने गहने उतार देती है। "ये सब ख़र्च के लिए रहने दो कहकर गहने ब्राह्मण के सामने रख देती है।" (पृ. 10) सभी ब्राह्मण चकित हो जाते हैं और उनमें सोना हथियाने के लिए होड़ लगती है। नारणप्पा ने ब्राह्मण धर्म को नकारा था, परन्तु ब्राह्मणों ने उसे धर्म से बहिष्कृत नहीं किया था। अग्रहार के सभी ब्राह्मण प्राणेशाचार्य से कहते हैं कि वह इस पर उपाय ढूँढ़ें। प्राणेशाचार्य धर्मशास्त्र खोजने लगता है। इस उपन्यास का आरम्भ नारणप्पा की मृत्यु से हुआ है। नतीजा इस उपन्यास का संघर्ष ही खत्म हो गया है। यदि नारणप्पा जीवित रहता तो एक चुनौती निर्मित हो सकती थी। उपन्यासकार ने जानबूझकर नारणप्पा का खून किया है और ब्राह्मण धर्म के खिलाफ बोलना टाला है। यदि नारणप्पा जीवित रहता तो ब्रह्मणी मूल्यों के खिलाफ अंगारे उगले होते और लेखक के लिए यह शायद परेशानी वाली बात ठहरती। नतीजा नारणप्पा प्लेग का शिकार बनता है और सारे ब्राह्मण यह समस्या सुलझाने में लग जाते हैं कि उसका अन्तिम संस्कार कौन करेगा?

इसके लिए वे धर्मशास्त्रीय किताबों के पन्ने पलटते बैठते हैं। उधर शव की दुर्गंध फैलती जाती है। प्लेग की महामारी फैलती है। जल्दी-जल्दी चूहे मरने लगते हैं। श्मशान की ओर से गिद्ध आने लगते हैं और ब्राह्मण धर्मशास्त्र में उलझते रह जाते हैं। पूरे उपन्यास में नारणप्पा का शव पड़ा हुआ है। एक भी ब्राह्मण अन्त्य संस्कार के लिए आगे नहीं आता। नारणप्पा का शव सड़ी-गली व्यवस्था का प्रतीक है। इस सड़ी-गली व्यवस्था को बदलने का कोई भी प्रयत्न नहीं होता। 'संस्कार' में वर्णित ब्राह्मण लालची, भुक्खड़ और बदमाश हैं। यू. आर. अनन्तमूर्ति ने ब्राह्मणों में स्थित अपप्रवृत्तियों पर प्रहार किया है। यह ब्राह्मण-प्रवृत्ति की अनुकूल-प्रतिकूल चर्चा करने वाला उपन्यास है।

नारणप्पा के शव का अन्तिम संस्कार करने से सम्बन्धित सारे अधिकार

प्राणेशाचार्य को सौंपे जाते हैं। प्राणेशाचार्य हिन्दू धर्म-शास्त्रों का पाठ शुरू करते हैं। रात भर जागकर ग्रन्थों की उलट-पुलट करते रहते हैं। चन्द्री अपने घर न जाकर प्राणेशाचार्य के आँगन में लेटी रहती है। रात में जब उसे भूख लगती है, तब वह खेत में जाकर केले लाती है और खाती है। घर में प्राणेशाचार्य जाग रहे थे और आँगन में चन्द्री भी जाग रही थी। प्राणेशाचार्य को अपने आँगन में सोई चन्द्री दिखाई देती है। वे उसे ओढ़ने-बिछाने के लिए वस्त्र देते हैं।

दूसरा दिन भी आचार्य यह निर्णय नहीं कर पाते हैं कि अपधर्म कौन-सा है और सूक्ष्म धर्म कौन-सा है? अग्रहार में शव होने तक कोई भी ब्राह्मण अन्न-ग्रहण नहीं कर सकता था। इसलिए सभी ब्राह्मण खाली पेट थे। वे भूख से व्याकुल हो उठे थे। फिर यह बात आती है कि परिजातपुर के हीन कुलीन ब्राह्मणों द्वारा नारणप्पा का अन्त्य संस्कार किया जाये। सर्वानुमत से तय होता है कि प्राणेशाचार्य इसका समाधान ढूँढ़े। एक बार फिर नये दम-खम के साथ प्राणेशाचार्य धर्मशास्त्र में उत्तर खोजना शुरू कर देते हैं। दिन डूब जाता है। प्राणेशाचार्य रात में हनुमान की मूर्ति के आगे बैठकर शकुन विचारना तय करते हैं।

हनुमान के मन्दिर में जाते हैं। शकुन विचारते हैं, पर शकुन नहीं मिलता। तभी उन्हें याद आता है कि बीमार पत्नी को औषधि देनी है। वे मन्दिर के बाहर आते हैं। उनके पीछे चन्द्री आ रही थी। वह केले लेने के लिए खेत में आयी थी। वह आचार्य के पैरों को आलिंगन करके रोना आरम्भ करती है। चन्द्री के स्पर्श से आचार्य रोमांचित हो जाते हैं। चन्द्री आचार्य को अपनी देह अर्पण करती है। चन्द्री से प्राप्त शरीर सुख के कारण आचार्य का पुनर्जन्म ही हो जाता है। आधी रात में धर्म भ्रष्ट प्राणेशाचार्य अपनी बीमार पत्नी की ओर निकल पड़ता है, तो चन्द्री नारणप्पा के शव की ओर। नारणप्पा के अन्त्य संस्कार के लिए चन्द्री जैसे अपने गहने उतार कर देती है वैसे अपना शरीर भी देती है। इसके बावजूद भी नारणप्पा के अन्त्य संस्कार की समस्या का समाधान नहीं मिलता।

चन्द्री अपनी जात वाले शेषप्पा के पास जाती है। वह नारणप्पा के शव का अन्त्य संस्कार करवाना चाहती थी। शेषप्पा इसके लिए राजी नहीं होता। वह कहता है, "ब्राह्मण के शव का स्पर्श कर मैं किसी नरक में नहीं जाना चाहता।" (पृ. 70) शूद्र की दृष्टि से ब्राह्मण का शव भी पवित्र है। ब्राह्मण पुरुष शूद्र स्त्री का उपभोग कर सकता है। उससे वह अपवित्र नहीं बनता, परन्तु शूद्र पुरुष ब्राह्मण के शव का भी स्पर्श नहीं कर सकता। ऐसा यह विदारक चित्र है। शेषप्पा से नकार पाकर चन्द्री मुस्लिम बस्ती में जाती है। चूड़ियों का व्यापारी अहमद ब्यारी नारणप्पा के शव को दहन करने के लिए तैयार होता है। चन्द्री अहमद ब्यारी की मदद से नारणप्पा के शव का दहन कर अपने गाँव कुन्दापुर निकल जाती है।

परिजातपुर के नारणप्पा के ब्राह्मण मित्र रात में शराब पीने बैठे थे। उन्हें अपने मित्र के शव की याद आती है। शराब के नशे में चूर पाँचों मित्र नारणप्पा के शव का फैसला करने अग्रहार में दबे पाँव जाते हैं। वहाँ नारणप्पा का शव न पाकर डर जाते हैं और यह सोचकर भाग निकलते हैं कि उसका भूत बन गया। दूसरे दिन पूरे अग्रहार में भय फैल जाता है। वहाँ के ब्राह्मणों ने रात में अहमद ब्यारी की बैलगाड़ी की आवाज सुनी थी। 'भूत...भूत' कहकर भागने वाले पाँच जनों का शोर सुना था। अग्रहार के घर-घर की छत पर गिद्ध बैठने लगते हैं। इस कारण सभी ब्राह्मण डर गये थे। प्राणेशाचार्य को अपनी पत्नी से घृणा होती है। चन्द्री की सुखद याद से वे दीवाने बन गये थे। "मैं हार गया हूँ। हनुमान जी ने शकुन विचारने पर इनकार कर दिया। क्या करें समझ में नहीं आता। तुम तुम्हारे जो मन में आये करो।" प्राणेशाचार्य के यह बोल सुनकर सभी ब्राह्मण अवाक् हो गये। प्राणेशाचार्य द्वारा असमर्थता दर्शाने के बाद सारे ब्राह्मण हाथखम्भा की ओर निकल पड़े। वे सोचते हैं कि वहाँ जाकर पण्डित सुबण्णाचार्य से सलाह ली जा सकती है। यदि वे नहीं बता सके, तो मठ पहुँचकर स्वामी जी से पूछा जा सकेगा। शव को सड़ते हुए रखने से समस्या का समाधान नहीं पा सकते। फिर अग्रहार गाँव का उसूल है कि शव के अन्त्य संस्कार से पूर्व भोजन नहीं कर सकते। हातखम्भा में खाना खाने में कोई अपराध नहीं है। (पृ. 80) इस मत पर सबका एकमत हो जाता है। सभी ब्राह्मण अपने भूखे बाल-बच्चों और पत्नी को ननिहाल भेजकर स्वयं हातखम्भा निकल पड़े। प्राणेशाचार्य की पत्नी रजस्वला होने से वे हातखम्भा नहीं जाते। हातखम्भा जाकर वापस लौटने में तीन दिन जाएँगे। हातखम्भा पहुँचने पर दासाचार्य और पद्मनाभाचार्य को तेज बुखार चढ़ता है।

प्राणेशाचार्य दिन भर चन्द्री की चाहत भरी यादों में खो जाते हैं। दिन डूबता है। गिद्ध चले जाते हैं। प्राणेशाचार्य का खटका दूर होता है। प्राणेशाचार्य की पत्नी भागीरथी बुखार से जल रही थी। उसकी बगल में गाँठ आ गयी थी। प्राणेशाचार्य काँप उठे। भागीरथी चीखकर गतप्राण हो जाती है। प्राणेशाचार्य गड़बड़ा जाते हैं। चन्द्री को पुकारते हैं। चन्द्री की खोज के लिए नारणप्पा के घर पहुँचते हैं। वहाँ चन्द्री नहीं थी। नारणप्पा का शव बिना देखे सीधे वापस लौटते हैं। रातोंरात हातखम्भा के सुबण्णाचार्य के पास पहुँचते हैं। वहाँ दासाचार्य प्लेग के शिकार हो गये थे। उसका अन्त्य संस्कार कर चार ब्राह्मण लौट रहे थे। उनकी मदद से प्राणेशाचार्य अपनी पत्नी का दाह-संस्कार करते हैं। पत्नी के शव संस्कार के पश्चात् प्राणेशाचार्य घर न आकर जिधर पैर ले जाते उधर चलते रहते हैं। उन्होंने अग्रहार तथा वहाँ के ब्राह्मण धर्म का मानसिक रूप से त्याग किया। उनके साथ उनका नाम, उनकी कीर्ति और उनकी लोक प्रचलित छवि थी। वे अकेले पैदल यात्रा कर रहे

थे। उन्हें लगातार यह डर सता रहा था कि हमें कोई पहचान लेगा। रास्ते में उन्हें पुट्टा नामक एक युवक मिला। यह पुट्टा उनका पीछा नहीं छोड़ता। पुट्टा अक्करमाशी है। उसके पिता कुलीन ब्राह्मण हैं और माँ कोइरी है। (पृ. 112) पुट्टा के दोस्त उसे 'बम्मन' कहकर चिढ़ाते हैं। उसके गले में जनेऊ है। इसलिए पुट्टा को प्राणेशाचार्य के प्रति आत्मीयता थी। प्राणेशाचार्य पुट्टा से कहते हैं कि वे कुन्दापुर जा रहे हैं। कुन्दापुर में चन्द्री थी। पुट्टा यात्रा में प्राणेशाचार्य की सहायता करता है। रास्ते में मेळगे नामक गाँव था। वहाँ रथोत्सव था। इस मेले के लिए कई ब्राह्मण आये थे। पुट्टा प्राणेशाचार्य को मेळगे स्थित पद्मावती नामक सुन्दर स्त्री के पास ले जाता है। पद्मावती कोइरी है। वह वैदिक ब्राह्मणों को बड़ा अपूर्व समझती थी। (पृ. 121) पुट्टा अनेक ब्राह्मणों को पद्मावती के पास ले जाता था। वह नारणप्पा को भी पद्मावती के पास ले गया था। पद्मावती ने नारणप्पा को नकारा था। प्राणेशाचार्य के मन में पद्मावती के प्रति आकर्षण पैदा होता है। वह प्राणेशाचार्य को रात में ठहरने के लिए आमन्त्रित करती है।

पुट्टा और प्राणेशाचार्य मन्दिर के प्रांगण में भोजन के लिए बैठते हैं। पत्नी की मृत्यु के कारण प्राणेशाचार्य को सूतक था। सूतक के चलते ब्राह्मणों के साथ खाने पर छूतछात होगा। रथ नहीं हिलेगा। यह पाप है। भोजन करते समय यदि किसी ने पहचाना तो उन्हें उसके सूतक का पता चलेगा इस कारण प्राणेशाचार्य डर रहे थे। वे भय त्यागकर ब्राह्मणों के साथ भोजन के लिए बैठ जाते हैं। अनाज परोसने वाला उन्हें पहचान लेता है। प्राणेशाचार्य भोजन छोड़कर भागने लगते हैं। पुट्टा उनका पीछा करता है। प्राणेशाचार्य पुट्टा से कहते हैं, "मेरा भाई बीमार है। मुझे दुर्वासपुर जाना होगा।" और वे अपनी वापसी की यात्रा शुरू करते हैं। उन्हें दुर्वासपुर के ब्राह्मणों को जवाब देना था। "चन्द्री के साथ एकान्त किया, पत्नी की घिन आई, होटल में कॉफी ली, मुर्गों की लड़ाई देखी, पद्मावती के प्रति आकर्षण हुआ, सूतक होते हुए ब्राह्मणों के साथ बैठकर भोजन किया। एक कोइरी के बेटे के साथ भोजन किया (पृ. 130) ये सभी गलतियाँ कबूल करनी थी। क्योंकि उन्हें लगता था कि डर से मुक्त होने का यही एक उपाय था। पद्मावती जैसी सुन्दर औरत प्राणेशाचार्य के लिए सेज बनाकर, धूप लगाकर, बेला के फूलों की माला पहनकर प्रतीक्षारत थी; तब प्राणेशाचार्य दुर्वासपुर की ओर निकल पड़े हैं। वे कहते हैं, "इस डर से मुक्त होने का एक ही उपाय है। नारणप्पा के शव संस्कार की जिम्मेदारी को स्वीकार करे। मुझे उदात्त समझने वाले अग्रहारवासी ब्राह्मणों के आगे जैसा घटित हुआ, वैसा कथन किया जाये। अपना निश्चय स्पष्टतः सूचित करे। इस ब्राह्मण धर्म को मैंने छोड़ा है, फेंक दिया है। ऐसा किये बगैर अपनी भय से मुक्ति नहीं होगी।" (पृ. 130) प्राणेशाचार्य ने वापसी की यात्रा शुरू कर दी है। निश्चय के साथ। फिर भी उन्हें यह

प्रश्न सताता ही है। "क्या ब्राह्मणों के सम्मुख सब बातों को कबूल करना हमसे सम्भव है?" (पृ. 136) 'संस्कार' उपन्यास का यही कथानक है। ब्राह्मण धर्म को नकारने वाले नारणप्पा की मृत्यु के पश्चात् उसका स्थान प्राणेशाचार्य लेते हुए दिखता है।

'संस्कार' उपन्यास की चिकित्सा करते हुए निम्नांकित तीन बातों को ध्यान में लेना आवश्यक प्रतीत होता है :

(अ) नारणप्पा और प्राणेशाचार्य के ब्राह्मणधर्म के नकार का स्वरूप

(आ) शूद्र स्त्रियों की ओर देखने का ब्राह्मणी दृष्टिकोण और

(इ) 'अक्करमाशी' के पुट्टा की मनोवृत्ति।

नारणप्पा, प्राणेशाचार्य, श्याम, श्रीपति और महाबली ने ब्राह्मण धर्म का पालन नहीं किया है। यद्यपि अन्य ब्राह्मण ब्राह्मण धर्म का पालन करते हैं। फिर भी ऐसा दिखाई देता है कि उनमें स्थित षड्रिपु अधिक प्रबल है। नारणप्पा और प्राणेशाचार्य ने ब्राह्मण धर्म को नकारा है। क्यों नकारा इसका उत्तर नहीं मिलता। मांस भक्षण करना, शराब पीना, व्यभिचार करना, नाच-गाने में रुचि लेना, झूठ बोलना यानी धर्म-त्याग नहीं। धर्म में रहकर भी ऐसी बातें की जा सकती हैं। दुर्वर्त्तनी ब्राह्मण को विद्रोही कदापि नहीं कहा जा सकता।

ब्राह्मण धर्म को नकारने का अर्थ है जातिवाद को नकारना। नारणप्पा ने चन्द्री नामक अछूत औरत को रखैल बनाया और प्राणेशाचार्य ने चन्द्री के साथ शरीर सुख अनुभव किया; इसका यह मतलब नहीं है कि दोनों जातिवाद के खिलाफ थे। नारणप्पा ने गणपति तालाब में मछली पकड़ी अथवा प्राणेशाचार्य ने सूतक होते हुए भी मन्दिर में बैठकर भोजन किया; इसका यह मतलब नहीं है कि वे धर्मद्रोही हैं। ब्राह्मणी धर्म व्यवस्था और मूल्य व्यवस्था को नकारने का मतलब विद्रोह है। यहाँ यह ध्यान में रखना जरूरी है कि नारणप्पा और प्राणेशाचार्य वृत्ति से विद्रोही न होकर व्यभिचारी हैं।

'संस्कार' आरम्भ से लेकर अन्त तक आन्तरिक एवं बाह्य संघर्ष पर आधारित उपन्यास है। प्राणेशाचार्य का आन्तरिक संघर्ष इसमें अधिक प्रभावी ढंग से व्यक्त हुआ है। नारणप्पा और प्राणेशाचार्य का वेदान्त शिरोमणि के रूप में उपन्यास के पूर्वार्द्ध में जीना और उत्तरार्द्ध में धर्म-भ्रष्ट के रूप में जीना—इन दो अंगों से यह उपन्यास पूरा हुआ है। नारणप्पा का शव धर्म व्यवस्था के सम्मुख स्थित ज्वलन्त समस्या का प्रतीक है। नारणप्पा का अन्त्य संस्कार करने की समस्या को लेकर उपन्यास की शुरुआत होती है। एक समस्या से अनेक समस्याएँ पैदा होती चली जाती हैं। फलतः उपन्यास उत्कंठावर्धक बनता जाता है। उपन्यास के आकर्षक आरम्भ की पृष्ठभूमि में उसका अन्त रसभंग करने वाला प्रतीत होता है। उपन्यास के आरम्भ में नारणप्पा की मृत्यु होती है तो अन्त में प्राणेशाचार्य नारणप्पा की ही

राह अपनाता दिखाई देता है। इस अर्थ में नारणप्पा नहीं मरता, बल्कि मरता है प्राणेशाचार्य। इस तरह नारणप्पा की जीत होती है।

धर्म और धर्म बाह्य मानव जीवन—यह इस उपन्यास के दृश्य संघर्ष का स्वरूप है। आन्तरिक संघर्ष धर्माचरण और वैयक्तिक जीवन के तनाव पर आधारित है। धर्म की स्थापना से मानव-संस्कृति के इतिहास का आरम्भ हुआ। मानव जीवन नियन्त्रित करने हेतु तथा समाज की स्थापना करने के लिए धर्म की आवश्यकता हुई। इसी आवश्यकता में से धर्म संस्था का उदय हुआ। पाप-पुण्य, नीति-अनीति, स्वर्ग-नरक, जन्म-पुनर्जन्म जैसी संकल्पनाएँ प्रचलित की गयीं। जनमानस में ईश्वर और धर्म का स्थान मजबूत करने के लिए अनेक धर्म ग्रन्थ, रूढ़ियाँ और परम्पराओं का पोषण करने के लिए पुरोहित-वर्ग का निर्माण हुआ। शब्द प्रामाण्य का महत्त्व बढ़ा। शास्त्र का निरूपण करने वालों को महत्त्व प्राप्त हुआ। इस कारण समाज एवं धर्म संस्था में पुरोहितों का वर्चस्व बढ़ा। धर्माचरण और अधर्माचरण नामक दो धाराएँ समानान्तर चली आ रही हैं। धर्म-नियमों को ठुकराने वाले लोग प्रत्येक युग और प्रत्येक जाति में पैदा हुए। धर्म संस्था के पुरातन अवशेषों के रूप में इनकी ओर देखा जा सकता है। नारणप्पा, चन्द्री इसी के उदाहरण हैं। अपरिवर्तनीय कठोर धर्म व्यवस्था एक ओर और बदलने वाली गतिशील परिस्थितियाँ दूसरी ओर—इस तरह यह संघर्ष उभर कर आ रहा है। इसी के भीतर से सुधारवादी आन्दोलन उदित होते हुए दिखाई देंगे। इसलिए नारणप्पा कहता है, "पंचमों को मन्दिर में प्रवेश देना चाहिए।" परन्तु उसके कथन को कृतिशीलता का आधार नहीं मिल पाता। नारणप्पा की शूद्र रखैल चन्द्री नारणप्पा के पियक्कड़ मित्रों को रात-बेरात खाना बनाकर दे रही है। उनकी उल्टियाँ साफ करती है। रखैल को ऐसे काम करने ही पड़ते हैं। एकादश के दिन मुसलमान नारणप्पा के घर खाना खाते हैं। इसमें कौन-सी क्रान्तिकारिता है? पियक्कड़ ब्राह्मण और मुसलमानों को एक ही पंक्ति में बैठाया है। प्लेग की महामारी में सज्जन और दुर्जन भी मरते हैं। यहाँ धर्माचरण निरुपयोगी है। प्लेग प्रतिबन्धक टीका यहाँ पर महत्त्वपूर्ण है। इस बहाने लेखक ने इस बात की ओर ध्यानाकर्षित किया है कि धर्म और विज्ञान में क्या महत्त्वपूर्ण है?

नारणप्पा, चन्द्री और प्राणेशाचार्य के रूप में शारीरिक सम्बन्धों का एक त्रिकोण यहाँ देखने को मिलता है। मात्र चन्द्री ही नहीं बल्कि रूपी, पद्मावती जैसी औरतें भी ब्राह्मण की वासना का शिकार बनी हैं। इस उपन्यास में जिस तरह ब्राह्मण के सम्भोग को प्रतिष्ठा दिलाने का प्रयत्न किया है, उसी तरह सम्भोग के लिए शूद्र औरतें अच्छी होती हैं, ऐसा सन्देश देने का भी प्रयत्न हुआ है। नारणप्पा ब्राह्मण रखैल क्यों नहीं बनाता। रखैल शूद्र औरत ही क्यों हो? इसके लिए इस उपन्यास में ऐसे उदाहरण दिये गये हैं कि ऋषि-मुनियों ने किस तरह शूद्र औरतों का उपभोग

किया। ''एक शूद्र स्त्री को उपभोग करने से ब्राह्मण्य भ्रष्ट नहीं होता। उत्तर की ओर से आये हमारे पूर्वजों ने यहाँ की द्रविड़ औरतों से सम्बन्ध बनाये, यह इतिहास बताता है।" (पृ. 6) "पुराणों में ऐसा ऋषि ही नहीं जो स्त्री के मोह का शिकार न हुआ हो।" (पृ. 39) ''पुराणकालीन ऋषि की भाँति मछली का सांबार कर सकने वाली एकाध चमकीली मत्स्यगन्धा को आलिंगन में भरकर सो जाओ। उस रात यदि तुम्हें परमात्मा का अनुभव न मिला तो मेरा नाम बदल दो।" (पृ. 26) पुरातन काल के, ऋषि-मुनियों के, इतिहास के उदाहरण देते हुए शूद्र स्त्रियों के उपभोग का समर्थन ही किया हैं। यही नहीं बल्कि "शूद्रों में कौन-सी लड़की अच्छी, इस बारे में ब्राह्मणों में विवाद होता है।" (पृ. 73) शूद्र औरतों की ओर किस दृष्टि से देखा गया है? नारणप्पा के शव का अन्त्य संस्कार किया जाये, ऐसी विनती करने के लिए चन्द्री ब्राह्मणों के पास आयी है। चन्द्री को देखकर दुर्गाभट के मन में करुणा पैदा हाने के बजाय वासना निर्मित होती दिखती है। चन्द्री को देखकर वह विचार करता है। "सम्भोग के दौरान वह पुरुष पर हावी होती होगी। उसकी बड़ी-बड़ी गहरी आँखें दुःख से म्लान होने के बावजूद भी आकर्षक हैं।'' (पृ. 9) वेदान्त शिरोमणि प्राणेशाचार्य चन्द्री के विषय में कहते हैं, "अन्धेरे में इन्हीं हाथों से खोजे न हमने चन्द्री के स्तन! नितम्ब, पुष्ट अंगांग। कभी भी किसी भी धर्म प्रश्न को लेकर हमने इतनी तन्मयता से खोजबीन नहीं की थी।" (पृ. 97) प्राणेशाचार्य को शूद्रों की, दलितों की बेटियाँ याद आयी। कल्पना से ही उनको विवस्त्र किया। रूपा के मटमैले रंग के स्तनों की कल्पना से ही आचार्य सिहर उठे...विवस्त्र स्थिति में रूपा कैसी दिखती होगी? उसे अंगों पर हाथ घुमाया जाये। फिर फिर उत्तेजित हुआ जाये। (पृ. 83) श्रीपति को रूपा बदन के नीचे ही ठीक लगती है। (पृ. 41) वेदान्त शिरोमणि प्राणेशाचार्य को पेट के लिए रास्ते पर कसरत करने वाली नट जाति की औरत की साँवली जंघाएँ भी मस्त लगती हैं। (पृ. 120) ब्राह्मण पुरुष शूद्र औरत के विषय में कामुकता से सोचता दिखता है। अब शूद्र औरतें ब्राह्मण के विषय में क्या सोचती हैं, यह देखना भी जरूरी है। नारणप्पा के शव का अन्त्य संस्कार के लिए विनती करने गयी चन्द्री प्राणेशाचार्य के चेहरे का तेज देखकर उनकी ओर आकर्षित होती है। "यदि वेश्याओं को गर्भाधान करना है, तो वह ऐसे पुण्य पुरुष के द्वारा ही! पूर्वजन्म का पुण्य चाहिए ऐसा पुरुष पाने के लिए।" (पृ. 47) तो पद्मावती को वैदिक ब्राह्मण का आकर्षण दिखता है। (पृ. 12) इस उपन्यास की दलित औरतें ब्राह्मण पुरुष के साथ सम्भोग के लिए लालायित दिखाई देंगी और ब्राह्मण पुरुष भी व्यभिचार के लिए दलित औरत का चयन करते दिखाई देते हैं। दलित औरत को 'सेक्सी' और 'आकर्षक' दिखाया है। इसके विपरीत ब्राह्मण औरत का चित्रण किया है। ब्राह्मणों की बेटियाँ चिपटे मुँहवाली, छोटे स्तनों वाली और हर वक्त मुँह

में सांबार (पकी दाल) की गन्ध आने वाली हैं। (पृ. 38) लक्ष्मी देवम्मा खट्टी डकार देते हुए घुमती नजर आती है। (पृ. 42) प्राणेशाचार्य की पत्नी के 'छोटे स्तन, चिपटी नाक, बित्ते भर बालों का जूड़ा है।' (पृ. 77) 'श्रीपति की पत्नी श्रीपति के पास आने पर जंघाओं को कस लेती है। उसे शरीर सुख नहीं देती।' (पृ. 32) दलित स्त्रियों की तुलना में ब्राह्मण स्त्रियाँ 'सेक्सी' और 'आकर्षक' नहीं दिखाई गयी हैं। ब्राह्मण पुरुषों की व्यभिचारी वृत्ति, ब्राह्मण स्त्रियों की लैंगिक शिथिलता और दलित स्त्रियों का उत्तेजक लैंगिक उन्माद दर्शाने के लिए ही मानो यह उपन्यास लिखा गया है।

'संस्कार' के पुट्टा और 'अक्करमाशी' के शरण में जमीं-आसमान का अन्तर है। पुट्टा दलित स्त्री की ओर ब्राह्मणों की भोगदासी के रूप में देखता है। इसी उद्देश्य से प्रेरित होकर वह ब्राह्मणों को पद्मावती के पास ले जाता है। 'अक्करमाशी' दलित स्त्री के शोषण के खिलाफ लिखी गयी रचना है। 'संस्कार' की चन्द्री हो या 'अक्करमाशी' की मसाई—इन्हें व्यभिचारी और व्यसनी पुरुषों ने रखैल बनाया है। 'अक्करमाशी' में दलित स्त्री के शोषण के खिलाफ विद्रोही भूमिका व्यक्त हुई है, तो 'संस्कार' में ऋषि-मुनियों के उदाहरण देकर यह गले उतारा है कि दलित स्त्रियाँ भोगदासी हैं।

ब्राह्मण की बेटी

(शरत्चन्द्र चट्टोपाध्याय)

रवीन्द्रनाथ टैगोर के पश्चात् अखिल भारतीय स्तर पर सर्वविदित बंगाली लेखक के रूप में शरत्चन्द्र चट्टोपाध्याय का नाम लिया जाता है। शरत के साहित्य में तत्कालीन भारतीय स्त्री के समग्र रूप का प्रभावशाली चित्रण हुआ है। ऐसा दिखाई देता है कि स्त्रियों के दुःखद पक्ष में ही उन्होंने लिखा है। उनके लेखन में सामाजिक प्रतिबद्धता का भाव गहराई से व्यक्त होता हुआ दिखता है। 'दुःख से गदगद लेखक' कहकर उनका उल्लेख किया जाता है। 'देवदास', 'चरित्रहीन', 'परिणिता', 'कमला', 'श्रीकान्त', 'ब्राह्मण की बेटी', 'बड़ी दीदी' तथा 'विराज बहू' उनकी चर्चित कृतियाँ हैं। 'ब्राह्मण की बेटी' में ब्राह्मण समाज में स्थित भेदभाव के विषय को स्पर्श किया गया है। भारतीय स्तर पर दलित साहित्य की चर्चा में इस उपन्यास का एक-दो बार उल्लेख हुआ है।

'ब्राह्मण की बेटी' (1921) में ब्राह्मणों में स्थित कुलीन और अकुलीनता की जिस तरह चर्चा हुई है, उसी तरह उनके व्यभिचार एवं अनाचार की चर्चा हुई है। ब्राह्मणों की उपजातियाँ तथा उनमें स्थित ऊँच-नीचता का विषण्ण करने वाला चित्र इस उपन्यास में प्रकट हुआ है। शरत् का 'ब्राह्मण की बेटी' और यू. आर. अनन्तमूर्ति का 'संस्कार', दोनों ब्राह्मण समाज में स्थित भेदभाव पर प्रहार करने वाले उपन्यास हैं।

1

'ब्राह्मण की बेटी' उपन्यास के प्रारम्भ में ही रासमणि नामक ब्राह्मण स्त्री अपनी पोती खेदी पर बकरी की रस्सी को लाँघने के कारण गुस्सा करते हुए दिखती है। 'बकरी की रस्सी नहीं लाँघनी चाहिए' (पृ. 9) का संकेत खेदी ने तोड़ा है। इसलिए रासमणि गुस्सा है। ब्राह्मणों की गली में डोम जाति की स्त्री द्वारा बकरी लायी देखकर वह भड़क उठी है।

एक कड़ी नामक डोम ने अपनी पत्नी और बेटी को घर के बाहर निकाल दिया

है और प्रियनाथ मुखर्जी ने उन्हें ब्राह्मण गली में पनाह दी है। इस कारण रासमणि बिगड़ी है। वह प्रियनाथ मुखर्जी की पत्नी जगधात्री को इसका कारण पूछ रही है। "कौन-सा कुलीन व्यक्ति घर में नीची जाति को घुसाता है, बता?" (पृ. 11) यही नहीं, बल्कि इस घटना की शिकायत वह गाँव के जमींदार गोलक चटर्जी के पास करने वाली है। इस कारण जगधात्री की पाँव तले की जमीन खिसक गयी है। उसे अपने पति की करतूत का पछतावा हो रहा है।

गोलक चटर्जी गाँव का जमींदार और दस गाँवों का सरपंच है। वह विदेश में भेड़-बकरी के निर्यात का व्यवसाय करता है। आस-पास के इलाके में उसकी बड़ी धाक है। उसका ऐसा बोलबाला है कि उनकी एकाध बात भी कोई टाल नहीं सकता। जी में आने पर गोलक शूद्र को ब्राह्मण और ब्राह्मण को शूद्र ठहरा सकता है। उसका इतना आतंक है कि बाघ और बकरी भी चुपचाप एक पनघट पर पानी पीएँगे। गोलक चटर्जी की पत्नी बीमारी से मर चुकी है। उसकी पत्नी की बीमारी के दौरान मदद के लिए आयी बाल विधवा ज्ञानदा के साथ उसने शारीरिक सम्बन्ध बनाये हैं। ज्ञानदा गोलक के ही घर में रहती है।

प्रियनाथ मुखर्जी और अरुण नामक दो पात्र गोलक चटर्जी के खिलाफ दिखाई देते हैं। गोलक के करिश्मे का उन पर असर नहीं दिखता। प्रियनाथ मुखर्जी ने अपने घर के समीप डोम स्त्रियों को पनाह दी है, तो अरुण नामक युवक गोलक की इच्छा के विरुद्ध विलायत जाकर कृषि-शिक्षा पाकर आया है। प्रियनाथ मुखर्जी रामतनु बैनर्जी का घरजमाई है। वह अपनी पत्नी जगधात्री के साथ उसी के घर में रहता है। उसकी संध्या नामक सुन्दर जवान बेटी है। वह अरुण के घर जाकर गाने-बजाने में रुचि लेता दिखता है। ब्राह्मण द्वारा गाना-बजाना तथा सुनना—यह परम्परा के खिलाफ है। प्रियनाथ मुखर्जी और अरुण में घनिष्ठ रिश्ता है। यही नहीं, बल्कि अरुण संध्या को चाहने लगा है। प्रियनाथ मुखर्जी के घर उसका आना-जाना है। उसे ब्राह्मणों ने म्लेच्छ घोषित किया है।

लोकमान्य तिलक ने जब समुद्रगमन किया था, तब उन्होंने भी प्रायश्चित किया था। 'ब्राह्मण की बेटी' के अरुण ने समुद्र गमन किया है, इसलिए वह ब्राह्मणों के क्रोध का शिकार हुआ है। प्रियनाथ मुखर्जी डोम औरतों को पनाह देता है। और म्लेच्छ अरुण के घर जाकर गाना-बजाना सुनता है। यह गोलक चटर्जी को मंजूर नहीं। रासमणि कहती है, "क्रिश्चियन को घर में घुसने देना, लड़की से हँसी-मजाक करने देना अच्छी बात नहीं।" (पृ. 17) रूढिवादी ब्राह्मण की निगाह में डोम औरतें और विलायत गया अरुण एक जैसे हैं। रासमणि के धमकाने का जगधात्री पर असर होता है। वह डोम औरतों को भगाने के लिए तथा अरुण को घर आने पर प्रतिबन्ध करने का निर्णय लेती दिखती है।

जगधात्री के मन में अपने पति के विषय में असन्तोष और अरुण के प्रति तिरस्कार बढ़ता हुआ दिखता है। अरुण का संध्या को स्पर्श हुआ, यह देखकर वह कहती है, "और नहीं तो क्या? ईसाई है ना। बेकार में छू दिया। जा कपड़े बदल ले।" (पृ. 30) उसे संध्या और अरुण का प्रेम स्वीकार नहीं है। वह कहती है, "मेरे वंश में कभी शूद्र के घर पैर भी नहीं धोये और मैं कार्तिक चाहूँगी? छोटे घर में नहीं जाऊँगी, यही मेरा प्रण है। लड़की को डुबाकर मरना पड़ा तो भी मंजूर है।" (पृ. 40) अपनी बेटी मरी तो भी बेहतर किन्तु हीन कुल में नहीं जायेगी, ऐसी उसकी प्रतिज्ञा है। घर का बदलता वातावरण देखकर संध्या भी अरुण को उसके हीनत्व का एहसास कराती दिखती है–"तुम विलायत गये थे। तुम म्लेच्छ हो।" (पृ. 38)

रासमणि और गोलक एक ही सिक्के के दो पहलू हैं। रासमणि गोलक की प्रशंसा और समर्थन करती है–"वह तो समाज का सिर है। गाँव का जमींदार है।" (पृ. 16) रासमणि गोलक की पिट्ठू है। रासमणि का सुनकर गोलक चटर्जी जगधात्री के घर आता है और रासमणि की ही भाषा में जगधात्री को सुनाता है, "हमारे मोहल्ले में नीची जाति को ना रखो अगर तूने कुछ नहीं किया तो मुझे कुछ करना पड़ेगा।" (पृ. 42) गोलक की निगाह को संध्या दिखती है और वह संध्या की जवानी से आकर्षित होता है। "अपनी बेटी को मुझे ही दे दो।" (पृ. 40)–गोलक संध्या के साथ विवाह का प्रस्ताव रखता है। गोलक दादा की उम्र का है, तो संध्या उसकी पोती के उम्र की है।

शरत् ने अपने साहित्य द्वारा विवाह संस्था पर प्रहार किये हैं। अनमेल विवाह और बाल विवाह जैसी प्रथाओं की उन्होंने खबर ली है। गोलक द्वारा संध्या के साथ विवाह प्रस्ताव रखे जाने पर जगधात्री की परेशानी बढ़ती है। गोलक को टालने के लिए संध्या के ब्याह की तैयारी शुरू होती है। रसिकपुर के जयराम मुखर्जी के पौत्र वीरचन्द्र के साथ संध्या की शादी तय होती है। लड़का व्यसनी है, फिर भी जगधात्री को उसकी चिन्ता नहीं है! "करने दो नशा। होने दो नशेड़ी। लड़की दो दिन सिन्दूर तो लगा सकेगी।" (पृ. 62) विलायत हो आये अरुण की अपेक्षा व्यसनी वीरचन्द्र को पसन्द किया जाता है। ऐसी यह व्यवस्था है।

संध्या का विवाह अन्यत्र हो रहा है यह जानकर गोलक बेचैन हो जाता है। इसे अपना अपमान समझकर वह प्रतिशोध की ज्वाला से जल उठता है। गाँव-गाँव घूमकर शादियाँ जोड़ने वाले मृत्युंजय भट्टाचार्य को बुला लेता है। मृत्युंजय भट्टाचार्य उसे प्राणकृष्ण मुखर्जी की बेटी के बारे में सुझाव देता है। प्राणकृष्ण मुखर्जी की बेटी हरिमति तेरह-चौदह वर्ष की है। गोलक को संध्या तो नहीं मिलती मगर हरिमति मिल जाती है। 'ब्राह्मण की बेटी' में प्रियनाथ मुखर्जी की माँ का बाल-विवाह हुआ

है। ज्ञानदा तो बाल-विधवा है। हरिमति का अनमेल विवाह होता दिखता है। अनमेल विवाह के कारण नारी-जीवन किस तरह बरबाद हो जाता है, इसका बेचैन करने वाला चित्र 'ब्राह्मण की बेटी' में देखने को मिलता है।

गोलक मृत्युंजय भट्टाचार्य को कर्ज का लालच दिखाकर उस पर एक और जिम्मेदारी सौंपता है, "मैंने सुना है कि प्रियनाथ मुखर्जी की माँ के सम्बन्ध में कुछ गड़बड़ी है। तुम्हें चुपचाप उनके गाँव में जाकर यह खबर लेनी है।" (पृ. 73) गोलक के मुताबिक मृत्युंजय भट्टाचार्य प्रियनाथ मुखर्जी के गाँव जाकर उसकी माँ के विषय में जानकारी प्राप्त करता है। इस जानकारी के कारण संध्या की होती हुई शादी टूट जाती है। यही नहीं, बल्कि संध्या के माँ-बाप की शादी भी टूटती है। इस जानकारी के जरिये उपन्यास के कथानक को ही सुरंग लगाया जाता है।

मुकुन्द मुखर्जी नामक वृद्ध ब्राह्मण बीमार था। वह अपने काम स्वयं बजाय हीरू नामक नाई से करवाता है। उसे ब्राह्मण के काम समझाता है। उसे जनेऊ पहनने की सूचना देता है। हीरू नाई नकली मुकुन्द मुखर्जी बनकर गाँव-गाँव भटक कर मुकुन्द मुखर्जी जी की जिम्मेदारी निभाना शुरू करता है। इसके मुआवजे के रूप में प्राप्त आय का आधा हिस्सा अपने पास रखकर आधा मुखर्जी को सौंपता है। मुकुन्द मुखर्जी जैसे कई बीमार, वृद्ध ब्राह्मण अपनी कमाई बरकरार रखने के लिए नकली व्यक्ति का आधार लेते थे। यह पश्चिम बंगाल की एक घोर प्रथा थी। इस प्रथा के वीभत्स एवं विकृत रूप का शरत् ने भंडाफोड़ किया है।

पश्चिम बंगाल में अनेक वृद्ध ब्राह्मण अनेक छोटी लड़कियों के साथ विवाह करते थे और हर एक के घर जाकर उससे घर आने की कीमत वसूल करते थे। कुछ तो अपनी पत्नी के पास अपने बनावटी को भेजते थे। यह उपन्यास ऐसी अमंगल प्रथा की शिकार स्त्रियों के जीवन पर आधारित है। राजा राम मोहन राय ने स्त्रियों पर होने वाले अन्याय के खिलाफ आवाज बुलन्द की और सती प्रथा को बन्द करने की माँग की। शरत् जी के साहित्य में भी यही स्वर व्यक्त होता दिखाई देता है।

संध्या अपनी दादी कालीतारी से पूछती है, "जब कभी दादा जी घर आते तो उन्हें कितने रुपये देने पड़ते थे? इस बात को लेकर झगड़ा भी तो होता होगा न?" (पृ. 76) अपनी शादी के विषय में कालीतारी कहती है, "मेरा विवाह आठ साल की उम्र में हुआ था। उस समय उनका छियासी लोगों का परिवार था। उसके बाद भी बहुत विवाह किये उन्होंने, मगर कितने, यह तो शायद वो खुद भी नहीं जानते थे। तो मुझे कैसे पता चलेगा!" (पृ. 76) आगे चलकर वह कहती है, "एक रात के सिवा जीवन में जिससे शायद कभी मिलना भी न हो, उसके लिए क्या कोई रोता?" (पृ. 77) कालीतारी का विवाह आठ साल की उम्र में होता है और चौदह

साल की आयु में उसके पास उसके पति का नकली हीरू नाई पति बनकर आता है। पाँच रुपये और एक जोड़ी धोती लेकर दो दिन मुकाम करता है। वास्तविक पति और नकली पति का निम्न संवाद देखिए, हीरू ने पूछा, ''पण्डित जी परलोक में जाकर क्या जवाब दूँगा। उसके मालिक ने कहा, ''यह पाप मेरा है, उसका जवाब मैं दूँगा।'' हीरू ने पूछा, ''मगर उन औरतों का क्या होगा?'' पण्डित जी ने हँस कर कहा था, "वो मेरी पत्नी है, तुम्हारी नहीं। तुझे इतना दर्द क्यों? जिन्हें कभी देखा नहीं, देखूँगा भी नहीं, उनका क्या होगा इसकी चिन्ता मैं क्यूँ करूँ और तू भी क्यों करे, हमारी चिन्ता रुपये कमाना है।" (पृ. 90) ऐसी समाज व्यवस्था को स्त्रियों ने चुपचाप कैसे सहा होगा?

कालीतारी सुन्दर थी। जवान थी। हीरू नाई बार-बार उसके पास जाता रहता है। इस दौरान वह गर्भवती बनती है। उसको बेटा होता है और हीरू नाई का वास्तविक रूप खुलता है। कालीतारी अपने बेटे को लेकर काशी चली जाती है। वहाँ वह सन्यासी बनकर अपना जीवन व्यतीत करती है, तो उसका बेटा प्रियनाथ मुखर्जी घर जमाई बनकर पत्नी के घर में रहता था। इस सच्चाई के खुलने के बाद संध्या का होने वाला पति शादी के मण्डप से चला जाता है। प्रियनाथ मुखर्जी ब्राह्मण न होकर हीरू नाई का बेटा है, यह समाचार सर्वत्र फैल जाता है। संध्या मदद के लिए अरुण के पास जाती है और विनती करती है कि अरुण उससे विवाह करे। इस समय अरुण और संध्या में जो वार्तालाप हुआ, वह निम्न है–

अरुण–मुझसे तुम्हारे वंश की रक्षा नहीं होगी। मैं तो बहुत छोटा ब्राह्मण हूँ।

संध्या–क्या कहा, वंश की रक्षा नहीं होगी? किसका वंश अरुणदा? मैं ब्राह्मण की बेटी नहीं हूँ। मैं नाई की बेटी हूँ। आज मेरे हाथ का पानी कोई नहीं पियेगा। ओह! इतनी बड़ी सजा तुमने मुझे क्यों दी भगवान! मैंने तुम्हारा क्या बगाड़ा था! (पृ. 87, 88)

संध्या जब ब्राह्मण थी, तब वह अरुण को म्लेच्छ कहती दिखती है, परन्तु जब उसे पता चलता है कि वह नाई की बेटी है तब उसे वंश महत्त्वपूर्ण नहीं लगता। अपनी शादी टूटने के बाद संध्या अरुण के पास आती है। शादी से पूर्व वह अरुण के पास नहीं आती। उसे बुरा लगता है कि उसके हाथ का पानी कोई नहीं पियेगा। "इतनी बड़ी सजा तुमने मुझे क्यों दी भगवान?" यह कहकर विलाप करती है। संध्या भेदभाव या जातिवाद के खिलाफ नहीं बोलती। 'ब्राह्मण की बेटी' और 'नाई की बेटी'–ये दोनों समान हैं, ऐसा संध्या को नहीं लगता। इतना ही नहीं, बल्कि विलायत जाकर तथा पढ़कर लौटा अरुण भी इसका अपवाद नहीं है। वह संध्या से सोचने के लिए समय माँग लेता है। संध्या निराश होकर लौटती है। काश! अरुण इस समय शादी के लिए हाँ कहता, तो इस उपन्यास ने अलग मोड़ लिया होता।

गोलक हरिमति के साथ शादी की तैयारियाँ शुरू करता है, परन्तु ज्ञानदा गर्भवती बन गयी थी। वह गर्भपात के लिए तैयार नहीं होती। वह घर से बाहर निकलने के लिए राजी नहीं होती। रासमणि उसे समझाती है। ज्ञानदा रासमणि की बात नहीं मानती। गोलक कहता है, "जो होता हो गया। मैं पचास रुपये दे देता हूँ। चली जाये काशी वृन्दावन।" (पृ. 80) हरिमति जैसी जवान लड़की मिल रही थी इसलिए गोलक ज्ञानदा को घर से बाहर निकालने का प्रयत्न कर रहा है। रासमणि प्रियनाथ मुखर्जी को बुला लायी है और उसे आग्रह कर रही है कि वह ज्ञानदा को गर्भपात के लिए औषधि दे। प्रियनाथ मुखर्जी इसके लिए तैयार नहीं होता। "नहीं नहीं, इन गन्दे कामों में मैं नहीं पड़ना चाहता।" (पृ. 83) प्रियनाथ मुखर्जी के इनकार से गोलक क्रुद्ध होता है और उस पर ज्ञानदा को गर्भवती बनाने का आरोप करता है। यही नहीं बल्कि उसे धमकाता हैं कि इस कुकर्म के कारण ज्ञानदा की सार्वजनिक बइज्जती करूँगा। गोलक के पैंतरे से प्रियनाथ मुखर्जी और ज्ञानदा काँप उठते हैं। गोलक चालबाज है।

उपन्यास के अन्त में प्रियनाथ मुखर्जी गाँव छोड़कर वृन्दावन के लिए निकल पड़ता है। संध्या भी अपने पिता के साथ निकल पड़ती है। मगर जगधात्री घर में ही रुकती दिखती है। वह प्रायश्चित कर ब्राह्मण के साथ जीना चाहती है। गोलक ज्ञानदा को घर से बाहर निकालता है। वह भी जीने के लिए निकल पड़ती है। प्रियनाथ मुखर्जी, संध्या और ज्ञानदा रेलवे स्टेशन पर मिलते हैं। ज्ञानदा भी उनके साथ वृन्दावन जाना तय करती है। तभी अरुण आता है और संध्या के साथ शादी के लिए राजी हो जाता है। संध्या कहती है, "लड़कियों के लिए विवाह करने के अलावा इस दुनिया में और कोई काम है या नहीं जानने के लिए आज मैं पिताजी के साथ जा रही हूँ।" (पृ. 94) संध्या विवाह संस्था को ही ललकारती दिखाई देती है। प्रियनाथ मुखर्जी, संध्या और ज्ञानदा गाँव छोड़कर हमेशा के लिए निकल पड़ते हैं, तभी उधर गोलक का हरिमति के साथ विवाह हो जाता है और गाँव वाले मिष्टान्न पर हाथ साफ करते हैं।

डोम औरतें हों या ब्राह्मण औरतें उन्हें घर के बाहर निकाला जाता है। औरत पर सर्वाधिक जुल्म उसके अपने घर में ही होता है। उसे हमेशा धमकाया जाता है कि घर से बाहर खदेड़ा जायेगा। कालीतारी और ज्ञानदा घर के बाहर निकाल दिये जाने पर जीने के लिए धार्मिक स्थलों का आधार लेती हैं। घर के बाहर स्थित औरतें जितनी असुरक्षित होती हैं, उतनी ही घर के भीतर रहने वाली औरतें भी असुरक्षित होती हैं। ज्ञानदा पर घर में ही जुल्म हुआ है। जगधात्री को अपने पति की अपेक्षा परम्परा महत्त्वपूर्ण लगती है। वह पति और बेटी को छोड़ देती है और अकेली घर में रहती है। अवश्य, एक दिन गोलक उसका दरवाजा

खटखटायेगा। नारी को असुरक्षित करना और उसकी असुरक्षा का गैर लाभ तो पग-पग पर दिखाई देगा।

2

'संस्कार' उपन्यास का नारणप्पा नामक ब्राह्मण चन्द्री नामक शूद्र स्त्री को अपनी रखैल बनाकर ब्राह्मणों के मोहल्ले में ले आता है, तो 'ब्राह्मण की बेटी' उपन्यास का प्रियनाथ मुखर्जी नामक ब्राह्मण डोम जाति की स्त्रियों को ब्राह्मण-मोहल्ले में आश्रय देता है। नतीजा 'संस्कार' और 'ब्राह्मण की बेटी' के ब्राह्मण बिगड़े हुए दिखाई देते हैं। नारायण और प्रियनाथ मुखर्जी दोनों गाने-बजाने के शौकीन हैं। इन दोनों की धर्माचरण न करने वाले मनुष्यों के साथ मित्रता है। नारणप्पा तो ब्राह्मण्य को खुल कर ललकारता दिखाई देता है। ऐसा साहस प्रियनाथ मुखर्जी में नहीं दिखता। 'संस्कार' की शैली आक्रामक है, तो 'ब्राह्मण की बेटी' की शैली तटस्थता एवं संयम के साथ व्यक्त हुई है। 'संस्कार' में कर्नाटक के ब्राह्मणों का तो 'ब्राह्मण की बेटी' में पश्चिम बंगाल के ब्राह्मणों का समाज-जीवन चित्रित हुआ है। ये दोनों उपन्यास ब्राह्मणों में स्थित छुआछूत पर कठोर प्रहार करते हैं।

'ब्राह्मण की बेटी' का अरुण विलायत हो आया है, फिर भी ऐसा लगता है कि उसके पास मन और मस्तिष्क नहीं है। यह पात्र अत्यन्त डरपोक और कमजोर का है। अरुण को भी लगता है कि गाँव छोड़कर दूसरी तरफ जाए। (पृ. 51) जिन पर अन्याय हुआ है, ऐसे पात्र पलायन करते दिखाई देते हैं। प्रियनाथ मुखर्जी, कालीतारी, ज्ञानदा, संध्या और अरुण परिस्थितिशरण और लाचार हैं। ये पात्र विद्रोही नहीं हैं। सभी चुपचाप अन्याय सहते दिखते हैं। प्रायश्चित और ग्लानि से जल रहे विवश मनुष्यों की यह कथा है। डोम औरतें तो गूँगी ही हैं।

बलि

(विभावरी शिरूरकर)

विभावरी शिरूरकर एवं गोदावरी परुळेकर–दोनों लेखिकाओं ने दलितों के विषय में आत्मीयतापूर्वक एवं अच्छा लेखन किया है। ये दोनों मराठी भाषा की महान लेखिकाएँ हैं। विभावरी शिरूरकर का 'बलि' उपन्यास तथा गोदावरी परुळेकर का आत्मवृत्त 'जब मनुष्य जाग जाता है' चर्चित कृतियाँ हैं। ब्रिटिशों द्वारा सोलापुर में गुनहगार जनजातियों के लिए शुरू किये गये सेटलमेंट में विभावरी शिरूरकर ने सुपरिंटेंडेंट के पद पर कार्य किया है, तो गोदावरी परुळेकर ने स्वयं आदिवासियों में जाकर प्रत्यक्ष सेवा-कार्य किया है। अपनी नौकरी या काम के निमित्त ये दोनों लेखिकाएँ दलितों के सम्पर्क में आयी हैं। यही कारण है कि उनके साहित्य में जिस तरह अधिकार-पात्र होने का गुण है उसी तरह अनुभवों की सच्चाई का खरापन भी प्रतीत होता है। विभावरी शिरूरकर का कार्य क्षेत्र गुनहगार जनजाति से सम्बद्ध था, तो गोदावरी परुळेकर का कार्य आदिवासी क्षेत्र में हुआ। उनके द्वारा सृजित साहित्य उनके अपने अनुभवों का आविष्कार है इसलिए उसे प्रत्यक्ष का स्पर्श हुआ है। दोनों के साहित्य में दलित जीवन विषयक विपुल ब्योरा अंकित दिखाई देगा। इसी कारण उनका साहित्य यथार्थवादी प्रतीत होता है। इस साहित्य का स्वरूप 'पर काया प्रवेश' की भाँति नहीं है। इस लेखन को जीवन का आधार है।

विभावरी शिरूरकर एवं गोदावरी परुळेकर दोनों दलितों के पक्ष में लिखती दिखाई देती हैं। दोनों के साहित्य में अन्याय एवं अत्याचारों के प्रति क्षोभ व्यक्त हुआ है। दोनों के साहित्य में आन्दोलन की पृष्ठभूमि है। दोनों के साहित्य में स्वतन्त्रता-प्राप्ति का काल झाँकता दिखाई देता है। दोनों के साहित्य में ब्रिटिश शासन और कांग्रेस सरकार के सन्दर्भ दिखते हैं। गोदावरी परुळेकर 'लाल बावटा' आन्दोलन से प्रभावित हैं तो विभावरी शिरूरकर गाँधीवाद से प्रभावित दिखाई देती हैं। विभावरी जी ब्रिटिशों की नौकरी में होने से अपने अनुभवों को व्यक्त करने के लिए उपन्यास जैसी काल्पनिक विधा का चयन करती है, तो गोदावरी जी ने कार्यकर्ता होने के नाते यथार्थ और सच्चाई को अभिव्यक्त करने के लिए आत्मवृत्त जैसी विधा का चयन किया

है। गोदावरी जी के साहित्य में समाज एवं आन्दोलन के सन्दर्भ अधिकता के साथ चित्रित हुए हैं, तो विभावरी जी के साहित्य में समाज जीवन के साथ-साथ ब्रिटिश अधिकारी और उनकी भ्रष्टता अधिक तीव्रता के साथ व्यक्त हुई है।

विभावरी जी का उपन्यास 'बलि' सन् 1950 में प्रकाशित हुआ है। यह उपन्यास सोलापुर की पृष्ठभूमि पर आधारित है। लेखिका ने अपनी सुविधा के लिए सोलापुर का नाम बदलकर गगनवाड़ी रखा है। फिर भी इस उपन्यास में तत्कालीन सोलापुर का चित्र प्रकट हुआ है। सोलापुर मिलों के नगर के रूप में प्रसिद्ध है। यहाँ की चादर विश्वविख्यात हुई है। मिलें, मिल मजदूर और मजदूर यूनियन का भी एक आयाम इस उपन्यास में निहित है। सोलापुर में गुनहगार जनजाति के लिए स्थापित की गयी सेटलमेंट सर्वविदित है। मजदूर यूनियन की अगुआयी करने वाला 'लाल बावटा' आन्दोलन तथा स्वतन्त्रता आन्दोलन का नेतृत्व करने वाली कांग्रेस—इन दो आन्दोलनों की मजबूत पृष्ठभूमि प्रस्तुत उपन्यास को प्राप्त हुई है।

राज्य में कानून एवं सुव्यवस्था बनी रहे, इसके लिए अंग्रेजों ने गुनहगार जनजातियों के उपनिवेश का कानून बनाया। प्रत्यक्ष अपराध करने वाले प्रस्तुत गुनहगार लोगों के पुनरुत्थान हेतु अंग्रेज सरकार ने उनके सभी परिवार, भिन्न-भिन्न स्थानों पर स्थापित किये। ऐसी बस्ती 'सेटलमेंट' के नाम से प्रचलित हुई। सोलापुर शहर के समीप गुनहगार जनजाति के लिए अंग्रेज सरकार ने एक विशाल उपनिवेश बसाया था। इस उपनिवेश के इर्द-गिर्द तारों का बाड़ हुआ करता था। नतीजा इस उपनिवेश में रहने वाले लोगों का बाहर निकल पाना सम्भव नहीं था। इतना ही नहीं, बल्कि इस उपनिवेश में स्थित गुनहगारी पृष्ठभूमि वाले व्यक्तियों को दिन में तीन-चार बार हाजिरी देना अनिवार्य था। अंग्रेजों ने क्रिमिनल ट्राइब्ज सेटलमेंट एक्ट के मुताबिक इन लोगों में सुधार की नीति बनायी थी। इन सेटलमेंट में स्कूल, दवाखाना आदि सुविधाएँ थीं। स्कूल छोड़कर इधर-उधर भटकने वाले लड़कों के लिए हॉस्टल बनवाये थे। पुलिस चौकी और जेल भी थे। इन बस्तियों पर पुलिस की कड़ी निगाह थी। कानून तोड़ने वालों को जेल में बन्द किया जाता था। इतना ही नहीं, बल्कि गुनहगार प्रवृत्तियों के व्यक्तियों का एक सेटलमेंट से दूसरे सेटलमेंट में तबादला होता था। कभी बीवी-बच्चों का स्थनान्तरण किया जाता था, तो कभी पति का। इसका नतीजा यह होता था कि गुनहगार जनजाति के परिवार ध्वस्त होते थे। लड़के-लड़कियों को शिक्षा की सख्ती थी। स्कूल न आने वाले बच्चों को हॉस्टल में भर्ती किया जाता था। सेटलमेंट में चर्च थे। फादर और नन्स थीं। चर्च में नियमित प्रार्थनाएँ होती थीं। चर्च में आने वाले तथा ईसाई बनने वाले गुनहगार जनजातियों के लोगों के लिए नियमों में शिथिलता थी। गुनहगार जनजाति घुमक्कड़ और जंगली जीवन की आदी थी। उन्हें बन्दकर रखना, जबरदस्ती पढ़ाना, उनकी हाजिरी लेना,

नियम तोड़ने वालों पर कठोर कार्रवाई—इस तरह के बर्ताव से इन जनजातियों में अंग्रेजों के प्रति बड़ा क्षोभ पैदा हुआ था। वे जबरदस्ती पुनर्रुत्थान नहीं चाहते थे। वे सेटलमेंट से भागने का प्रयत्न करते थे।

चोरी को ही जीविका मानने वाली कई घुमक्कड और जंगली जनजातियाँ थीं। क्रिमिनल ट्राइब्ज सेटलमेंट एक्ट द्वारा इन सभी को 'गुनहगार जनजातियों' के रूप में घोषित किया था। प्रत्यक्ष अपराध करने वाले लोगों के परिवारों को उनके अपराधों के आधार पर इकहरे अथवा दोहरे तारों वाले बाड़ में रखा जाता था। इस कानून का मुख्य उद्देश्य यह था कि वहाँ उनके बच्चों के लिए शिक्षा अनिवार्य हो और बड़ों को नागरी रहन-सहन की सीख दी जाए। चोरी के लिए प्रवृत्त मन का स्वरूप बदले—यह इस कानून का वास्तविक उद्देश्य था। दोषी और गुनहगार लोगों को लगाए गये बन्धनों के मुताबिक एक बार, दो बार, तीन बार हाजिरी लगाने की सख्ती थी। स्थलान्तर करने के लिए उन्हें सरकारी पास हासिल करना पड़ता था। तारों के बाड़ में रहने वाले लोगों का कुछ विशिष्ट साल प्रामाणिक आचरण दिखने पर उन्हें बाड़ के बाहर बस्ती करने की इजाजत थी। इस तरह बाहर रहने वाले लोगों के उपनिवेश को 'स्वतन्त्र उपनिवेश' या 'फ्री कॉलोनी' के रूप में जाना जाता था। ब्रिटिशों द्वारा बनाया गया कानून भारत सरकार ने 1951 में खारिज किया।

ब्रिटिशों ने गुनहगार जनजातियों के पुनरुत्थान हेतु जो प्रयत्न किया, वह प्रशंसनीय था। ऐसा प्रयत्न आजाद भारत में नहीं हुआ। ब्रिटिशों द्वारा गुनाहगार जनजातियों के लिए स्थापित ये उपनिवेश गाँव से दूर और पृथक होते थे। इन उपनिवेशों पर सरकार या ईसाईं मिशनरियों की हुकूमत होती थी। सेटलमेंट का व्यवस्थापन चाहे जिसके पास हो, क्रिमिनल ट्राइब्ज सेटलमेंट एक्ट लागू होता था। 'बलि' उपन्यास में गुनाहगार जनजातियाँ, इन जनजातियों के लिए स्थापित उपनिवेश, उपनिवेश का प्रबन्ध देखने वाले अंग्रेज अधिकारी और ईसाईं मिशनरियों का प्रभावपूर्ण चित्रण किया गया है। 'बलि' उपन्यास में चित्रित उपनिवेश प्रारम्भ में ईसाईं मिशनरी द्वारा चलाया जाता था और बाद में यह सरकार की ओर हस्तान्तरित हुआ है। सेटलमेंट में चोर बस्ती का शोषण, वहाँ के लोगों के साथ होने वाली सख्ती और जुल्म, अंग्रेज अधिकारियों का असभ्य और भ्रष्ट बर्ताव आदि बातों पर प्रखर प्रकाश डाला गया है। विभावरी शिरूरकर ने 'बलि' में गुनाहगार जनजाति का चित्रण किस तरह किया है, उनका जीवन और समस्यायों को कैसे उजागर किया है, यह जान लेना मेरी दृष्टि से महत्त्वपूर्ण है।

'बलि' उपन्यास का नायक आबा गायकवाड मातंग-सँपेरा जाति का युवक है। नायक आबा की जिन्दगी के साथ कथ्य का फैलाव होता जाता है। आबा के नियमित स्कूल न आने के कारण मिस डगन उसे हॉस्टल में रखने का निर्णय लेती

है। आबा की माँ चांगुणा तथा पिता गेन्या को डगन मैडम का निर्णय नापसन्द है। आबा को उसका चाचा रातोंरात सेवाग्राम पहुँचाता है। आबा सेवाग्राम में बारह वर्ष रहकर पढ़ता है और फिर अपने माँ-बाप के पास वापस आ जाता है। आबा माथे पर गाँधी टोपी और खद्दर के कपड़े पहनकर आया है। उसकी माँ और भाई-बहन कूड़े पर फेंके गये पत्तलों से जूठन इकट्ठा कर रहे हैं। इस प्रसंग से उपन्यास का आरम्भ होता है। आबा की माँ के स्तनों के झोळे कमर तक लटक रहे थे। (पृ. 9) उसकी जंघायें सौ टुकड़ों वाली धोती से जैसे-तैसे ढकी थी। (पृ. 9) अपनी माँ को इस तरह देखकर आबा को संकोच होता है। वह माँ से दूर हट-हट कर चलता है। (पृ. 10) इस तरह आबा का उपन्यास में प्रवेश होता है।

आबा सेवाग्राम में बाहर वर्ष रहकर पढ़ता है। वहाँ उस पर गाँधीवादी संस्कार होने के बजाय सफेदपोशी के संस्कार हुए दिखाई देते हैं। उसे अपने खुद के माँ-बाप की शर्म लगती है। इस तरह के अनुभव दलित आत्मकथाओं में भी पढ़ने को मिलते हैं। पढ़ाई के कारण दलितों को अपने अभद्र एवं वीभत्स जीवन का संकोच होता दिखाई देता है। आबा भी इसका अपवाद नहीं है। सेवाग्राम की पढ़ाई भी इसका अपवाद नहीं है। आबा को उस बस्ती की, उस झोंपड़ी की, अपराध कर वहाँ पर बन्द पिता की, सबकी घृणा हुई। (पृ. 26) उपन्यास का आरम्भ ऐसी मानसिकता से होता है। आबा भोला-भाला है। देव और भाग्य पर उसकी श्रद्धा है। वह कहता है, "भगवान, इन्हें मैं माँ-बाप कहूँगा। मेरा कोई नहीं है, ये ही मेरे। मेरी इस माँ को पिता को, भाई-बहनों को सुखी बनाने की शक्ति दे।" (पृ. 27) सेवाग्राम में बारह वर्ष रहकर लौटने के कारण आबा को अपने जन्मदाता भी बेगाने लगने लगते हैं। आबा अपने परिवार से टूटा है।

आबा को सेवाग्राम में भेज देने के कारण मिस डगन और मैनेजर टिपन गुस्सा थे। उन्होंने आबा के माँ-बाप को काम से निकाल दिया था। आबा की माँ चांगुणा सेटलमेंट के रास्तों में झाड़ू लगाती थी। जब चांगुणा झाड़ू लगाने आती थी, तब गोरे अधिकारी उससे शरीर सुख लेते थे। चांगुणा का काम बन्द होने से उनके फाके होते थे। आबा को सेवाग्राम भेजने के कारण मिस डगन को धक्का पहुँचा था। "अब आबा साजिशें ही करेगा। गाँधी का नाम लेगा। अराजकता फैलाएगा। वह गुस्सा हुई। (पृ. 41) सेवाग्राम से लौटते हुए आबा गाँधी जी का नाम लेकर आने के बजाय गाँधी टोपी लेकर आता है। वह स्वयं को चोरबस्ती के बाहर निकालकर विचार करता दिखाई देता है। "हाँ महराज! बदनसीबी से मैं उस जाति में जन्मा हूँ। परन्तु मेरे सारे साल चोर बस्ती के बाहर अच्छे लोगों के लड़कों में बीते हैं।" (पृ. 34) इस तरह स्वयं के बारे में आबा का प्रमाणपत्र है। "चोर बस्ती के लोग बुरे हैं। चोर बस्ती के बाहर के लोग अच्छे हैं और ऐसे अच्छे लोगों के लड़कों में मैं

बड़ा हुआ हूँ। उनमें से होकर भी मैं उनमें से नहीं हूँ।" आबा इस तरह की अच्छाई को व्यक्त करते हुए दिखता है। उस पर यह थोपा गया है कि बदनसीबी से ही उसका जन्म गुनहगार जनजातियों में हुआ है।

सेवाग्राम से पढ़कर आने के कारण अंग्रेज अधिकारी आबा को नौकरी नहीं देते। नौकरी के लिए उसकी सिफारिश नहीं करते। बेरोजगारी के कारण आबा विवश हो जाता है। एक दिन जॉबर की मुट्ठी में एक रुपया रखकर तथा इन्स्पेक्टर से बचकर आबा मिल में घुसता है। मिल में काम करना शुरू करता है। खाने की छुट्टी में अन्य मजदूर उसे पहचान लेते हैं। "मातंग-सँपेरे। जाति चुराता है!!" कहकर मारपीट करते हैं। (पृ. 52) क्योंकि मिल में सूत का धागा तोड़ते हुए अछूत के दाँत लगना मना था। इसी कारण आबा को मिल में नौकरी नहीं मिलती। (पृ. 38) मिल में मार खाने के बाद आबा एक होटल में जाता है। वहाँ भी उसे पहचान लेते हैं और गिरेबान पकड़कर बाहर निकाल दिया जाता है। आबा प्रतिकार करता है। आबा की मदद के लिए महार-मातंग लोग आते हैं। मारपीट होती है। आबा को गुनहगार के रूप में सरकारी दवाखाने में उपचार हेतु ले जाया जाता है। दवाखाने में भी मारपीट करने वाले हरिजन के रूप में कई लोग इसे घूरते हैं। (पृ. 68) कोर्ट में जवाब देते हुए आबा कहता है, "महाराज मैंने मारपीट की। परन्तु मारपीट के लिए मारपीट नहीं की। मैं निर्मल हूँ। प्रतिदिन नहाता हूँ। मैं अन्य मनुष्यों की तरह मनुष्य हूँ। होटल में अन्य लोगों की तरह रुपये देकर मैं भी चाय लेने वाला था। फिर भी मुझे कुत्ते की तरह निकाल भगाया। इसे मैं सहन नहीं कर पाया। बेरोजगारी से मैं ऊब गया था। इसलिए मैंने हाथ उठाया। मात्र एक जाति में जन्म लिया, इसी कारण मेरे लिए मनुष्य के रूप में जीना क्यों कठिन है, यह मैं समझ नहीं पा रहा हूँ। इससे अधिक मुझे कुछ नहीं कहना है।" (पृ. 70) आबा को आठ दिन की सजा सुनाई जाती है। अपने घर से जेल अच्छा लगने लगता है। उसे इस बात का गुस्सा आता है, "हम जेल से भी बदतर अवस्था में जीते हैं। गाँधी सेवा मण्डल में कहते थे—महात्माजी अस्पृश्यता को कलंक समझते हैं और मैं होटल में गया, मिल में गया तो मारपीट हुई। फिर गाँधी सेवा मण्डल में बेहूदा जग क्यों खड़ा किया हमारे सामने?" (पृ. 71) आबा आदर्श और यथार्थ के भँवर में चकराता दिखाई देता है। सेवाग्राम के आदर्श उसे बेकार प्रतीत होते हैं। वह जीने के लिए साद्या के साथ चोरी करता है। (पृ. 74)

आबा शिक्षित है। जवान है। उससे उसी की जाति की नामी नामक युवती प्यार करती है। नामी के पिता सन्तू को भी लगता है कि उनकी बेटी का आबा के साथ ब्याह हो। आबा की चाची और चाचा का भी यही मत है। किन्तु आबा अपनी शादी के खिलाफ है। वह कहता है, "इतने बदनसीब मनुष्य के भी बाल-बच्चे हों, ऐसा

क्यों लगता है? मैं नहीं करूँगा। शादी गुलाम क्यों गुलामों को जन्म दें?'' (पृ. 42) गुलामी के प्रति आबा के भीतर क्षोभ की भावना है। आबा का गुलामी नष्ट करने का विचार इस तरह का है कि गुलाम पैदा ही न हो, उन्हें जन्म लेने का और जीने का अधिकार ही नहीं है। 'गुलाम को उसकी गुलामी का एहसास करा दो ताकि वह विद्रोह कर उठे' 'यह आम्बेडकरी विचार उसके मन को स्पर्श नहीं करता। उसे आम्बेडकर और राजभोज के नाम मालूम है। आबा के सुख की कल्पना भी भिन्न है। वह कहता है, ''मातंग-सँपेरे का मैं, कूड़े-करकट में लौटने के लिए ही पैदा हुआ हूँ। मैं कीड़ा हूँ। यही एहसास मुझे होना चाहिए। तभी मेरा जीवन सुखी बनेगा।'' (पृ. 53) आबा माथे पर गाँधी टोपी पहनकर इस तरह सोचता हुआ दिखाई देता है। आबा को कहीं भी नौकरी नहीं मिलती। मिस डगन और टिपन उसे मदद नहीं करती हैं। इसलिए वह लाचार हो गया है। वह ईश्वर से प्रार्थना करता है।

''हुआ मैं परदेसी तेरे बिन
खुदा, पाण्डुरंगा कब मिलेगा
हुआ मैं परदेसी तेरे बिन'' (पृ. 78)

गाँधी सेवा मण्डल में पला-बढ़ा आबा और गाँव के बाहर पले-बढ़े चोखामेळा–दोनों के स्वरों में स्थित भिन्नता की ओर ध्यान देना जरूरी है। चोखामेळा भी ईश्वर की प्रार्थना करते दिखाई देते हैं। परन्तु उनकी प्रार्थना आबा से कई गुना भिन्न दिखाई देगी।

''आमुची केली हीन जाती। तुज का न कळे श्रीपति
जन्म गेला उष्टे खाता। लाज नये तुमच्या चित्ता
हीन जाती माझी देवा। कैसी घड़े तुझी सेवा
मज दूर दूर हो म्हणती। तुज भेटू कवण्या रीती।"

सन्त चोखामेळा को यथार्थ का पूरा ध्यान है। किन्तु आबा में इसका एकदम अभाव है। इसी कारण उसकी मानसिकता गड़बड़ाती और भटकती हुई प्रतीत होती है।

आबा के जीवन में 'लाल बावटा' आन्दोलन के बारणे के कारण अत्यधिक सकारात्मक परिवर्तन होता हुआ दिखता है। आबा अपने साथियों के साथ मजदूर आन्दोलन के लिए काम शुरू करता है। बारणे आबा के साथ आत्मीय व्यवहार करता है। बारणे का आत्मीय व्यवहार आबा को कार्यप्रवण करता है। बारणे के विचारों की अपेक्षा उनकी आत्मीयता आबा को अधिक प्रभावित करती है। आबा, काशीनाथ, हनमा, वना और सिरपा नामक गुनहगार जनजाति के युवा 'लाल बावटा' का काम शुरू करते हैं। इसलिए रिपन गुस्सा होता है। बारणे के सानिध्य में आबा, काशीनाथ, हनमा में परिवर्तन दिखाई देने लगता है।

काशीनाथ–महाराज, कुछ भी हो यह गोरा साहब जाना चाहिए यहाँ से।

हनमा—और तार और हाजिरी भी बन्द होनी चाहिए।

आबा—नहीं। तार और हाजिरी रखो, पर पढ़ने वाले को पढ़ने का अवसर दो। काम करने वाले को ऐसा काम दो ताकि उसे भरपेट खाना मिले। यदि ऐसा हो तो कौन चोरी करेगा जब सब सुधर जाएँगे, तब तार और हाजिरी बन्द करो। (पृ. 98)

काशीनाथ और हनमा सेटलमेंट के प्रॉडक्ट हैं। वे गरम स्वभाव के और आज़ादी के समर्थक प्रतीत होते हैं, तो आबा नरम स्वभाव का और सुधारवादी प्रतीत होता है। गुनहगार जनजातियों पर ब्रिटिश अधिकारियों द्वारा होने वाले अत्याचारों को जानने के लिए बारणे चुपचाप सेटलमेंट में दाखिल होता है और चिड़ीमार, भाट उचक्का, जरायम पेशा, वडार और मातंग आदि जनजातियों की समस्याओं को जान लेता है। बारणे 'प्रजा' पत्रिका के माध्यम से गुनहगार जनजातियों की व्यथा-वेदनाओं को क्रमशः प्रकाशित करना शुरू करता है। 'प्रजा' के अंक झोंपड़ी-झोंपड़ी में पहुँचते हैं। लोगों में चर्चा शुरू होती है। 'प्रजा' में प्रकाशित लेखमाला के कारण 'लाल बावटा' तथा 'कांग्रेस' का गुनहगार जनजातियों की समस्याओं की ओर ध्यान खींचा जाता है। रिपन और डगन मैडम क्रोधित होते हैं। चोर बस्तियों पर कड़े प्रतिबन्ध लगाये जाते हैं। कई बार हाजिरी होने लगती है। इससे लोग ऊब जाते हैं। कुछ लोगों को काम से हटाया जाता है और कुछ को जेल में बन्द कर दिया जाता है। कुछ लोगों के तबादले किये जाते हैं। लोगों की मारपीट होने लगती है। लोग क्षुब्ध होकर रिपन की मोटर पर हमला करते हैं। रिपन जान बचाने के लिए भाग जाता है। अधिकारियों के बंगलों को जलाकर राख करने के लिए लोग आक्रामक बन जाते हैं। पुलिस को बुलावा भेजा जाता है। पुलिस बन्दूक की गालियों से लोगों को आतंकित करती है।

इसकी प्रतिक्रिया 'प्रजा' पत्रिका के माध्यम से उठती है। कांग्रेस और 'लाल बावटा' गुनहगार जनजातियों पर होने वाले जुल्मों की ओर सरकार का ध्यान खींचती हैं। सरकार की ओर से जाँच कमिटी नियुक्त की जाती है। मिस डगन और रिपन का दूसरे स्थान पर तबादला किया जाता है। लाल बावटा और कांग्रेस द्वारा चोर बस्ती का पक्ष लेने के कारण वहाँ के लोगों की आशा पल्लवित होती है। अब हाजिरी खत्म होगी। अब तार जायेगी। अन्य लोगों की भाँति हम भी विचार कर सकेंगे। इस तरह अभिलाषा की बाती जलाती वह बस्ती हर रोज प्रतीक्षा करने लगी कि भगवान कब प्रसन्न होंगे। (पृ. 144) गुनहगार जनजाति पर भगवान कितने हावी थे, इसका यह उदाहरण है।

लाल बावटा और कांग्रेस द्वारा चोर बस्ती के अन्याय के खिलाफ आवाज उठाने के कारण ब्रिटिश सरकार ने सेटलमेंट में सुधार किये। युवक चोरी की ओर न झुके इसलिए अखाड़े की व्यवस्था की गयी। गुनहगार लोगों में नीति-धर्म का महत्त्व बढ़े, इसलिए हनुमान का मन्दिर बनवाया गया। बैठकर खेल जाने वाले खेल, मनोरंजन के

लिए क्लब शुरू किया गया। वहाँ कैरम, रेडियो ग्रामोफोन रखे गये। कांग्रेस के शिव नाप्पा और लाल बावटा के बारणे के कारण बस्ती का वातावरण बदल गया था।

रिपन और डगन का तबादला होने के बाद सेटलमेंट का कार्यभार वंगड़ी मैनेजर के पास आया। वंगड़ी मैनेजर अपने कार्यकाल में ठोस कार्य कर दिखाना चाहता है। इसलिए उसने हिरणगाँव का बाँध बनाने की योजना सामने रखी। सेटलमेंट न चाहने वाले कई लोगों को हिरणगाँव भेजने की नीति निश्चित की। इसमें आबा के माँ-बाप को हिरणगाँव भेजा गया। इस कारण आबा को दुःख हुआ। आबा के सहयोगी हनमा, काशीनाथ और वना को मिल में काम मिलता है, किन्तु आबा बेरोजगार ही रहता है।

डगन मैडम के स्थान पर विठा नामक अन्य मैडम नियुक्त हुई थी। उसका और बारणे का परिचय था। बारणे के कहने पर विठा आबा को अध्यापक की नौकरी देती है। आबा के साथ राई भी अध्यापक के रूप में नौकरी कर रही थी। दोनों में नजदीकी बढ़ती है। नामी भी आबा के साथ शादी के लिए प्रयत्नशील थी। नौकरी मिलने के बावजूद भी आबा का भीतरी कार्यकर्त्ता खत्म नहीं हुआ था। वह अक्सर ब्रिटिश अधिकारियों के खिलाफ संघर्ष की भूमिका अपनाता दिखता है। गुनहगार जनजातियों के लिए स्थापित क्लब को अधिकारियों द्वारा अपने अधीन किया जाता है। थानेदार कैरम बोर्ड अपने घर ले जाता है। क्लब का उपयोग भी अधिकारी ही करते है। रेडियो वंगडी मैनेजर अपने घर ले जाता है। गुनहगार जनजाति के लोगों को क्लब से निकाल भगाया जाता है। आबा अपने लोगों के पक्ष में और अधिकारियों के खिलाफ बोलता है, "यहाँ बोर्ड लगाओ कि चोर बस्ती के लोगों के लिए यह क्लब नहीं है।" (पृ. 132) आबा की इस आक्रामकता से सेटलमेंट के अधिकारी नाराज हो जाते हैं।

एक रात नामी आबा के घर पहुँचती है और आबा को साथ इसलिए ले जाती है कि उसकी सहायता से घर में निकले साँप को मार सके। असल में नामी के घर में न साँप निकला था और न कोई अन्य आपत्ति आयी थी। वह आबा के अधिक पास जाती है। आबा इनकार करता है। तब नामी आबा को नामर्द कहकर उसे हिकारत की नजर से देखती है। आबा गुस्सा होकर उस का बलात्कार करता है। अपने पुरुषार्थ का प्रदर्शन करता है। तभी नामी का पिता सन्तू आ जाता है और आबा के खिलाफ चीखना-चिल्लाना शुरू करता है। इससे आबा को नौकरी से हाथ धोने का खतरा उत्पन्न होता है। बीच का रास्ता यह निकाला जाता है कि आबा नामी से शादी करे। उसकी जाति के पंच भी यही निर्णय देते हैं।

आबा अपने माँ-बाप से मिलने हिरणगाँव जाता है। वहाँ आबा के माँ-बाप का बुरा हाल था। आबा अपने माँ-बाप को साथ ले आना चाहता था, परन्तु वह ऐसा

नहीं कर पाया। क्योंकि उसके माँ-बाप तार वाले और हाजिरी वाले थे। हिरणगाँव में नायंपल्ली नामक मैनेजर था। वह लोगों पर बहुत अत्याचार करता था। मजदूरों के फाके पड़ रहे थे। आबा गुस्से में था।

बाँध का काम शुरू हो गया था। नायंपल्ली गहरे गड्ढे में खड़ा निगरानी कर रहा था। आबा गड्ढे के ऊपर की ओर आकर, ऊपर से एक बड़ा पत्थर नीचे की ओर ढकेल देता है और चला जाता है। नायंपल्ली पत्थर के नीचे कुचला जाता है। चट्टान खिसकने से उसके नीचे दबकर नायंपल्ली की मृत्यु की चर्चा शुरू हो जाती है। आबा रावटी पहुँचता है। वहाँ उसके तीन भाई फाके पड़ने से मर गये थे। बलात्कार के बाद आबा के हाथों खून के रूप में दूसरा अपराध हुआ था। आबा अपराध-बोध से अन्दर ही अन्दर डर गया था।

आबा नामी के घर पहुँचा। उसने देखा कि नामी पराये मर्द के साथ हँसी-मजाक में मशगूल थी। आबा उस पर क्रोधित हुआ फिर वह राई के घर पहुँचा। उसके सामने आबा ने अपने द्वारा किये गये गुनाहों को बताकर यह इच्छा प्रदर्शित की कि उसे नौकारी का त्यागकर हमेशा के लिए दूर चला जाना चाहिए। परिस्थितिवश गुनाहों के जाल में फँसे आबा के प्रति राई के मन में सहानुभूति जागी। उसने उसे समझाया और उसके साथ शादी के लिए हाँ कर दी। इससे आबा में परिवर्तन हुआ।

मैनेजर वंगड़ी अपनी छवि को लोकप्रिय बनाने के लिए कई कार्यक्रमों का आयोजन कर रहा था। वरिष्ठों को ऐसे कार्यक्रमों में लाकर खुश कर रहा था। मैनेजर वंगड़ी द्वारा आयोजित ऐसे ही एक समारोह के लिए मन्त्री महोदय पधारे थे। इस कार्यक्रम में आबा बाधा उपस्थित करता है और बीच में ही खड़े होकर सेटलमेंट के अधिकारी के खिलाफ भाषण करता है। इसका परिणाम यह होता है कि मन्त्री द्वारा जाँच के लिए कमिटी नियुक्त की जाती है। सभी अधिकारी एक होकर जाँच कमिटी के सदस्यों को झूठी जानकारी देकर निर्दोष मुक्त हो जाते है। इसके बाद मैनेजर वंगड़ी आबा पर दरी चुराने का इल्जाम लगाते है। असल में वह दरी मैनेजर वंगड़ी ही अपने घर ले गया था। बिठा यह जानती थी, किन्तु अपनी नौकरी की सुरक्षा के लिए वह आबा को नौकरी से निकाल देती है। नौकरी से हाथ धो बैठने के बाद राई भी घरवालों के विरोध के कारण आगे कर आबा को शादी के लिए इनकार कर देती है। नौकरी और राई से हमेशा के लिए वंचित आबा बेहाल हो जाता है। वह रास्ते पर भीख माँगना शुरू करता है। ऐसी अवस्था में वह बारणे के पास नहीं जाता। शायद लेखिका की सहायता के लिए वह दर-दर भटककर भीख माँगता है। इस बीच वह भीख देने वाली लड़की की चूड़ियाँ चुरा लेता है। वह भागवत नामक उस अध्यापक की बेटी थी, जिन्होंने सेवाग्राम में आबा को

पढ़ाया था। इस संयोग के आधार पर उपन्यास का कथ्य आगे बढ़ता है। अध्यापक भागवत अपने छात्र को माफ कर देते हैं। उनके सामने आबा भी अपने कुकर्मों की कहानी बयान करता है। वह कहता है कि मैंने बलात्कार किया, खून किया, चोरी की। अध्यापक भागवत को इन बातों का बुरा नहीं लगता। आबा उनसे कहता है, "आपने मुझे यह नहीं बताया था कि दुनिया में जातिभेद है और उस जातिभेद रूपी चट्टान के तले तू कुचला जायेगा। आपने कहा था, तू चोर जाति का है, पर चोरी न करेगा तो तेरे ऊपर की बला टलेगी। परन्तु ऐसा नहीं हुआ। दादा, सभी शरीफों ने चोरी की और इल्जाम मुझ पर किये। मैं अछूत जाति का इसलिए प्रजा ने मुझे दूर भगाया।" (पृ. 167-168) "मैं अछूत जाति का/मातंग-सँपेरा था। इसलिए प्रजा ने दूर ढकेला।" आबा के इस वक्तव्य में कहाँ तक सच्चाई है?

* मातंग-सँपेरा (अछूत) होते हुए भी आबा को सेवाग्राम में दाखिला मिलता है। वहाँ अध्यापक भागवत उसे पढ़ाते हैं।
* 'लाल बावटा' के बारणे उससे आत्मीय व्यवहार करते हैं। नौकरी दिलवाते हैं।
* आबा को मिल और होटल से मातंग-सँपेरा (अछूत) कहकर निकाल भगाया जाता है। वहाँ उसकी सहायता के लिए मातंग और महार आते दिखाई देते हैं।
* मिस डगन और रिपन आबा के खिलाफ थे। इसका कारण यह है कि वह सेटलमेंट से भागकर सेवाग्राम में पढ़ा है।
* नामी उसी की जातवाली है। आबा उस का बलात्कार करता है। असल में इसीलिए नामी ने आबा को बुलाया था।
* राई मातंग जाति की है। आबा मातंग-सँपेरा जाति का है। फिर भी राई उससे प्यार करती है, किन्तु घरवालों के विरोध का कारण आगे कर शादी से इनकार करती है। ऐसा होते हुए भी राई का भाई आबा की सहायता करता है। राई के पिता होटल में हुई मारपीट के दौरान जख्मी हुए थे।
* बिठा आबा को अध्यापक की नौकरी देती है।
* आबा सेटलमेंट के अधिकारियों के खिलाफ खुलकर संघर्ष करता है, इसलिए सेटलमेंट के अधिकारी उसे नौकरी से निकालने के लिए चोरी का इल्जाम लगाते हैं।
* आबा नायंपल्ली का खून करता है।

उपन्यास के पूर्वार्द्ध में आबा ऐसा खुलासा करता दिखता है कि "मैं अच्छे लोगों के बच्चों के साथ पला-बढ़ा हूँ", तो उत्तरार्ध में यही आबा, "मैं मातंग-सँपेरा इसलिए प्रजा ने मुझे दूर ढकेला", इस तरह खुलासा करता है। सेवाग्राम में बढ़ा

आबा बलात्कार करता है, खून करता है, चोरी करता है। इसकी सही वजह आबा की जाति है या लेखिका के कथ्य की जरूरत, इसकी पड़ताल आवश्यक है।

लेखिका को गुनहगार जनजाति के जीवन से सम्बन्धित उपन्यास का लेखन करना है। उसके पास सेटलमेंट की नौकरी का तजुर्बा है। लेखिका ने उपन्यास के पात्र और प्रसंगों का अपने कथ्य के विकास के लिए इस्तेमाल किया है। आबा अपराध करते समय विचार नहीं करता है। अपराध-कथन करते समय भी विचार नहीं करता है और सुनने वाले भी उस पर विचार करते हुए नहीं दिखाई देते। अध्यापक भागवत आबा से कहते हैं, "आबा सुन, इसके बाद तू चोरी नहीं करेगा। (इसके पूर्व जो हुआ, उसे भूल जा) स्वराज्य की प्राप्ति के पश्चात् वह दुनिया तेरे आस-पास अपने आप विकसित होगी, जिसके लिए मैंने तुम्हें बड़ा किया। महात्मा जी के पुण्य से निर्मित दुनिया तुझे कभी नहीं लताड़ेगी।" (पृ. 168) अध्यापक भागवत ऐसा विश्वास दिलाते हैं कि महात्मा गाँधी के आन्दोलन से नही बल्कि पुण्य से अपने आप निर्मित दुनिया आबा को नहीं लताड़ेगी। स्वराज्य की प्राप्ति होते ही सारी समस्याएँ खत्म होंगी, इस तरह के स्वप्न में तल्लीन अध्यापक भागवत आबा के समूचे अपराधों को भुला देते हैं। इतना ही नहीं बल्कि एक और अपराध की जिम्मेदारी उस पर सौंपते हैं। आबा निपुण गुनहगार बन गया है। परिस्थितियों ने ही उसे यह प्रशिक्षण दिया है। अध्यापक भागवत द्वारा प्रदत्त शिक्षा यहाँ निरर्थक ठहरी है।

स्वराज्य आन्दोलन का खात्मा करने के लिए अंग्रेज सिपाहियों की एक पलटन रेलवे से आने वाली थी। आबा इस रेलवे को उड़ा देता है। उसे गिरफ्तार किया जाता है। अध्यापक भागवत को भी गिरफ्तार किया जाता है। वे स्वतन्त्रता सेनानी बनते हैं। देश आजाद होता है। सेटलमेंट के तार तोड़े जाते हैं। गुनहगार जनजाति की हाजिरी बन्द होती है। गुनहगार जनजातियों को आजादी मिलती है, पर रोजी-रोटी नहीं मिलती। आबा शिक्षक की नौकरी पाता है। वह अपने माँ-बाप के साथ रहता है। स्वतन्त्रता-प्राप्ति के बाद गुनहगार जनजाति की समस्याएँ सुलझने के बजाय और विकट बन जाती हैं। महँगाई बढ़ती है। भ्रष्टाचार भी बढ़ता है। बेरोजगारी बढ़ती है। आबा उन समस्याओं के समाधान ढूँढ़ने का प्रयास करता है, पर वे समस्याएँ कायम रहती हैं। सन् 1950 में ही लेखिका ने आज़ाद देश के सम्मुख आने वाली भीषण समस्याओं को ताड़ लिया था। यह लेखिका की दूरदर्शिता है।

स्वराज्य प्राप्ति के पश्चात् चोर बस्ती के लोगों की समस्याएँ जटिल बनती हैं। वे फिर अपराध वृत्ति की ओर मुड़ते हैं। आबा लोगों को रोकने का प्रयास करता है। हालात आपे से बाहर होते जाते हैं। चोर बस्ती के लोग सो रहे आबा के सिर पर पत्थर गिराकर उसकी हत्या कर देते हैं और चोरी करने के लिए निकल जाते हैं। लोगों की समस्याओं का समाधान न मिलने पर वे चोरी-डकैती करेंगे, रक्तपात

करेंगे; इस तरह के भयसूचक इशारे के साथ उपन्यास खत्म होता है। आबा ने खून किया था। अन्त में उसका भी खून होता है। सेवाग्राम में पढ़ा आबा हो या डकैती करने वाले चोर बस्ती के लोग हों, परिस्थितियों के आपे से बाहर जाने पर वे अपराध ही करते हैं। उन्हें दूसरा रास्ता नहीं दिखाई देता। मनुष्यों को गुनहगार बनाने वाली स्थिति गुनहगार है। इस उपन्यास का निहितार्थ यह है कि लोग हालातों के 'बलि' हैं। स्वतन्त्रता सेनानी और समाज-सुधार के अभिलाषी आबा की हत्या होती है। लेखिका के मन पर गाँधी-हत्या के हुए प्रभाव का यह आविष्कार हो सकता है। विभावरी शिरूरकर ने नौकरी के निमित्त सेटलमेंट में देखी हुई दुनिया और यथार्थ को प्रस्तुत उपन्यास में चित्रित किया है। फिर भी उनके मन में स्थित देव, भाग्यवाद, पाप, पुण्य और प्रारब्धवादी जीवन-दृष्टि भी व्यक्त हुई है।

कार्तिकी
(र. वा. दिघे)

र. वा. दिघे कृत 'कार्तिकी' (1966) शीर्षक उपन्यास पढ़कर मेरे मन में सम्मिश्र भाव पैदा हुए। दिघे ने अपने समय में अपनी प्रकृति के अनुसार दलित चेतना के साथ समीपता दर्शाने का प्रशंसनीय प्रयास किया है। गैर-दलित लेखकों ने दलितों के विषय में लेखन किया है, उसमें दिघे का 'कार्तिकी' उपन्यास श्रेष्ठ प्रतीत होता है। सन् 1956 में बाबासाहब आम्बेडकर का स्वर्गवास हुआ। इसके दस वर्ष पश्चात् यह उपन्यास प्रकाशित हुआ। 'बलि का राज शुरू हुआ है, बालिष्ठर आम्बेडकर हमारा बलि राजा है'; इस तरह की उद्घोषणा के साथ यह उपन्यास पाठकों के बीच प्रस्तुत हुआ था। बाबासाहब आम्बेडकर के विचार एवं कार्य का दलित समाज पर जो जबरदस्त असर हुआ, उसे प्रतिबिम्बि करने वाला यह उपन्यास है। र. वा. दिघे आम्बेडकर के विचारों से दूर तक प्रभावित हैं। प्रस्तुत उपन्यास की पृष्ठभूमि को विशद करते हुए उन्होंने लिखा है, "सात करोड़ धर्म बन्धुओं—देश बन्धुओं की अस्पृश्यता हिन्दुओं के पतन का कारण है।" (पृ. 5) हिन्दू धर्म का पतन न हो इसलिए अस्पृश्यता का नष्ट होना जरूरी है, इस तरह का कठोर प्रतिपादन करने वाला यह उपन्यास है। मात्र अस्पृश्यता पर प्रहार कर दिघे शान्त नहीं बैठते। आगे चलकर वे कहते हैं, "मूर्ख हिन्दुओं ने गैरों की अपेक्षा हमारे सुन्दर एवं उदात्त धर्म की किस तरह बरबादी कर दी है", इसका प्रभावी चित्रण 'कार्तिकी' उपन्यास में हुआ है।

वि. स. खांडेकर ने अपने 'उल्का' उपन्यास में सूचित किया है कि ब्राह्मण संख्या में कम हैं और ब्राह्मण विरोधी गैर ब्राह्मण आन्दोलन का जोर बढ़ रहा है। 'कार्तिकी' में र. वा. दिघे ने यही विचार अलग भाषा में प्रस्तुत किया है। "अब लोकतन्त्र का जमाना है। स्नानसंध्या, टीका आदि के साथ शुचिर्भूत हुए ब्राह्मण का मत और गन्दगी की सफाई कर आये भंगी का मत समान मूल्य रखते हैं। भारत में सात करोड़ दलित, चार करोड़ मुस्लिम, दो करोड़ क्रिश्चियन, एक करोड़ जैन, सिख आदि हैं। फिर चार-पाँच करोड़ आदिवासी जनजातियाँ। इन सबको घटाने के बाद हिन्दुओं की संख्या कितनी रह जायेगी? और निम्न, कनिष्ठ ब्राह्मण और वैश्य अलग

से। इन सबको तुमने शूद्र समझा, उनका अपमान किया, उनकी परछाई से दूर रहे और यदि ये सभी लोग तुम्हारे खिलाफ गये तो तुम क्या करोगे? एक दिन उनके एक होने पर तुम्हें उनके पैरों में सिर रखकर शरण में जाना होगा।" (पृ. 117, 118) 'कार्तिकी' उपन्यास के ओंकार शास्त्री इस तरह कठोर एवं स्पष्ट शब्दों में बोलते हैं।

र. वा. दिघे ने भी अन्य हिन्दू लेखकों की भाँति हिन्दू धर्म सुधार का महत्त्व प्रतिपादित करते हुए मुसलमानों पर हमला किया है। मुसलमानों की आक्रामकता, धार्मिक कट्टरता तथा हिन्दुओं से वैर आदि बातें 'कार्तिकी' में स्पष्ट रूप से अंकित हैं। र. वा. दिघे ने दलितों की पुरातन मानसिकता को व्यक्त करने के लिए सन्त चोखामेळा के पदों का उपयोग किया है और आधुनिक मानसिकता को अभिव्यक्ति करने के लिए डॉ. आम्बेडकर के विचारों का आधार लिया है। 'कार्तिकी' का कान्हया महार नामक पुरुष पात्र सन्त चोखामेळा की प्रतिकृति है। कान्हया महार हो, कार्तिकी हो अथवा कार्तिकी के पिता, ये सभी विठ्ठल के भक्त हैं।

'कार्तिकी' का कथानक कुसगाँव नामक देहात में घटित होता है। इस उपन्यास का पूर्वार्द्ध र. वा. दिघे की कल्पना रम्य शैली से प्रभावित है, तो उत्तरार्द्ध कथानक के कारण गम्भीर रूप प्राप्त करता दिखाई देता है। र. वा. दिघे कार्तिकी का वर्णन करते हुए लिखते हैं, "सादा फटा-पुराना वस्त्र पहनी, गेहुँए रंग की वह गोरी लजाती-लचकाती वहाँ आकर खड़ी रही। उसे देखते ही हेरम्ब की सुप्त भावनाएँ उमड़ आयीं। तारुण्य, करुणा, सौन्दर्य और दरिद्रता के कारण वह किसी शापित देवी की तरह दिखी।" (पृ. 33) प्रस्तुत उपन्यास का आधे से अधिक हिस्सा इस तरह के शब्दजालपूर्ण वर्णन से व्याप्त है। इस कारण यह उपन्यास कभी-कभी विषय की गम्भीरता को खोता हुआ प्रतीत होता है।

कुसगाँव स्थित महारों की बस्ती के कान्हया महार तथा उसकी भांजी कार्तिकी प्रस्तुत उपन्यास के दो प्रमुख पात्र हैं, जो महारों की व्यथा और पीड़ाओं का प्रतिनिधित्व करते हैं। कान्हा की बहन तारा पुणे में रहती है। उसके पति की मृत्यु हो जाती है। उसके पश्चात तारा की भी मृत्यु हो जाती है। माँ-बाप की मृत्यु के बाद अनाथ कार्तिकी अपने मामा के घर आकर रहती है। कार्तिकी यौवन से गदरायी रूपगर्विता है। लेखक ने अपने उपन्यास में रंग लाने एवं संघर्ष को पिरोने के लिए कार्तिकी को रूपवती के रूप में चित्रित किया है। कार्तिकी की सुन्दरता के कारण समूचे कुसगाव में उथल-पुथल शुरू होती है। उसे देखकर हर एक घायल होता दिखता है। लेखक ने नायिका को रूपवती और यौवन से गदराई हुई दिखाया है। अतः उसका सवर्ण पुरुष के साथ सम्बन्ध होना, गर्भवती बनना और उसके जीवन की बरबादी का सर्वविदित फॉर्मूला समझदार पाठकों के ध्यान में आये बिना नहीं रहता। नतीजा पाठकों के मन पर स्थित कथ्य की गिरफ्त ढीली होने लगती है।

कान्हया महार गाँव का लेहनादार महार है। उसकी पत्नी रेऊ, दो बेटे—सहादू और महादू तथा भांजी कार्तिकी—कुल मिलाकर पाँच लोगों का परिवार है। सन्त चोखोबा, नामदेव, तुकाराम, जनाबाई के पद, अभंग और एकनाथ के तूमार (भारुड़) उसे कंठस्थ हैं। उसके मुँह से आख्यान एवं लोककथा सुनने के लिए बच्चे और बूढ़े भी बेताब रहते हैं। इस धर्मपरायण और भोळे आदमी के घर में सुन्दर कार्तिकी कदम रखती है और इसी के साथ उसके परिवार में घर-घर शुरू होती है। आबा साहब इनामदार कुसगाँव के माफीदार हैं। उनके परिवार में पत्नी यशोदा बाई, बेटा हेरंब और पुत्री यमू इतने लोग हैं। हेरंब धार्मिक वृत्ति वाला युवक है। गीता पाठ और विवेकानन्द के भक्ति योग, ज्ञान योग, कर्म योग, सांख्य योग के अध्ययन के कारण हेरंब के मुख पर सात्विक तेज चमकता प्रतीत होता है। गाँव महार कान्हया तथा गाँव के माफीदार आबा साहब नामक दो परिवारों को केन्द्र में रखकर प्रस्तुत उपन्यास की बुनावट हुई है। आबा साहब का बेटा हेरंब तथा कान्हया की भांजी कार्तिकी के विफल प्रेम पर उपन्यास का कथ्य आधारित है। प्रेमिका दलित और प्रेमी ब्राह्मण होने से उनके प्रेम को विस्फोटक सन्दर्भ प्राप्त होते हैं। ब्राह्मण प्रेमी जाति के चौखटे में छिपकर बैठने वाला व्यक्ति है। कार्तिकी नामक दलित स्त्री को ब्राह्मण प्रेमी चाहता है और मुसलमान नासिर उसका स्वीकार करता है। महार, ब्राह्मण और मुसलमान की उलझन के जरिये उपन्यास व्यक्त हुआ है। नासिर के पिता बूढ़ा सेठ तथा माँ बूढ़ी बेगम हेरंब के माँ-बाप की अपेक्षा अधिक समझदार प्रतीत होते हैं। 'कार्तिकी' का एक सामाजिक समस्या प्रधान उपन्यास होने के कारण उसमें वर्णित प्रेम भी सामाजिक समस्या के रूप में ही चित्रित हुआ है। इस कारण पाठकों के मन पर कभी प्रेम हावी होता है तो कभी सामाजिक समस्या।

कार्तिकी अकेली आबा साहब की खेती में मजदूरी करने जाती है। उसका आबा साहब की खेती में ही जाना जरूरी है। क्योंकि उनका जवान बेटा है। उसे अकेली काम पर जाना पड़ता है, क्योंकि उसकी और हेरंब की प्रेमकथा जन्म लेने वाली है। अपने खेत में कार्तिकी नामक सुन्दरी को काम करते देखकर हेरंब चकित होता है। वह उसकी सुन्दरता से मोहित होता है। कार्तिकी भी पहली ही मुलाकात में अपना दिल उसे दे बैठती है। दोनों में प्रेम की फुस-फुसाहट शुरू होती है। इस धुन में हेरंब गीता पाठ भूल जाता है। कार्तिकी का सौन्दर्य वर्णन करने के लिए उपन्यासकार ने अनेक पात्रों द्वारा उद्धृत वक्तव्य दिये हैं। कातिर्की को देखकर हेरंब की माँ यशोदा बाई कहती है, "हाय! दैया, महार (दलित) की बेटी है यह? इतनी सुन्दर! दिखती कैसी, बिल्कुल बामनी की तरह!" (पृ. 41) कार्तिकी को देखकर कुएँ पर पानी भरने वाली सवर्ण औरतें कहती हैं, "हाय! दैया, हमें लगा कोई बामनी ही जाय रही है।" (पृ. 48) आबा साहब कहते हैं, "बिल्कुल ब्राह्मण की बेटी की तरह दिखती है।"

(पृ. 50) कार्तिकी को भी लगता है, "मैं ब्राह्मण होती तो।" (पृ. 66) मानो सुन्दरता ब्राह्मणों की ही बपौती है। सुन्दर कार्तिकी सभी को ब्राह्मण जैसी दिखती है और खुद कार्तिकी को भी वही लगता है। अहो ब्राह्मण्यम्! ब्राह्मण का कितना माहात्म्य है यह! सुन्दर कार्तिकी को देखकर गाँव के सवर्ण कहते हैं, "अरे उसकी माँ पुणे की सेना में पारसी के यहाँ काम करती थी। फिर वह सुन्दर है तो अचरज कैसा? (पृ. 26) यदि वह सुन्दर है, तो वह ब्राह्मण ही होनी चाहिए, यदि वह ब्राह्मण नहीं है, तो उसकी माँ ने ब्राह्मण या सुन्दर पुरुष के साथ व्यभिचार किया होगा; इस तरह की यह दृढ़ धारणा है। दलितों के सौन्दर्य का ही नहीं, बल्कि उनके जन्म का भी अपमान करने की यह विकृत मानसिकता है। इस तरह सुन्दर कार्तिकी को देखकर समूचा गाँव बेचैन हुआ है। हेरंब तो उसके प्रेम में दीवाना हो गया है। दोनों खेत में मिलते हैं। एक दिन यह सुन्दरी अर्धनग्न अवस्था में नदी में स्नान कर रही होती है। ऐसा नयन मनोहारी दृश्य देखकर हेरंब उद्दीप्त होकर उसकी ओर लपक पड़ता है। कान्हया दृश्य देखकर छिप जाता है। कार्तिकी हेरंब को समझाकर परावृत्त करती है। पाठकों की निराशा होती है। दूसरे दिन से कान्हया कार्तिकी को पीरवाड़ी के मुसलमान बूढ़े सेठ के यहाँ भेजता है।

कुसगाँव के हिन्दू पीरवाड़ी के मुसलमानों के खिलाफ थे। कुसगाँव और पीरवाड़ी में हिन्दू-मुस्लिम वैमनस्य है। पीरवाड़ी के मुसलमान दादागिरी करते हैं। बूढ़ा सेठ रुपयों के बल पर मुसलमानों के अपराधों को दबा देता है। इस कारण कुसगाँव वालों ने तय किया कि कोई भी हिन्दू पीरवाड़ी में काम धन्धा या नौकरी नहीं करेगा। (पृ. 10) ऐसी विपरीत स्थिति में कार्तिकी पीरवाड़ी में काम करने जाती है। इससे कुसगाँव के हिन्दुओं का माथा भड़कता है। उन्हें इस बात का रंज है कि कार्तिकी जैसी सुन्दर स्त्री हाथ से निकल गयी। दूसरी बात यह कि कार्तिकी जैसी सुन्दर युवती को मुसलमान उपभोग किये बगैर नहीं छोड़ेंगे। एक तरह से हिन्दुओं को यह अपमान लगता है। कुसगाँव के हिन्दू कान्हया महार से इसका स्पष्टीकरण जानने के लिए सीधे महारों की बस्ती की ओर दौड़ पड़ते हैं। असल में हिन्दुओं को कान्हया को अपनी कोठी में, चौपाल में बुलाना चाहिए था, परन्तु ऐसा न कर वे ठेठ महारों की बस्ती में पहुँचते हैं। और महारों की बंजर भूमि पर पंचायत (पंचों की सभा) रखते हैं। महार-बस्ती के समीप पंचायत रखने का क्या कारण हो सकता है? उपन्यासकार इस प्रसंग के बहाने महार एवं महार बस्ती का चित्रण करना चाहता है। एक ओर यह चित्र है कि पंचायत हेतु गाँव वाले बैठे हैं, तो दूसरी ओर महार बस्ती का चित्रण है। उस बस्ती में एक पेड़ में मृत बैल टंगा है। इस बैल का मांस लेने के लिए महारों का मजमा लगा है। इस बैल पर टूट पड़ने के लिए गिद्ध तैयार दिख रहे हैं। येटया पोतराज में देवी का संचार होने से वह बेसुध होकर नाच रहा

है। मानो पंचायत के लिए आये गाँव वालों के मनोरंजन के लिए लेखक ने इस मेलोड्रामा का खेल प्रायोजित किया है।

गाँव में ढोर-डंगर के मरने पर महारों को सूचित किया जाता है। महार गाँव में जाकर मृत जानवर को खींचकर लाते हैं। उसका चमड़ा निकालते हैं। अच्छी स्थिति में होने पर उसका मांस ले जाते हैं। मृत बैल को पेड़ पर नहीं लटकाते। कसाई जब मांस बेचने के लिए लाता है, तब वह पशु का कबन्ध, पैर आदि अंग पेड़ में लटकाता है और ग्राहकों के मुताबिक सौदा बेचता है। यहाँ पेड़ में बैल के टंगे होने का वर्णन है। महारों द्वारा मृत पशु का मांस निकाल लेने के बाद उस पर कौए और कुत्ते टूट पड़ते हैं। चीलें भी उस पर बैठती हैं। किन्तु गिद्धों के झुंड दूसरे या तीसरे दिन से जमा होते हैं। यहाँ तो गिद्धों को आरम्भ में आमन्त्रित कर दिया है। महार और गिद्ध मांस के लिए आक्रामक बने हैं। किन्तु येटया पोतराज ऐसा सुअवसर त्यागकर थुयी थुयी नाच रहा है। देवी का संचार भी उसमें ऐसे ऐन वक्त पर हुआ है। गाँव वाले महारों की बंजर भूमि पर बैठकर इस चित्र का अवलोकन कर रहे हैं।

हिन्दू कान्हया महार को बुलाकर पूछते हैं, "अरे, तू हिन्दू है न? तेरा धर्म मुसलमानी नहीं न? फिर तुझे हिन्दू धर्म पर गर्व होना चाहिए। मुसलमान परस्त मत बन।" (पृ. 27) कान्हया को ब्राह्मण के घर की अपेक्षा मुसलमान का घर अधिक सुरक्षित लगता है इसलिए वह कार्तिकी को बूढ़े सेठ के घर काम करने भेजता है। पंचायत आक्रमक होती है। वे कान्हया का लेहना बन्द करते हैं और कार्तिकी को कुसगाँव में ही काम की सख्ती करते हैं। दूसरे दिन से कार्तिकी फिर हेरंब के घर जाना शुरू करती है। अछूत होने से कार्तिकी को घर के बाहर के काम सौंपे जाते हैं। आबा साहब की कोठी में कुआँ है, बगीचा है और ऐसे परिवेश में कार्तिकी काम करती है। उस बगीचे में कार्तिकी और हेरंब का प्रेम खिलने लगता है। प्रेम के अगले पड़ाव पर दोनों का मिलन होता है। यौवन की उफनती मस्ती में हेरंब कार्तिकी का उपभोग करता है, तब उसकी जाति उसे वर्ज्य प्रतीत नहीं होती। किन्तु सुखोपभोग के पश्चात् उसे कार्तिकी के दलित होने का एहसास होता है। उसे यह टीस सताती है कि अपने हाथ से पाप हुआ है। पापक्षालनार्थ वह चतुर्थी का व्रत निराहार करना चाहता है। "देह दण्ड से मैं अपने अपवित्र देह और मन को शुद्ध करूँगा।" (पृ. 69) अपराध बोध उसे सताता रहता है। "समाज को यदि पता चला तो हमारा पूरा परिवार बहिष्कृत होगा। हमारी जाति जायेगी। समाज में हमारा अवमूल्यन होगा। हमारे माँ-बाप का नाम बरबाद होगा। हमारी बहत्तर पीढ़ियाँ नरक में जायेंगी। हमारा जीवन बरबाद हो जायेगा।" (पृ. 7, 8); इस तरह के पश्चाताप से हेरंब हैरान होता है। पर कार्तिकी का क्या? वह तो गर्भवती बन गयी थी। स्वयं कार्तिकी को अपनी अपेक्षा हेरंब के कुल की अधिक चिन्ता थी। वह कहती है,

"तुम्हारी बरबादी होना मैं पसन्द नहीं करूँगी।" (पृ. 66, 67) कान्हया महार भी यही सोचता है। वह कार्तिकी से कहता है, "तुम उनसे बेईमानी ना करो। उनके बेटे को भ्रष्ट मत करना। उनकी जाति नष्ट ना करो। उनका धर्म नष्ट न करो। महार का ब्राह्मण को छूना पाप है। तुम इनामदार के परिवार को बरबाद करोगी।" (पृ. 65) कान्हया हो या कार्तिकी—दोनों को इनामदार की इज्जत की चिन्ता है।

कार्तिकी के साथ जो कुछ हुआ, वह उसने कान्हया को बताया था। इस अध्याय को समाप्त करने के लिए कान्हया फिर कार्तिकी को बूढ़े सेठ के यहाँ भेजना शुरू करता है। कुसगाँव के हिन्दू फिर भड़कते हैं। इस बार कान्हया और कार्तिकी किसी की नहीं सुनते। नतीजा कुसगाँव के हिन्दू कान्हया को बहिष्कृत करते हैं। कान्हया का लेहना बन्द होता है। उसके और उसके परिवार के जीवन में गतिरोध पैदा होता है। फिर भी वह अपने निर्णय पर अटल रहता है। कार्तिकी से बिछोह के कारण हेरंब विचलित होता है। एक दिन वह कार्तिकी को रस्ते में रोकता है। कार्तिकी द्वारा नकार पाकर वह उसे खींचने लगता है। तब नासिर कार्तिकी की सहायता के लिए दौड़ पड़ता है। नासिर और हेरंब में मारपीट होती है। इसमें नासिर का हाथ टूट जाता है। हेरंब पर गुनाह दर्ज किया जाता है। आबा साहब चिन्ता करते हैं कि हेरंब को सजा होने पर उनकी बदनामी होगी। वे स्वयं बूढ़े सेठ से मिलकर केस रफा-दफा करने की विनती करते हैं। आबा साहब व्यथित हो जाते हैं। हेरंब कार्तिकी से मिलकर उसे रुपये देता है और कहता है कि नासिर को समझौते के लिए तैयार करे। कार्तिकी रुपये लेने से इनकार करती है। गाँव वाले कान्हया के घर जाकर उसे कहते हैं कि वह गवाही न दे। कान्हया इस बात को नकारता है।

कार्तिकी का गर्भवती बनना सब ओर मालूम हो जाता है। गाँव के लोग इसलिए इकट्ठा होते हैं कि कार्तिकी के पेट में किसका बच्चा है? पंचायत होती है। कान्हया और कार्तिकी को बहुत सताया जाता है। फिर भी कान्हया और कार्तिकी सत्य को छिपाकर रखते हैं। वे नहीं चाहते कि इनामदार की अप्रतिष्ठा हो। गाँव के इनामदार की इज्जत की रक्षा की जिम्मेदारी महार पर है। परन्तु महार की इज्जत की रक्षा की जिम्मेदारी इनामदार पर नहीं। कार्तिकी हेरंब के बजाय नासिर का नाम लेती है। "नासिर का और मेरा सम्बन्ध है। तुम्हें जो करना है, कर लो।" (पृ. 105) कार्तिकी के इस वक्तव्य से गाँव वाले भड़क उठते हैं। कान्हया के खिलाफ उठाया गया बहिष्कार का कदम और कठोर किया जाता है। इससे कान्हया के परिवार पर मुश्किलें आती हैं। गाँव वाले और इनामदार कान्हया का अपमान करते हैं। उस पर चोरी का इल्जाम लगाते हैं। एक दिन उसकी झोंपड़ी में आग लगायी जाती है। परन्तु इतनी मुसीबतों के बावजूद वह इनामदार की बदनामी नहीं करता। वह नमक हलाल बना रहता है।

गाँव वालों द्वारा होने वाले जुल्म से ऊबकर कार्तिकी का पीरवाड़ी जाना बन्द होता है। फिर भी कान्हया पर होने वाले जुल्म नहीं रुकते। मांढरे पाटील द्वारा उकसाने के कारण महार-बस्ती भी कान्हया के खिलाफ हो जाती है। तब कान्हया की पत्नी रेऊ कार्तिकी को घर से बाहर निकालना चाहती है। कान्हया रेऊ को समझाता है कि "कार्तिकी के पेट में पल रही सन्तान मुसलमान की नहीं है, बामन की है।" (पृ. 127) यह सुनकर रेऊ खुश होती है। वह कहती है, "अब मैं पूरी दुनिया को कहूँगी कि मेरी छोकरी मासूम है।" (पृ. 128) पहले कार्तिकी की कोख में मुसलमान का गर्भ है, जानकर रेऊ को बुरा लगता है और बाद में जब इस बात का पता चलता है कि वह गर्भ ब्राह्मण का है तब उसी रेऊ को खुशी होती है और कार्तिकी निष्पाप लगने लगती है। इससे यह स्पष्ट होता है कि ब्राह्मण व्यक्ति द्वारा होने वाली बीज धारणा को कितनी प्रतिष्ठा है।

गर्भवती कार्तिकी गाँव वालों की आँखों में चुभ रही थी। एक दिन गाँव में कार्तिकी की नग्न अवस्था में जुलूस निकालकर बेइज्जती की जाती है। तब हेरंब अपने घर में छिपकर बैठा रहता है। नासिर का हाथ टूटने पर उसके सम्बन्ध में गुनाह दर्ज होता है; किन्तु जब कान्हया का घर जलाया जाता है, कार्तिकी को नग्न कर उसकी बेइज्जती की जाती है, तब गुनाह दर्ज नहीं होता। मानो दलितों पर अत्याचार करने का जन्मसिद्ध अधिकार ही सवर्णों को प्राप्त है। ऐसा यह यथार्थ है। मुसलमान बदनाम हुआ तो चलेगा परन्तु ब्राह्मण की बदनामी हर हाल में निषिद्ध है। ऐसी उसकी इच्छा होगी! नग्न जुलूस के पश्चात् कार्तिकी कुसगाँव का त्याग करती है और नासिर के साथ पुणे चली जाती है। वहाँ से वह हेरंब को सन्देश भेजकर उसे पुणे बुलाती है। परन्तु हेरंब यह साहस नहीं कर सकता। कोर्ट में कान्हया महार की गवाही से हेरंब मुक्त होता है। कोर्ट से छुटकारे के बावजूद अब वह कहीं का नहीं रहा था। कुसगाँव से कार्तिकी के निकल जाने के बाद वह बुराचार का शिकार होता ज़ाता है। व्यसनी बनता है। वेश्यागमन करता है। गुप्त रोग का शिकार बनता है।

पीरवाड़ी का बूढ़ा सेठ मेले के उपलक्ष्य में आबा साहब को अपने घर आने का न्योता भेजता है। बूढ़े सेठ के पूर्वज ब्राह्मण थे। बूढ़ा सेठ के दादा ने ब्राह्मणों के कपट से ऊबकर इस्लाम का स्वीकार किया था। ऐसा होते हुए भी बूढ़े सेठ मन से ब्राह्मण ही दिखेगा। वह जनेऊ पहनता है। शिव की पूजा करता है। इतना ही नहीं, बल्कि आबा साहब की बेइज्जती न हो इसलिए कार्तिकी को अपने घर में पनाह देता है। इस तरह मुस्लिम बूढ़े सेठ का यह ब्राह्मण-प्रेम है। र. वा. दिघे ने बूढ़े सेठ, बूढ़ी बेगम और नासिर नामक मुस्लिम पात्रों का बिल्कुल अच्छा वर्णन किया है। एक हिन्दू लेखक द्वारा मुस्लिमों का इतना अच्छा वर्णन किया जाये यह दुर्लभ बात है। इन कारणों की खोज के बाद पता चलेगा कि ये मुस्लिम पात्र धर्मान्तरित हिन्दू हैं।

ये धर्मान्तरित मुस्लिम पात्र हिन्दू धर्म का अनुसरण करते दिखाई देते हैं। धर्मान्तर करने के बावजूद भी हिन्दू धर्म को ना भुलाया जाये, इस तरह यहाँ सन्देश है।

गुप्त रोग से हेरंब की मृत्यु हो जाती है। उसकी बहन यमूक कुएँ में गिरकर मृत्यु हो जाती है। आबा साहब की सर्पदंश से मृत्यु हो जाती है। इस तरह इनामदार खानदान का सर्वनाश हो जाता है। इसके विपरीत कार्तिकी नासिर को लेकर मुम्बई चली जाती है। वहाँ दोनों बौद्ध धर्म स्वीकार करते हैं। दोनों शादी करते हैं। कार्तिकी नर्स की नौकरी पाकर सुखी गृहस्थी का अनुभव करती है; परन्तु कान्हया महार अकेला और विपन्नावस्था में जी रहा होता है। उसकी पत्नी रेऊ मर गयी थी और बेटे महादू तथा सहादू वार्म का अनुसरण कर रहे होते हैं। कार्तिकी उन्हें सुधारने की कोशिश करती है।

उपन्यास के अन्त में कार्तिकी अपने बेटे को लेकर कुसगाँव आती है। वह बच्चा हेरंब का वंश था। वह कान्हया को मुम्बई ले जाना चाहती है और वहाँ बौद्ध धर्म की दीक्षा देने वाली है। कान्हया की हिन्दू धर्म के प्रति बड़ी निष्ठा थी। वह धर्मान्तर करने के बजाय मरण का वरण करता है। पाण्डुरंग की मूर्ति साथ लेकर कान्हया आत्महत्या करता है। किन्तु कुसगाँव के महारों की बस्ती बौद्धमय होने के लिए आतुर थी।

कार्तिकी हेरंब के बेटे को लेकर हेरंब के घर जाती है। हेरंब की माँ कार्तिकी के बेटे पर प्रेम की बरसात करती है। क्योंकि वह तो हेरंब जैसा ही दिख रहा था। काश! हेरंब की माँ अपने वंश का तभी स्वीकार करती, जब वह कोख में पल रहा था...! तो उपन्यास आगे नहीं बढ़ता।

जब मनुष्य जाग जाता है

(गोदावरी परुळेकर)

गोदावरी परुळेकर द्वारा लिखित 'जब मनुष्य जाग जाता है' (1970) शीर्षक पुस्तक मैंने अपने महाविद्यालयी जीवन में सन् 1975 से 1978 के दरमियान कभी पढ़ी थी। इस किताब ने मुझे बहुत प्रभावित किया था। इस काल में 'जीवनवाद या कलावाद' सम्बन्धी चर्चा को मैंने पुस्तकों में पढ़ा था। उपर्युक्त पुस्तक के कारण जीवनवाद के प्रति मेरी श्रद्धा मजबूत बनी थी। इस दौरान मैंने जो पुस्तकें पढ़ीं, वे मुख्यतया ब्राह्मण-लेखकों द्वारा लिखी गयी थीं। इसलिए एक ऐसी धारणा दृढ़ हुई थी कि लेखक मध्यवर्गीय सफेदपोश तबके का बुद्धिजीवी होता है। उच्चवर्गीय सफेदपोश लेखक द्वारा दलितों के पक्ष में लिखा जाना तब मेरे लिए आश्चर्यजनक हुआ करता था। सफेदपोश लेखकों का उदारवाद, परिवर्तन पर उनकी निष्ठा और दलित विषयक करुणा पढ़कर मैं अभिभूत हो जाता था। इस काल में मुझे पढ़ने के लिए दलित साहित्य नहीं मिला था। जीवन-वादी आलोचना ने मुझमें स्थित अभिरुचि का पोषण किया था। दलित लेखक-आलोचकों की पहली पीढ़ी पर जीवनवाद का बड़ा भारी प्रभाव था। इसी कारण दलित साहित्यकारों की पहली पीढ़ी द्वारा दीर्घकाल तक यह राग अलापा गया कि दलित साहित्य जीवनवादी साहित्य है।

गोदावरी परुळेकर द्वारा लिखित 'जब मनुष्य जाग जाता है' शीर्षक पुस्तक पढ़ने से पूर्व मैंने आदिवासियों के विषय में एक अक्षर तक नहीं पढ़ा था। असल में एक मध्यवर्गीय लेखिका ने गैर आदिवासी पाठकों की आँखों के सामने रखकर यह पुस्तक लिखी है। किसी कैमरामैन द्वारा किये गये चित्रीकरण की तरह इस पुस्तक की रचना हुई है। इसलिए हम उतना ही देख पाते हैं, जितने का चित्रण किया गया है। लेखन के मूल में लेखक की भूमिका और पाठकों के सम्बन्ध में स्थित दृष्टिकोण पाठकों को प्रभावित करता है। इसी कारण इस पुस्तक को गैर आदिवासी मानसिकता के द्वारा ही अच्छी तरह समझा जा सकता है। सफेदपोश मध्यवर्गीय सोच वाले पाठक को यह पुस्तक जितना प्रभावित कर पायेगी उतना जन्म से आदिवासी होने वाले पाठक को भी करेगी—ऐसा नहीं है। लेखिका ने अपने लेखन के विषय में कहा भी

है, “इस पुस्तक को लिखते हुए इसका मुख्य उद्देश्य यह था कि आज तक वारली, आदिवासी या उनके जैसी जिन किसानों की अवस्था है, उनके जीवन की झाँकी एक बार फिर प्रजा के सम्मुख आये। इन किसानों में किस प्रकार का और कितना काम करने की तड़प पैदा हो, उठते-बैठते क्रान्ति की बातें करने वालों को क्रान्ति की पूर्व तैयारी को लेकर कुछेक मालूमात हो और उसके लिए कुछेक उपयुक्त हो जायें, यही सीमित उद्देश्य ध्यान में रखकर प्रस्तुत पुस्तक लिखी गयी है।''

गोदावरी परुळेकर के लेखन पर उनके सफेदपोश होने की गहरी छाया पड़ी दिखाई देती है। वे कहती हैं, “आदिवासी जीवन के सम्बन्ध में मुझे विशेष जानकारी नहीं थी। मेरी पूरी पढ़ाई पुणे में हुई है। सार्वजनिक जीवन की प्रथमावस्था में मुम्बई मेरी कर्म भूमि थी।'' (पृ. 1) लेखिका के पति शामराव परुळेकर कम्युनिस्ट दल के नेता थे। मात्र उनकी प्रेरणा से लेखिका को आदिवासियों में कार्य करने का अवसर मिला। शामराव परुळेकर की यह ठोस भूमिका थी कि राजनैतिक स्तर पर किसानों के जागरण के अभाव में तथा किसानों के लड़ाकू संगठन के अभाव में समाजवादी क्रान्ति असम्भव है। यही कारण है कि इन दोनों ने थाना जिले में आदिवासियों के बीच कार्य आरम्भ किया। अपने पति से प्रेरणा ग्रहण कर गोदावरी परुळेकर ने आदिवासियों के लिए 'लाल बावटा' का जो कार्य किया, उसका लेखा जोखा प्रस्तुत पुस्तक में प्राप्त होता है।

जमींदारों के मकानों की छवाई करना, जलाने के लिए लकड़ी काट देना, भोज पत्र ला देना, बीड़ी के पत्ते ला देना, जमींदार—साहूकारों को दातून करने के लिए तिनके तोड़कर तथा साफ कर गड्डी बाँधकर देना, मेंड़ बनाना या खेत की हदबन्दी करना, जोतना या हल चलाना, बोआई, गोड़ाई, कटाई, कूटना, जमींदार के घर भात ढोकर ले जाना जैसे काम आदिवासियों को करने पड़ते थे। इन कामों से वे इनकार नहीं कर सकते थे। इनकार करने पर आदिवासियों पर लगातार अत्याचार किये जाते थे। जमींदार अपने असामी की पत्नियों को अपनी खुद की जायदाद समझते थे। आदिवासियों की चोटी बाँधकर पिटायी की जाती या उन्हें उलटा लटकाकर मिर्च का धुआँ दिया जाता था।

शासनतन्त्र भी विशिष्ट परिस्थितियों में विशिष्ट सीमा तक ही निष्पक्षता से काम कर सकता था। साहूकार-जमींदार सरकारी अधिकारियों की खातिरदारी करते थे, इसलिए वे साहूकार-जमींदारों के ही पक्ष में होते थे। गाँव का सवर्ण समाज भी साहूकार-जमींदारों के पक्ष में ही खड़ा होता था। आदिवासी निरक्षर, अज्ञानी, दरिद्र एवं लाचार थे, अतः उनमें स्वाभिमान का अहसास तक नहीं था। ऐसी स्थिति में आदिवासियों को संघर्षशील बनाना तथा संघर्ष के दौरान निरन्तर उनके साथ रहना, इसके लिए कम्युनिष्ठ दल के पास पूर्णकालीन कार्यकर्ताओं का अभाव था। ऐसी

विकट परिस्थितियों में गोदावरी परुळेकर ने जो कार्य किया वह अतुलनीय ही कहा जा सकता है। निढाल होकर निश्चेष्ट पड़ा वारली समाज कैसे हड़बड़ाकर जाग गया, गर्व से सीना तानकर किस तरह समाज में विचरण करने लगा, उसके आचार-विचारों में किस तरह आमूल परिवर्तन आया, ये और इस तरह की बातें पाठकों के समक्ष रखने के उद्देश्य से प्रस्तुत ग्रन्थ की रचना की गयी है।

शहरी जीवन के आदी मध्यवर्गीय नहीं जानते कि जंगल में रह रहे आदिवासी किस तरह पशु तुल्य जीवन जीते हैं, वे जंगली जीवन जीते हैं और उन पर अमानुष अत्याचार किये जाते हैं। इन बातों पर विश्वास करने के लिए सफेदपोश व्यक्ति तैयार नहीं होता। उसे यह सब अतिरंजित, अवास्तविक और असत्य प्रतीत होता है। सफेदपोश जीवन जीने वाले सुविधाभोगी मध्यवर्गीय पाठकों को अपने लेखन की वास्तविकता से परिचित कराने के लिए परुळेकर ने अपने लेखन में विभिन्न विवरणों से जानकारी उद्धृत की है। इस कारण उनकी आत्मकथा को वैचारिक स्वरूप प्राप्त होता दिखाई देता है। गोदावरी परुळेकर को मात्र अपनी आत्मकथा ही नहीं लिखनी है, बल्कि मध्यवर्गीय पाठकों को आदिवासी जीवन सम्बन्धी विस्तृत जानकारी प्रदान करनी है। लेखिका ने यह मानकर ही प्रस्तुत ग्रन्थ की रचना की है कि अपने पाठकों को आदिवासी जीवन का परिचय नहीं है।

गोदावरी परुळेकर स्वयं एक खुशहाल घराने से सम्बद्ध महिला है। वे स्वयं मध्यवर्गीय तथा सफेदपोश वर्ग की प्रतिनिधि हैं। इस कारण उनके रहन-सहन और सोच-विचार के ढंग में कई बार मध्यवर्गीय प्रवृत्ति की झलक मिलती है। "भोजन यानी दाल, चावल, नींबू, देसी घी, दो सब्जियाँ, चपाती, पतला साग, चपाती के साथ केले से बना सिखरन, दाहिनी ओर एकाध तला हुआ पदार्थ और दही की कटोरी। इस तरह की भरी हुई थाली को जायके के साथ खाने वाले तथा अन्त में यदि दही-चावल न मिले तो खाने का मजा ही खत्म हो जाये, इस तरह के खाने की आदी मैं जब देखती हूँ कि इस गन्दे पानी जैसी तरकारी को खाना कैसे कहते हैं? मैं हैरान हो जाती हूँ। उन बच्चों का वह खाना देखकर मैं स्तंभित हो गयी।" (पृ. 23) गोदावरी जी सफेदपोश दुनिया से निकलकर पहली बार आदिवासी वारली लोगों के विश्व में जाते ही काँप उठती। ''उन्हें मामूली-सी चाय पाने के लिए भी प्रयास करने पड़ते हैं। मुझे चाय की बड़ी आदत थी। फिर संजाण स्टेशन पहुँचने तक एक घूँट चाय पाना भी सम्भव नहीं था। मैं रुआँसी हो गयी। लक्ष्य के प्रति निष्ठा तथा दरिद्र लोगों के प्रति छटपटाहट अविचल होने से ही मैं स्वयं को सँभाल सकी।" (पृ. 13) ''उस वीरान जगह एक पल भी हमें एक घण्टे की भाँति लगने लगा। चाय की अनिवार्य इच्छा जानने लगी। भूख और प्यास से दम घुटने लगा। मुझे तो भगवान याद आने लगा। अन्दर की बेचैनी को दबाकर मैं वारली (आदिवासी व्यक्ति) के

आने का इन्तजार करने लगी।" आदिवासियों के बीच काम करने के लिए जाने के बाद मध्यवर्गीय जीवन से सम्बद्ध मामूली-सी बातें भी कितनी जान लेवा लगने लगती हैं, इस तरह का यह चित्रण है। आदिवासियों की बस्ती में व्यतीत होने वाला एक-एक पल भी लेखिका के लिए असह्य हो जाता है और उसे खुदा याद आने लगता है। वह निरूपाय हो जाती है। इसकी वजह यह है कि लेखिका इस दुनिया की निवासी नहीं है। वह बाहर से आयी है। ऐसे बाहर से आये व्यक्ति के प्रति आदिवासियों में अक्सर कौतूहल का भाव दिखता है। उनकी पक्की धारणा होती है कि बाहर का आदमी उन पर अन्याय करने के लिए ही आता है। अतः बाहर का आदमी जब भी उनका पक्ष लेने लगता है, तब आदिवासियों के मन में सन्देह और कौतूहल का भाव जागने लगता है। यहाँ तक कि छोटे बच्चों की मुखाकृति के भाव भी छिप नहीं सकते। "बहुत सारे बच्चे हमें देखने के लिए हमारे आस-पास जमा हुए। कोई हाथ में की लाठी पर ठुड्डी रखकर तो कोई मात्र खड़े-खड़े ही हमें टुकुर-टुकुर देखने लगे।" (पृ. 13) आदिवासियों के लिए लेखिका और लेखिका के लिए आदिवासी नये थे। इसलिए दोनों में असमंजस और आश्चर्य की स्थिति दिखाई देती है। सवर्ण व्यक्तियों के साथ उठने-बैठने के प्रसंगों के कारण आदिवासी आनन्द अनुभव करते हैं। "सफेदपोश या सवर्ण मनुष्यों के साथ बैठकर पहली बार चाय पीने के कारण आदिवासियों को हुई खुशी उनके चेहरे पर दिखने लगी।" (पृ. 16) अथवा "उन्हें यह जानकर आश्चर्य हुआ कि हम वहीं पर रहने और खाने वाले हैं, परन्तु असल में भीतर से वे बहुत खुश लग रहे थे।" (पृ. 17) निराधार, निरक्षर वारली आदिवासी समाज अपने टूटे-फूटे झोंपड़े में, जंगल-कंदरा में पृथक-पृथक बस्ती बनाकर रह रहा था। उनका संगठन नहीं था। उन्हें किसी की सहायता नहीं मिलती थी। इसलिए यह समूचा समाज अधमरा होकर निश्चेष्ट पड़ा था। उसे यह भी मालूम नहीं था कि कि मनुष्य के रूप में जीने का वह भी हकदार है। ऐसे आदिवासियों में जाकर उन्हें जाग्रत करना निश्चय ही जटिल काम था। इसके लिए आदिवासियों का विश्वास और प्यार अर्जित करना प्राथमिक जरूरत थी। यह करने के लिए गोदावरी जी आदिवासियों के घर में ठहरती हैं, उनका खाना और पानी ग्रहण करती हैं—"मैं सोच में पड़ी थी कि लिप्टन या ऑरेंज पेको के ताजे दूध की चाय पीने की आदी मैं कैसे वह चाय पी सकी? जवाब आसान है। कोई भी ध्येयवादी व्यक्ति अपनी मंजिल के रास्ते में आने वाली समस्याएँ, भोगे जाने वाले क्लेश एवं परिश्रम की चिन्ता नहीं करता। वह सब सहते हुए उसकी अन्तरात्मा तुष्ट होती रहती है।" (पृ. 17) गोदावरी परुळेकर ने खुशहाल जीवन का त्याग कर आदिवासी जीवन को, उनके दुःख को अपना माना है। वे कहती हैं, "उस निर्मनुष्य वीरान देहात में...मनुष्यों के इकट्ठा होने तक खाली पेट बेकार बैठा रहना पड़ता था...उस झोंपडे के पास ही, उस कंगाल

जीवन के बारे में सोचते हुए, दाँत को दाँत लगाकर घण्टों बैठना पड़ता था। समय नहीं बीतता था। हैरान होती थी।" (पृ. 21) इतना ही नहीं, बल्कि "दो-तीन दिन देहात में घूमने पर शक्ल और कपड़े इतने गन्दे हो जाते थे कि शहर के सवर्णों को हमारे पास खड़े होने में शर्म आती।" (पृ. 22) अपने समाज कार्य के प्रति लेखिका की पक्की निष्ठा है। गोदावरी परुळेकर 'लाल बावटा' आन्दोलन के लिए अपना सर्वस्व दाँव पर लगाकर रस्ते पर उतरी दिखती है। "रात में घर में सोने पर ढोर-डंगरों की गन्दगी से नींद नहीं आती थी।" (पृ. 10) पुणे-मुम्बई जैसे महानगरों में पली-बढ़ी लेखिका आदिवासी जीवन के साथ घुल-मिल गयी दिखती है। उन्होंने स्वयं इस कठिन राह का चयन किया है। "कमची के बाड़े में खुली पड़ी उस रोटी को खाने का मन नहीं होता था। मेरे लिए यह कैसे सम्भव था? उस रोटी को गरम करने के बहाने मैंने अपने मन को तसल्ली दी कि आग पर उलट-पलट कर उसे निर्जंतुक बना लिया है।" (पृ. 27); आदिवासियों का अनाज खाते हुए लेखिका कतराती है। आदिवासियों का बेस्वाद और निकृष्ट अनाज उससे खाया नहीं जाता। "हमारे द्वारा न खाये जाने पर उन्हें इस बात का दुःख होता कि पका हुआ अनाज बेकार गया। हम परिश्रम नहीं करते। हमारा खाना सीमित है। हमारा पेट भर गया ऐसा कहकर थोड़ा दाल-भात खाकर हम उठ गये।" (पृ. 28) लेखिका को यह डर भी लगता था कि आदिवासियों के अनाज में रोगजन्तु हो सकते हैं। इसलिए लेखिका आदिवासियों का अनाज अपनी इच्छा के खिलाफ खाती है—"थोड़ा चावल और तरकारी जैसे-तैसे हलक के नीचे उतारकर मैं उठ गयी।" (पृ. 29) गोदावरी परुळेकर आदिवासियों को अपने मन में चल रही बातों की भनक भी नहीं लगने देती। वे आदिवासियों की अनुशंसा करती दिखती हैं। "सांबर के बर्तन को लालच में चाट-पोंछकर खाते हुए मैंने कई झोंपड़ों से कई बच्चों को देखा है। नाना प्रकार की प्रशंसा के साथ दूध एवं टॉनिक बोतलें बच्चों को देते देख चुकी मेरी जैसी औरत ने जब उस दैन्य को देखा तो मेरी आत्मा तड़प उठी। ऐसा लगा कि आँखें बन्द कर लूँ। उस दरिद्रता से ऊब उठी।" (पृ. 24) आदिवासियों की दरिद्रता को देखकर लेखिका बेचैन होती है। "वहाँ की गरीबी पिछड़ापन देखकर मुझे मेरी शर्म आने लगी।" (पृ. 31) आदिवासियों का दरिद्र जीवन देखकर लेखिका को अपने मध्य वर्गीय जीवन का बार-बार स्मरण हो आता है। लेखिका आदिवासियों के जीने और मध्यवर्गियों के जीने की बार-बार तुलना करती है। "अनेक बच्चों को भूसे की रोटी और नमक का कंकड चबाते देखा है। यह दृश्य देखकर मेरी आँखों में पानी आ गया। मेरे बचपन में कई चॉकलेट और बिस्कुट के डिब्बे हम साफ कर जाते थे। वह याद आ गया।" (पृ. 26) अथवा "अपने घर आये मेहमान से दो-चार आने-पैसे ले ले, इतने वे संकीर्ण सोच के नहीं थे। 'हम रुपये देंगे' की डींगे मारने के वाले उन सफेदपोश लोगों पर मुझे तरस

आता था।'' (पृ. 24) अथवा "एक ओर साफ-सुथरा पायजामा, धोती, कुर्ता, बंड़ी अथवा सूट पहने पुरुष, रेशम की धोती पहनने वाली औरतें, तो दूसरी ओर लंगोटी पहने और जैसे-तैसे शरीर को ढक पाने वाले वस्त्र पहनने वाली अर्धनग्न औरतें, एक ओर जमीन-मालिकों के पान-तम्बाकू चबाते-चाय पीते बैठे समूह, तो दूसरी ओर दस-दस, पन्द्रह-पन्द्रह मील बोझ ढोने वाले अथवा जमीन को छुए बगैर काम करने वाले वारली आदिवासी लोग। एक ओर अनाज से भरे गोदाम तो दूसरी ओर मटके भर पानी में उबाले चावल के चार दाने चाट-चाट कर खाने वाले किसान, इस तरह नंग-धड़ंग रूप में सम्पत्ति और दरिद्रता इतने पास-पास पायी जाती हैं।" (पृ. 36) गोदावरी परुळेकर आदिवासी और मध्यवर्गियों के जीवन में द्रष्टव्य फासले को लगातार संकेतित करती हैं। आदिवासियों की अपेक्षा मध्यवर्गियों का जीवन कितना खुशहाल, समृद्ध और विलासी है, इस ओर लेखिका ने निर्देश किया है। मँडुआ की माँड, पटनी का भात, भूसे की रोटी, इमली, पटसन के पत्ते, कड़वा प्याज खाकर अधनंगी स्थितियों में, जंगल और कंदराओं में स्थित भीषण उदास झोंपड़े में ढिबरी-मटके के साथ जीविका चलाने वाले वारली आदिवासियों के जीवन का चित्रण लेखिका ने प्रामाणिकता के साथ किया है। गैर-आदिवासी समाज आदिवासियों के बीच रहकर काम करती लेखिका का मजाक उड़ाता है। इस पर गोदावरी परुळेकर गुस्सा होती है। "यदि मैं कांग्रेस कार्यकर्ता अथवा महिला-मण्डल की कार्यकर्ता के रूप में, यही नहीं मात्र सैर के लिए गयी होती तो इन औरतों ने मेरा कितना आतिथ्य किया होता। मुझे स्नान के लिए गरम पानी अपने हाथों से दिया होता, भोजन का आग्रह किया होता। मुझे अपने में से एक मानकर मेरी कितनी आवभगत की होती। उनकी आत्म सन्तुष्टि पर मुझे तरस आ रहा था। मुझे लगा, मेरे काम को लेकर, उद्देश्य को लेकर, उसके भले-बुरे नतीजे को लेकर मेरे साथ बोलने तक को राजी न हो? इतनी उदासीनता? मुझसे इन्हें डर लगता है?" (पृ. 66) लाख बाधाओं के बाद भी गोदावरी परुळेकर डगमगाती नहीं। वे बड़े धैर्य एवं जोश के साथ काम करती हैं।

"हमें बहुत परेशान किया गया, पर हमारा काम नहीं रुका। आन्दोलन की धारा समूचे बाँध को तोड़कर आगे जा रही थी।" (पृ. 85) गोदावरी परुळेकर ने आदिवासियों के लिए अपने को समर्पित कर लिया है। ''इन जमींदार-साहूकारों के प्रति मेरे अन्दर एक प्रकार की घृणा तथा मनमुटाव पैदा हुआ। अनिवार्य रूप से ऐसा लगा कि इन्हें सबक सिखाया जाये। उसी तरह मरी हुई मनोवृत्ति से सारे अत्याचार सहन करने वाले वारली आदिवासियों के प्रति भी क्षोभ उत्पन्न हुआ। जब मैं शान्त चित्त से सोचती रहती तब लगता, उनमें ज्वालामुखी धधक रहा है। उनकी शान्ति चिंगारी पर स्थित राख है। उसे उड़ाना अपना काम है।'' (पृ. 36)

जिस व्यवस्था के खिलाफ गोदावरी परुळेकर लड़ रही थी, वह व्यवस्था मजबूत और सख्त थी। उस व्यवस्था के रक्षणार्थ प्रशासन और पुलिस तैयार थे। लेखिका जिनके लिए सर्वस्व दाँव पर लगाकर घर के बाहर निकली है, वे आदिवासी निरक्षर, अज्ञानी, अन्धश्रद्धालु, दरिद्र और लाचार थे। ऐसी प्रतिकूल स्थिति में संघर्ष करते हुए लेखिका भी हताश होती है। "मुझे बहुत निराशा हुई। मन विषण्ण हुआ। ऐसे प्रसंग में लगता, क्यों हम इस झंझट में पड़े। मुम्बई में आराम के साथ सुख से यह काम कर सकते थे।" (पृ. 124)

गोदावरी परुळेकर तथा 'लाल बावटा' पर आदिवासियों का जी-जान से प्रेम है। कठिन प्रसंग में वे गोदावरी परुळेकर का साथ देते दिखाई देते हैं। ''तुम आज हमारे घर आयी। हमें लगा, भगवान ही हमारे घर आया। भगवान ने ही तुम्हें यहाँ लाया।" (पृ. 28) यों आदिवासियों को लेखिका ईश्वर के समान प्रतीत होती है। इसका कारण है कि गोदावरी परुळेकर ने अपनी जान की बाजी लगाकर आदिवासियों के लिए दिन-रात काम किया है। किन्तु गैर आदिवासी समाज गोदावरी परुळेकर का साथ नहीं देता। कुछेक प्रगतिशील लोग और कुछ कॉमरेड साथियों को छोड़ें, तो समूचा 'लाल बावटा' आन्दोलन गोदावरी परुळेकर ने ही खड़ा किया है, ऐसा यह चित्र है। वे जब एक देहात में जाती हैं और उस रात कोई उन्हें पनाह नहीं देता, ऐसे समय वे अकेली पेड़ तले बैठकर रात बिताती हैं। यह चित्रण उन्हीं के शब्दों पढ़ना उचित होगा–''इतनी रात कहाँ जाएँगे? वारली आदिवासियों की तरफ जाओ तो उनकी बस्तियों को लेकर अंजान थे। मैंने अपने सामान की पोटली बनायी। उसे पेड़ के समीप रखकर उसपर बैठ गयी। सिर से पैर तक कपड़े से ढक लिया। दूसरा कोई चारा न होने से उसी तरह पेड़ तले बैठकर पूरी रात बितानी थी। कहीं कुछ खट् बजा कि डर लगता था। हर पल युग की तरह प्रतीत होता था। सारी रात अब ऐसे ही बितानी होगी, इस विचार से माथा सन्न हो गया।" (पृ. 59) इस प्रसंग को पढ़ते हुए पाठक थर्रा उठता है। गोदावरी परुळेकर की कार्य के प्रति जो निष्ठा है, उस पर कोई सन्देह नहीं। भूमिगत अवस्था में वे पन्द्रह गाँवों को भेंट देती हैं। आदिवासियों की बैठकें आयोजित करती हैं। उन्हें लड़ने के लिए बल देती हैं। पुलिस और जमींदारों के पिट्ठू पीठ-पीछे होकर भी वे खतरा मोल लेकर घूमती हैं। भूमिगत अवस्था में आदिवासियों से मिलकर उन्होंने जो कार्य किया है वह अतुलनीय ही है। अपने भूमिगत प्रवास को लेकर उन्होंने लिखा है, "कड़ाके की ठंड में, पेट में चाय की एक बूँद तक न होते हुए अन्धेरे में रास्ता खत्म होने का नाम नहीं ले रहा था। घास की कटाई नहीं हुई थी। ठंड में दव-बिन्दुओं से लुढ़की हुई घास पर से चप्पलें तेजी से फिसलने लगीं। चप्पलें हाथ में उठाओ तो कंकर चुभ रहे थे। एकाध कंकड़ ऐसे चुभता कि कलेजे में टीस होती।" (पृ. 127) अथवा ''गंगा में

पानी बहुत था और उसका दबाव भी काफी था। मुझ अकेली औरत के लिए नदी पार करना सम्भव नहीं था। दो आदिवासियों के साथ ढलान का अन्दाजा लगाते हुए मैं पानी में उतरी। पानी में स्थित गोल पत्थरों से पैर फिसलने लगे। मेरे पैर रुकने का नाम नहीं ले रहे थे। आदिवासी बन्धु मेरी पोटली माथे पर बाँधकर और मुझे दोनों ओर से पकड़कर नदी के उस पार ले गये।" (पृ. 120) तानाशाही की परवाह न कर लेखिका यह प्रवास करती है।

गोदावरी परुळेकर आदिवासियों की बस्तियों में जाती हैं। उनमें घुल-मिलकर रहती हैं। उनका अनाज खाती हैं। बैठकें करके उनमें गुलामी के खिलाफ अहसास जगाती हैं। इससे आदिवासियों में शोषण का इनकार करने का भाव जागता दिखाई देता है—"जमींदार के भैया और पटवारी को पीछे हटना पड़ा। वह भी उनके सामने, इसलिए सभी खुश थे।" (पृ. 10) अथवा "साहूकार के काम का इनकार करना और फिर भी साहूकार का चुपचाप निकल जाना, यह उनके जीवन का अभूतपूर्व अनुभव था।" (पृ. 19) आदिवासी जमींदारों के काम से इनकार नहीं कर सकते थे। 'लाल बावटा' और गोदावरी परुळेकर के कारण आदिवासियों ने इनकार की ज़बान सीखी। आदिवासियों द्वारा इनकार शुरू होने पर उनके ऊपर मुकदमों की संख्या बढ़ी। आदिवासियों की समस्याएँ मुम्बई तक पहुँचीं। आदिवासियों का पक्ष लेने वाले और बिना मानदेय के काम करने वाले वकील आगे आये। आदिवासियों हेतु पृथक कोर्ट की स्थापना हुई। यह सब आन्दोलन का नतीजा था। "जमीन-मालिकों का विरोध जितना तीव्रतर हुआ, आदिवासियों का हमारे प्रति भरोसा उतना ही बढ़ता गया।" (पृ. 67) इस तरह 'लाल बावटा' आन्दोलन व्यापक होता हुआ दिखता है।

लेखिका 1946 से 1948 के दरमियान निर्वासित थीं। 1942 से 1951 के बीच भूमिगत थीं और 1951 से 1953 के दरमियान कारावास में थीं। गोदावरी परुळेकर ने आदिवासियों के लिए बड़ा अलौकिक कार्य किया है। 'लाल बावटा' आन्दोलन के ही कारण आदिवासी संगठित होकर संघर्ष करने लगे और उन पर हमले बढ़े। 1945 में आदिवासियों पर पहला हमला हुआ। 1946-47 में दूसरा हमला हुआ। 1958 में तीसरा हमला हुआ। सरकारी हमलों का प्रतिकार करते हुए आदिवासियों को जिन भीषण स्थितियों से गुजरना पड़ा, उन्हें याद करना दिल दहलाने वाला होता है, ऐसा लेखिका कहती है। 1945 के बाद आदिवासियों को नया आत्मज्ञान मिला। जनवरी 1945 में टिटवाला में किसान सभा का प्रथम अधिवेशन हुआ। इस अधिवेशन से संयुक्त महाराष्ट्र आन्दोलन तक के काल में आदिवासी समाज सक्रिय दिखता है। उनमें एकता और संघर्ष की भावना दिखती है। 'लाल बावटा' आन्दोलन के कारण; यही नहीं बल्कि गोदावरी परुळेकर के जीवट के कारण नये आदिवासी समाज का जन्म हुआ। किन्तु गोदावरी परुळेकर सवर्ण सोच से उबर नहीं पायीं।

यह सोच हमेशा उन पर हावी रही। टिटवाला के प्रथम अधिवेशन में विपुल संख्या में आदिवासियों की उपस्थिति के दौरान, "सारी जिन्दगी सवर्णों की दुतकार में बिताने वाले आदिवासियों का टिटवाला में जो स्वागत हुआ, वह निश्चय ही नयी बात थी। हमारे द्वारा अत्यन्त आत्मीयतापूर्वक पूछताछ किये जाने पर वे चकित हुए। उनकी अस्मिता जागी।" (पृ. 68) ऐसा सन्देह होता है कि लेखिका ने मानो आदिवासियों को चकित करने के लिए ही उनसे आत्मीय व्यवहार किया। सवर्णों द्वारा आत्मीय व्यवहार से आदिवासी चकित होते हैं, यह कितनी विकृत सोच है? लेखिका की सफेदपोश सोच इन वक्तव्यों से अधिक स्पष्ट होती है। वे कहती हैं, "मनुष्य ने मनुष्य को किस अधोगति तक पहुँचाया है। इन गरीब, निष्पाप लोगों की स्थितियाँ बदलेंगी? ऐसे सवाल मुझे अक्सर बेचैन करते थे। एक ओर अलग-अलग अनुभवों से समृद्ध होने वाले जीवन के बारे में भी मुझे मजा आता था।" (पृ. 30) गोदावरी परुळेकर के जेहन में जैसे आन्दोलन की बेचैनी है, वैसे मध्यवर्गीय सोच का मज़ा भी है।

यद्यपि यह सही है कि गोदावरी परुळेकर की प्रस्तुत पुस्तक पढ़कर आदिवासी विषयक जानकारी प्राप्त होती है, फिर भी आदिवासियों की समस्याओं की अपेक्षा गोदावरी परुळेकर के कार्य की महत्ता पाठकों को अधिक प्रभावित करती है। आदिवासियों को गौणत्व और लेखिका को देवत्व प्राप्त होता है। एक असाधारण व्यक्ति के रूप में गोदावरी परुळेकर की जानकारी पाठकों को मिलती है। समाज एक ओर पड़ा रहता है और व्यक्ति माहात्म्य को जरूरत से ज्यादा महत्त्व दिया जाता है; यही इस पुस्तक की बहुत बड़ी सीमा ठहरती है।

रोटी और फूल

(मधु मंगेश कर्णिक)

मधु मंगेश कर्णिक कृत 'रोटी और फूल' (1982) एक चर्चित उपन्यास है। यह उपन्यास प्रथम बार मराठी पत्रिका 'मोहर' के दीपावली विशेषांक (1972) में छपा। फिर दस वर्ष के उपरान्त पुस्तक रूप में प्रकाशित हुआ। पुस्तक रूप में प्रकाशित होने से पूर्व उपन्यासकार ने इसका पुनर्लेखन किया है। पुस्तक में उन्होंने अपना मन्तव्य भी जोड़ दिया है। अपने मन्तव्य में वे लिखते हैं, ''जन्म से दलित न होकर भी इस आजादी को लेकर दलितों के क्या विचार हैं, यह मेरे भीतरी लेखक ने जान लिया है; अन्यथा असली राजा ढाले के और मेरे उपन्यास के 'आनन्द' के विचारों में इतनी समानता कहाँ से आती?'' (पृ. 9) आगे वे लिखते हैं, ''दलित न होने वाला, सवर्ण और सुस्थित लेखक यदि दलितों के विषय में लिखेगा तो उसका लेखन सही कैसे हो सकता है? मैं जानता था कि ऐसा भी कहा जाएगा कि यह सब तो काल्पनिक कारीगरी हो सकती है! प्रत्यक्ष अनुभवों से गुजरने के बावजूद भी गुणवत्ता की दृष्टि से साधारण लेखन करने वाले लेखकों की संख्या जैसे कम नहीं है, उसी तरह परोक्ष अनुभूति के बल पर उच्च स्तरीय, पाठकों को बेचैन करने वाली और उसे ठेठ जीवनानुभव तक ले जाने वाली साहित्यिक रचना का निर्माण करने वाले साहित्यकार भी कम नहीं है। इसी कारण मुझे इस बात का कभी संकोच नहीं हुआ कि दलित न होकर भी मैं दलितों के विषय में लिखता हूँ। साहित्य जैसे कला के क्षेत्र में कला का स्तर देखा जाए न कि कलाकार की जाति, ऐसा मैं मानता हूँ।'' (पृ. 10) कर्णिक का मत बिलकुल उचित जान पड़ता है।

दलितों के विषय में दलित ही लिखे, ऐसा कहीं कानून भी नहीं है। इसलिए भारतीय संविधान ने सभी को लेखन की आजादी का अधिकार प्रदान किया है। अतः गैर-दलितों को दलितों के विषय में लिखने का जो अधिकार संविधान ने दिया है, उसे कोई नकार नहीं सकता। ऐसा होते हुए भी लगता है कि मंधु मंगेश कर्णिक की अपेक्षाओं में कोई तथ्य नहीं है। ऐसा नहीं कह सकते कि दलित लेखक

अनुभव प्राप्त कर लिखता है और गैर-दलित लेखक काल्पनिक लेखन करता है। मात्र अनुभवों से साहित्य नहीं लिखा जा सकता। यथार्थवादी लेखन के लिए भी प्रतिभा और कल्पना की जरूरत होती है। साहित्य पाठकों को कहाँ तक प्रभावित करता है या पसन्द आता है, इस पर उसका स्तर तय होता है। वह काल्पनिक है या अनुभवों पर आधारित है, यह महत्त्वपूर्ण नहीं है। कल्पना की आड़ में दलितों के विषय में जो अयथार्थ, विकृत एवं झूठा लेखन किया जाता है, उस पर दलित लेखक को आपत्ति है। दलित लेखक कला का विरोधी नहीं है और ऐसा भी नहीं कि वह कला सम्बन्धी मूल्यों के खिलाफ है। दलित लेखक को कला का स्तर महत्त्वपूर्ण लगता है। किन्तु कर्णिक का यह वक्तव्य–"कलाकार की जाति न देखी जाये" दलित लेखकों को मान्य होगा ऐसा नहीं लगता। समाज में कदम-कदम पर मनुष्य की जाति पर ध्यान दिया जाता है और मात्र कला के क्षेत्र में उसे नजरअन्दाज करें यह आग्रह उचित नहीं लगता।

दलित लेखकों को नहीं लगता कि कला का क्षेत्र समाज से भिन्न और स्वायत्त होता है। अपौरुषेय वेदों से लेकर आजतक लिखे जाने वाले साहित्य तक; समग्र साहित्य में जातीय भूः भूः कार सुनायी देंगे। दिखाई देगा कि लिखने वाले वर्ग ने अपनी जाति के हित का ही पक्ष लिया है। 'रामायण' महाकाव्य होकर भी, उसमें शंबूक को तप का अधिकार न देकर उसे तलवार के घाट उतारा गया है, नतीजा दलित लेखक के लिए 'रामायण' कभी भी वन्दनीय नहीं रहा। 'महाभारत' के महाकाव्य होते हुए भी, उसमें एकलव्य का ज्ञान प्राप्ति का हक नकार कर उसका अँगूठा काट लेने के प्रसंग के कारण दलित लेखक उसकी आलोचना करते दिखाई देंगे। दलित लेखक की दृष्टि में स्तरीयता की अपेक्षा उसमें अभिव्यक्त 'समझ' (भान) महत्त्वपूर्ण है। कलाकार की जीवन-दृष्टि को नजर अन्दाज कर उसकी कला का उचित मूल्यांकन नहीं किया जा सकता। इसीलिए कलाकार की जाति को देखना भी वांछनीय है।

'रोटी और फूल' उपन्यास सन् 1947 से 1972 तक के पच्चीस वर्षों के स्वातंत्र्योत्तर कालखण्ड पर आधारित है। सन् 1972 में आजादी के पच्चीस साल पूरे होने के उपलक्ष्य में 'रौप्य महोत्सव' मनाया गया। महाराष्ट्र के तत्कालीन मुख्यमन्त्री वसन्तराव नाईक ने आजादी की पच्चीसवीं वर्षगाँठ मनाने के उद्देश्य से राज्य के लेखक, पत्रकार एवं विचारकों की सभा का आयोजन किया था। उस समय उपन्यासकार मधु मंगेश कर्णिक मुख्यमन्त्री कार्यालय में जन सम्पर्क अधिकारी के रूप में कार्यरत थे। इस सभा में एक दलित लेखक ने आजादी के विषय में अपना क्षोभ व्यक्त किया था। इस सभा में हुई चर्चा में प्रस्तुत उपन्यास के जनन बीज छिपे हुए दिखेंगे। स्वतन्त्रता-प्राप्ति के बाद के पच्चीस वर्षों में दलितों ने किस तरह

जीवन जीया और आजादी के विषय में उसके विचार क्या हैं, इस तरह का विदारक यथार्थ प्रकट करने वाला यह उपन्यास है।

1

मधु मंगेश कर्णिक कोंकण के निवासी हैं तथा रत्नागिरी जिले के कणकवली तहसील का करुळ-महाल उनका गाँव है। 'रोटी और फूल' को लिखने के लिए उन्होंने इसी भूभाग को चुना है। करुळ, करुळ के महारों की बस्ती और वहाँ से मुम्बई आये हुए नौकरीपेशा लोगों को आधार बनाकर इस उपन्यास का कथ्य बुना गया है। जन सम्पर्क तथा प्रसिद्ध अधिकारी के रूप में नौकरी करने के कारण मधु मंगेश कर्णिक ने अनेक तरह के लोग देखे हैं। लोगों से उनका सम्पर्क और संवाद बड़ा अच्छा रहा है। अपनी इस मिल्कीयत का भी उपयोग उन्होंने लेखन के लिए किया है।

19 अगस्त, 1947 को कोंकण के करुळ गाँव में शिवनाक नामक महार (दलित) की पत्नी धुरपति के लड़का होता है, जिसका नाम आनन्द रखा जाता है। इसी दिन निकले जुलूस में शिवनाक महार का दूसरा बेटा पाण्डुरंग देशभक्तिपरक गीत गाता हुआ दिखाई देता है। इसी बीच शिवनाक का बड़ा बेटा गोपाळ मिल-मजदूरों की हड़ताल शुरू होने से कुछ दिनों के लिए मुम्बई छोड़कर अपने गाँव आया था। ऐसे प्रसंगों से उपन्यास के कथ्य का प्रारम्भ होता है। प्रसूति के दौरान जब शिवनाक की पत्नी का बुरा हाल होता है, तब उसकी प्रसूति के लिए ताई नामक ब्राह्मण औरत महारों की बस्ती में आती है और उसकी प्रसूति करवाती है। (पृ. 14) यहाँ पहली बार एक ब्राह्मण औरत दाई का काम करती दिखाई देती है। ताई ब्राह्मणी के माध्यम से ब्राह्मणों की अच्छाई व्यक्त होती दिखती है। ताई कहती है, "जन्म लेने वाला बच्चा, पका हुआ फल और बारिश के पानी की छुआछूत नहीं होती। भगवान के घर से आई वह निष्पाप जान, महार (दलित) के गर्भ से जन्मा तो क्या भया? (पृ. 4) कम से कम सद्यजात अर्भक के प्रति तो इस ब्राह्मणी के भीतर जातीयता का भाव नहीं है। इसके विपरीत स्कूल के शिक्षकों का व्यवहार खटकता है। क्योंकि वे स्कूल के बच्चों के साथ भेदभाव करते हैं। वे दलित विद्यार्थियों को अलग बिठाते हैं, इस कारण गोपाळ कहता है, "मास्टर जी, इस स्कूल से अस्पृश्यता को मिटाना पूर्णतया आपके हाथ में है। बहुत दिन प्रतीक्षा की। अब आगे और प्रतीक्षा करना हमारे लिए असम्भव है।" (पृ. 21) गोपाळ स्कूल में होने वाले भेदभाव का ही विरोध नहीं करता, बल्कि गाँव में स्थित ऊँच-नीच के व्यवहार के खिलाफ संघर्ष करता दिखाई देता है।

गाँव में स्थित रामेश्वर के मन्दिर में अछूतों के लिए प्रवेश की बन्दी थी। गोपाळ

इसके खिलाफ विद्रोह करता है। वह गाँव के जमींदार से इस सम्बन्ध में जवाब की माँग करता है, "अप्पा ठाकुर! इस पुजारी की देह में भी भगवान का भूत और उस कोने में खड़े महार (दलित) की देह में भी भगवान का भूत, फिर वह महारों का भगवान यों सीढ़ी के नीचे दूर खड़ा क्यों?" (पृ. 23) गोपाळ मात्र शिकायत कर रुकता नहीं, बल्कि सबके सामने रामेश्वर के मन्दिर में प्रवेश भी करता है। इतना ही नहीं, यह घोषणा भी करता है कि फिर से आठ दिन बाद वह गाँव के सभी महारों के साथ प्रवेश करेगा। गोपाळ की इस हरकत से गाँव में चर्चा छिड़ जाती है। शिवनाक महार के छोरे ने रामेश्वर को अपवित्र किया, यह समाचार सब ओर फैल जाता है। सभी डर के मारे चकित हो जाते हैं। "अब रामेश्वर का कोप होगा? गाँव में बीमारी आयेगी? ढोर-डंगर मरेंगे? फसलों पर रोगों का प्रादुर्भाव होगा? अकाल पड़ेगा और फसलें झुलस जाएँगी?" (पृ. 25) हर एक व्यक्ति अपने-अपने ढंग से सोचता व तर्क करता है। गोपाळ महारों की सभा का आयोजन करता है। उन्हें मन्दिर-प्रवेश का महत्त्व समझाता है। गोपाळ चाहता था कि उसके कहे मुताबिक सभी महारों के साथ वह मन्दिर-प्रवेश करेगा, किन्तु महार उसके अनुकूल नहीं दिखते।

गोपाळ अपने छोटे भाई पाण्डुरंग को कणकवली के छात्रावास में प्रवेश दिलाकर उसे शिक्षा के महत्त्व से परिचित कराता है। वह महारों से कहता है कि वे मृत पशुओं का मांस न खायें। वह महारों में सुधार लाना चाहता है। वह महारों का मनोबल बढ़ाने तथा मन्दिर-प्रवेश हेतु उनकी मानसिकता बनाने का प्रयास करता है। गाँव वाले होम-हवन कर मन्दिर के शुद्धिकरण की तैयारी में लगते हैं। येशा बामन गाँव वालों को उकसाता है। मन्दिर-प्रवेश का सत्याग्रह पास ही था कि तभी गोपाळ के लिए मुम्बई से तार आता है कि मिल-मजदूरों की हड़ताल खत्म हो गयी है। गोपाळ मन्दिर-प्रवेश सत्याग्रह अधूरा छोड़कर मुम्बई चला जाता है। अन्य महार गाँव वालों से संघर्ष के डर से मन्दिर-प्रवेश को टालते हैं। इस तरह मन्दिर-प्रवेश का सत्याग्रह नहीं होता। उपन्यासकार ने इस समर प्रसंग को टाला है।

पाण्डुरंग कणकवली छात्रावास में दाखिल होता है। छात्रावास के ही श्याम शाळीग्राम नामक ब्राह्मण लड़के से उसकी मित्रता हो जाती है। दलित विद्यार्थी से पाण्डुरंग की मित्रता नहीं होती। श्याम अपनी बहन सुनन्दा का परिचय पाण्डुरंग से करवाता है। सुनन्दा कन्या छात्रावास में थी। श्याम संघ की शाखा में जाता रहता है। श्याम के माध्यम से यहाँ पाठकों पर यह दर्शाने की कोशिश की गयी है कि संघी स्वयं सेवक दलितों के साथ कितनी आत्मीयता से पेश आते हैं। आगे महात्मा गाँधी जी का खून होता है। ऐसी चर्चा होने लगती है कि यह खून संघी ब्राह्मण ने किया है। शालीग्राम डर जाता है और पाण्डुरंग से विनती करता है कि "श्याम के संघी होने के बारे में वह किसी से न कहे।" पाण्डुरंग भी हामी भरता है। लेखक को

इस वार्तालाप को यों ही खत्म नहीं करना चाहिए था। "संघ गाँधी जी के खिलाफ क्यों था?" यह सवाल उपस्थित कर गाँधी जी की हत्या और संघ पर आरोप के विषय में उपन्यासकार लिख सकता था। परन्तु उन्होंने इसे जान-बूझकर टाला है।

सन् 1956 में बाबासाहब आम्बेडकर अपने हजारों अनुयायियों समेत बौद्ध धर्म में प्रवेश करते हैं। उसके बाद अल्प समय में उनका निधन होता है। धर्मान्तर और महानिर्वाण इन दो घटनाओं का दलित समाज पर बड़ा भारी असर होता है। गोपाळ बाबासाहब आम्बेडकर के शेड्यूल कास्ट फेडरेशन का सक्रिय कार्यकर्ता है। 'भारत बौद्धमय करूँगा।' यह बाबासाहब की प्रतिज्ञा थी। गोपाळ आम्बेडकरी विचारों से प्रेरित होकर बौद्ध धर्म का प्रचार और प्रसार करता था। आम्बेडकर के अनुयायी एक होकर रिपब्लिकन दल की स्थापना कर आम्बेडकरोत्तर काल को अपना कन्धा सौंपते हैं। सन् 1960 में संयुक्त महाराष्ट्र आन्दोलन होता है। इस आन्दोलन को भी रिपब्लिकन दल समर्थन देता है। सन् 1960 से 1970 तक के काल में रिपब्लिकन राजनेता सत्ता एवं स्वार्थ में डूबते दिखते हैं। उनकी अयोग्यता के परिणामस्वरूप दलित समाज में नैराश्य और असन्तोष फैलता दिखाई देता है।

एस.एस.सी. होने के बाद पाण्डुरंग नौकरी की खोज में भटकने लगता है। उसे मुम्बई में नौकरी नहीं मिलती। वह महाराष्ट्र राज्य सड़क परिवहन निगम में आवेदन करता है। उसे साक्षात्कार हेतु बुलावा आता है। वह निगम के कार्यालय में जाता है, जहाँ उसकी भेंट सुनन्दा से होती है। सुनन्दा निगम में नौकरी करती थी। नौकरी के लिए पाण्डुरंग सुनन्दा से मदद की याचना करता है। सुनन्दा पाण्डुरंग से वादा करती है और उसे श्याम के पास ले जाती है। श्याम अपने पुराने दोस्त का स्वागत करता है और नौकरी हेतु मदद का वादा भी करता है। यहाँ एक बात कह देनी आवश्यक प्रतीत होती है कि संघ के संस्कारों में पला-बढ़ा श्याम किसी भी तरह की आशा न कर पाण्डुरंग की सहायता का वादा करता है। दूसरी ओर जी. एस. मोरे नामक दलित अधिकारी पाण्डुरंग के साथ सौजन्यपूर्ण व्यवहार नहीं करता। "एक बी.सी. आदमी बी.सी. के साथ इस तरह पेश आ सकता है, इस पर विश्वास नहीं हो पाता मेरा।" (पृ. 60) ऐसी स्वीकृति पाण्डुरंग देता है। यहीं नहीं, रिपब्लिकन दल के नेता ॲड्. निलेकर एस. टी. बोर्ड के मेम्बर है। पाण्डुरंग उन्हें अपने घर खाने का न्योता देता है। निलेकर पाण्डुरंग के घर आकर नॉनवेज तथा ड्रिंक्स की माँग करते हैं। जी. एस. मोरे और निलेकर का व्यवहार क्षोभजनक और घृणास्पद है। इसके विपरीत श्याम, उसकी माँ और सुनन्दा का व्यवहार आत्मीय है। इसके द्वारा कर्णिक क्या सूचित करना चाहते हैं?

साथ-साथ नौकरी करने तथा पूर्व-परिचय के कारण पाण्डुरंग और सुनन्दा में मित्रता होती दिखती है। वे साथ-साथ यात्रा करते हैं, साथ-साथ खाना खाते हैं।

उसका हाथ अपने हाथ में लेकर सुनन्दा कहती है, "तेरी कलाई कितनी मजबूत है रे।" (पृ. 70) उस मजबूत कलाई के लिए वह घड़ी का सुनहरा पट्टा भेंटस्वरूप देती है। (पृ. 110) उसे चाय के लिए अपने घर बुलाती है। उसके साथ प्यार भरा व्यवहार करती है। सुनन्दा की माँ उसके माथे पर गणपति का भभूत लगाती है आम्बेडकरी विचारों में पला-बढ़ा पाण्डुरंग उस भभूत (टीका) को नहीं मिटाता। (पृ. 78) वह सुनन्दा तथा उसके घर परिवार, जाति एवं संस्कारों में उलझता जाता है। "आज आऊँ मैं तेरे साथ?" (पृ. 105) कहते हुए सुनन्दा उसके घर जाती है। पाण्डुरंग की भाभी नलिनी भी उसकी दीवानी हो जाती है। यही हाल गोपाळ का भी होता है। पाण्डुरंग, नलिनी और गोपाळ सुनन्दा को बिना बताये पाण्डुरंग के साथ उसका ब्याह रचाते हैं। कोई भी यह जानने की कोशिश नहीं करता कि पाण्डुरंग के प्रति सुनन्दा के भीतर कैसे भाव हैं? इससे यही स्पष्ट होता है कि ब्राह्मणी व्यक्तित्व का असर कितना जबरदस्त होता है? उधर प्रत्यक्ष रूप में सुनन्दा हेमन्त गुणे नामक अन्य व्यक्ति के साथ विवाहबद्ध होती है। शादी के बाद भी वह पाण्डुरंग के साथ आत्मीय व्यवहार करती है, किन्तु पाण्डुरंग सुनन्दा की शादी के बाद काटे नामक अपने सहयोगी के साथ शराब पीकर उसका डेथ सेलिब्रेट करता हुआ दिखाई देता है। शराब के नशे में चूर काटे पाण्डुरंग के सम्मुख बैठकर बड़बड़ाता है। वह कहता है, "इन बामनों की लड़कियों से सम्भोग करने में एक थ्रिल होता है। बामन औरत में बेहद सेक्स होता है। तेरी सुनन्दा में भी बेहद सेक्स था। साली के चूतड़ ही बता रहे थे। मैं तो बामन औरत मिलने पर उस पर बाघ की तरह झपट पड़ता हूँ। मानो पीढ़ी-दर-पीढ़ी का कर्जा वसूल करना हो; उसे आगे-पीछे दोनों ओर से निचोड़ डालता हूँ।" (पृ. 155-116) शराब के नशे में धुत काटे जब यह बोल सुनाता है, पाण्डुरंग सब सुन लेता है। अब यहाँ समझ सकते हैं कि दोनों नशे में थे, परन्तु पाण्डुरंग की भाभी नलिनी तो अध्यापिका है। वह कहती हैं, "ये भट-बामनों की लड़कियाँ ऐसी ही होती हैं। दीवाना एक को बनायेगी और शादी दूसरे के साथ करेगी।" (पृ. 113) इस उपन्यास के दलित पात्र बदतमीज और विवेकहीन प्रतीत होते हैं। जो अकेली सुनन्दा ही नहीं, बल्कि समूची ब्राह्मण नारी-जाति की अवहेलना करते हैं। उनका यह व्यवहार श्याम, सुनन्दा और सुनन्दा की माँ के व्यवहार से कितना विपरीत, विकृत एवं अशोभनीय है?

गोपाळ तथा पाण्डुरंग बौद्ध धर्म के प्रसार का कार्य करते हैं। पाण्डुरंग गाँव के दलितों को धर्मान्तर के लिए प्रवृत्त करने का प्रयास करता है। किन्तु इस कार्य में उसे सफलता नहीं मिलती। आगे चलकर पाण्डुरंग के पिता शिवनाक की मृत्यु हो जाती है। उनका अन्तिम संस्कार और अन्य विधि हिन्दू धर्म के ही अनुसार होते दिखते हैं। गोपाळ स्वयं को समाज कार्य में समर्पित करता है और उसकी पत्नी

निःसन्तान होने के कारण श्री सत्य साईं बाबा की सेवा में लग जाती है। पाण्डुरंग की शादी होती है। वह अपने बीवी-बच्चों में रम जाता है। गोपाळ और पाण्डुरंग नामक इन आम्बेडकरवादी कार्यकर्ताओं का अन्त इस तरह होता है। हिन्दू धर्म के खिलाफ उग्र भाषा का प्रयोग करते हुए इस उपन्यास का आरम्भ होता है और अन्त में हिन्दू धर्म का ही प्रभाव होता हुआ स्पष्टतः दिखता है। उपन्यास के अन्त में आनन्द नामक पुरुष पात्र का आगमन होता है, जिसका प्रभाव अन्तिम दो-चार पृष्ठों में दिखता है। आजादी के 'रौप्य महोत्सव' के उपलक्ष्य में आयोजित सभा में वह अपने अन्तस में खौलता क्षोभ मुख्यमन्त्री के सम्मुख व्यक्त करता है। इस प्रसंग में वह अपनी बहन के साथ हुए बलात्कार के खिलाफ आवाज नहीं उठाता। 15 अगस्त को वह निषेध के लिए जुलूस निकालता है, परन्तु रामेश्वर-मन्दिर के सामने महारों की बस्ती में बोलने वाले गोविन्दा से कुछ भी नहीं कहता। श्रीसत्य साईं बाबा के फंदे में पड़ी नलिनी भाभी के खिलाफ कुछ नहीं कहता। ऐसा है यह क्रान्तिकारी आनन्द। उपन्यास के आरम्भ में आजादी के पहले जुलूस में देशभक्तिपरक गीत गाते हुए पाण्डुरंग दिखता है, तो अन्त में आजादी के रौप्य महोत्सव में आज़ादी का धिक्कार करता आनन्द दिखाई देता है।

2

शिवनाक महार एवं उसकी पत्नी धुरपति की कुल छह सन्तानें हैं, जिनका वर्गीकरण निम्न तरह से किया जा सकता है–

(अ) वेणु, गोविन्दा और पुतळी,

(आ) गोपाळ, पाण्डुरंग और आनन्दा

(अ) वर्ग की सन्तानें अन्याय से पीड़ित तथा पारम्परिक जीवन जीने वाली हैं, तो (आ) वर्ग की सन्तानें अन्याय के खिलाफ विद्रोह करने वाली तथा परम्परा विरोधी हैं। ये एक ही माँ-बाप की कोख से जन्मी सन्तानें हैं। जो सन्तानें निरक्षर हैं, वे सीधे-सीधे अन्याय की शिकार बनती हैं, तो जो शिक्षित हैं, वे अन्याय के खिलाफ विद्रोह करती हुई दिखाई देती हैं। स्वातन्त्र्योत्तर कालखण्ड के दलितों की यह पहली पीढ़ी है। शिवनाक महार का परिवार स्वातन्त्र्योत्तरकालीन महार जाति का एक प्रतिनिधि चित्र है। आबू ठाकुर एक ओर स्वतन्त्रता दिवस के उपलक्ष्य में आयोजित जुलूस की अगुआई करता है, तो दूसरी ओर वह वेणु का शीलभंग करता है। युवावस्था में वेणु का एक ठाकुर द्वारा शीलभंग होता है, तो ससुराल में दूसरा ठाकुर उसका बलात्कार करता है। वेणु का जन्म मात्र ब्राह्मण ठाकुरों के

अत्याचार सहने के लिए ही हुआ है। गोपाळ, पाण्डुरंग और आनन्द तीनों कार्यकर्ता हैं, किन्तु कोई भी उसके साथ हुए अन्याय को न्याय में बदल नहीं पाता। गोविन्दा में भगवान का भूत है। वह महारों के पारम्परिक काम करता दिखता है। पुतळी तो मौन जानवरों की तरह ही है।

(आ) वर्ग के गोपाळ, पाण्डुरंग तथा आनन्द स्वाभिमान के एहसास से युक्त, आम्बेडकरीय विचार एवं आन्दोलनों से परिचित हैं। गोपाळ बाबासाहब आम्बेडकर का कार्यकर्ता है। वह शेड्यूल कास्ट फेडरेशन का काम करता है। वह अपने गाँव के महारों से कहता है, "यह गन्दगी खाना बन्द करो।" (पृ. 15) वह उन्हें मन्दिर-प्रवेश हेतु प्रवृत्त करता है। "जहाँ मराठा भट-बामन जाते हैं, वहाँ एक महार के रूप में नहीं, बल्कि एक मनुष्य के रूप में अधिकारपूर्वक मैं जाना चाहता था।" (पृ. 30) वह इस तरह अपनी भूमिका विशद करता है। उसकी पत्नी नलिनी महानगर निगम के स्कूल में अध्यापिका है। उसका अपना विद्रोही दर्शन है। वह निरन्तर अपने दर्शन का समर्थन करती है। वह कहती है–

(अ) झुँझलाहट तथा प्रतिकार कर कुछ भी हासिल नहीं होगा। धीरे-धीरे जो मिलेगा, उसको स्वीकार करते हुए एक-एक कदम आगे बढ़ना ही श्रेयस्कर है। (पृ. 71)

(आ) यह बात स्वयं बाबासाहब से कहने में भी मुझे डर नहीं। क्योंकि यह उन्हीं की सीख है कि जो हमें सही प्रतीत होता है, वह निर्भयता से दूसरे से कहना चाहिए। क्या केवल हिन्दू धर्म का त्याग और बौद्ध धर्म के स्वीकार से हमारी सारी समस्याओं का समाधान मिल जायेगा? मुख्य समस्या है हम लोगों की दरिद्रता, हमारी निरक्षरता...(पृ. 72)

(इ) मैं बाबासाहब से कहूँगी, बाबासाहब। पहले हम अपने लोगों को शिक्षित बनाएँगे। लोग पढ़ेंगे तो उन्हें अच्छी नौकरी मिलेगी। उसके लिए हमें झगड़ना होगा। अच्छे पढ़े-लिखे दलित युवकों को देख सवर्णों की बेटियाँ धड़ल्ले से उनसे ब्याह करने लगेंगी। भट-बामनों की बेटियाँ ही बहुओं के रूप में हमें घर में लानी चाहिए। एक तरह से सांस्कृतिक आदान-प्रदान होगा। (पृ. 72)

(ई) स्वयं बाबासाहब ने क्या किया? एक बामन औरत से ही ब्याह किया ना? वे कहाँ हमारी संस्कृति को भूले? उसने कहाँ उन्हें बिगाड़ा जो उन्होंने किया? वह हम क्यों न करें? (पृ. 73)

(उ) लोगों को पढ़ना चाहिए। बड़े-बड़े ओहदे हासिल करने चाहिए। सम्भव हुआ तो मराठों-बामनों की छोरियों को हमारे घर में लाना चाहिए। (पृ. 86)

नलिनी 'स्वयं बाबासाहब को भी मैं कहूँगी', जैसी उद्धत भाषा बोलती दिखती है। यह उद्धत भाषा और व्यवहार नलिनी का है या लेखक का, इसे जाँचना होगा। नलिनी कहती है, "शनैः शनैः जो मिलेगा, उसको स्वीकार करो। धर्मान्तर से समस्याएँ हल

नहीं होंगी। निरक्षरता मिटाने हेतु पढ़ो। दरिद्रता को समाप्त करने के लिए नौकरियाँ हासिल करो। नौकरियाँ मिलने पर भट-बामनों की बेटियाँ धड़ल्ले से ब्याह करेंगी। बाबासाहब ने भी बामन औरत से शादी की। इससे सांस्कृतिक आदान-प्रदान होगा और दलितों की समस्याओं का निराकरण होगा। उसके लिए धर्मान्तरण की जरूरत नहीं है।" इस तरह का राग एक आम्बेडकरवादी कार्यकर्ता की पत्नी अलापती है। वह अध्यापिका है। महार है। उसे महारों-दलितों की बेटियों की चिन्ता करनी चाहिए या भट-बामनों की बेटियों की चिन्ता करनी चाहिए? स्वयं लेखक नलिनी के मुँह से ऐसे मुक्ताफल उछालता दिखाई देता है। मात्र पढ़कर दलितों को कुछ नहीं मिलेगा। छोटी नौकरी पाकर कुछ नहीं होगा। पाण्डुरंग के पास मात्र छोटी नौकरी थी। वह मात्र एस.एस.सी. पास था। इसलिए सुनन्दा उससे ब्याह नहीं करती। बड़ी-बड़ी नौकरियाँ हासिल करो, तो भट-बामनों की लड़कियाँ धड़ल्ले से ब्याह करेंगी (कम पढ़े-लिखे और छोटी नौकरी वालों को दलित लड़कियों से ब्याह करना चाहिए।)। कर्णिक ने अपनी बिरादरी की लड़कियों के भविष्य का कितना ध्यान रखा है! नलिनी देशस्थ महार है, तो गोपाळ कोंकणस्थ महार है। (कर्णिक ने अपनी जाति में स्थित कोंकणस्थ एवं देशस्थ का भेद महारों में भी किया है।) गोपाळ की पत्नी का नाम नलिनी है, पाण्डुरंग की पत्नी का मालती है, तो उनकी बहन का नाम वेणु है। नलिनी, मालती और वेणु जैसे नाम ब्राह्मणों में दिखेंगे। दलित स्त्रियों के ऐसे नाम नहीं दिखेंगे। कम से कम 1956 से पूर्व ऐसे ब्राह्मणी नाम दलितों में होने की गुंजाइश नहीं है। नलिनी कहती है, "हमें जो सही प्रतीत होता है, उसे निर्भीकता से बोलें यह उन्हीं की (बाबासाहब आम्बेडकर की) सीख है न?" नलिनी सत्य से प्रेम करने वाली स्त्री है। इसी कारण सन्तान न होने पर श्री सत्य साईं बाबा की उपासना करने लगी थी और गोपाळ ने पहले की तरह उसका विरोध नहीं किया था। निःसन्तान हाने का दुःख नलिनी की अपेक्षा गोपाळ को अधिक था। किन्तु उसका दुःख मूक था। नलिनी जैसे-तैसे अपनी पीड़ा को दूर करने का प्रयत्न कर रही थी। श्री सत्य साईं बाबा की प्रार्थना, उनकी उपासना और उनके मुम्बई आने पर दर्शन हेतु अन्धेरी स्थित धर्म क्षेत्र पर घण्टों समय बिताना उसका शौक बन गया है।" (पृ. 123) श्री सत्य साईं बाबा की प्रार्थना से नलिनी को सन्तान प्राप्ति होने वाली थी? यह वह बाबासाहब को समझाने वाली थी। कर्णिक ने नलिनी का जो वर्णन किया है, वह दलित स्त्री का चित्रण नहीं है। उन्होंने तो सत्य साईं बाबा के दर्शन को जाने वाली ब्राह्मण स्त्री को आँखों के सम्मुख रखकर दलित स्त्री का वर्णन किया है। नलिनी सत्य साईं की भक्ति करने लगती है। गोपाळ उसका विरोध नहीं करता। इसका मतलब गोपाळ और नलिनी का आम्बेडकर-प्रेम कितना ऊपरी है, यह स्पष्ट है। बुद्ध एवं आम्बेडकर के प्रति दलितों का कितना भी प्रेम हो, फिर

भी उनका मन हिन्दुओं का ही है, यही महसूस करवाने का यह प्रयत्न है। गोपाळ कहता है, "हम सब पापी हैं। और यह पाप हमें जनम-जनम तक छलने वाला है।" इसका मतलब क्या है? गोपाळ जैसा शे.का.फे. का कार्यकर्ता पाप-पुण्य को मानता दिखाई देता है, पुनर्जन्म पर भरोसा करता है। आगे वह कहता है, "उनके मन्दिर तोड़कर नष्ट कर देने चाहिए। उनकी पूजाएँ ध्वस्त की जानी चाहिए।...उनके मठ और पोथियों को जला देना चाहिए। इस पापी देश के निवासियों के खिलाफ खुला युद्ध खेला जाना चाहिए।" (पृ 71) धर्मान्तर से ये समस्याएँ अपने आप हल होंगी, किन्तु लेखक को बुद्ध नहीं चाहिए, युद्ध चाहिए। दलित इस आत्म विनाशक मार्ग को स्वीकार क्यों करे? धर्मान्तर से उनके मन्दिर, उनकी पूजा, उनके मठ और पोथियाँ आप ही आप छूटेगी, इस पर ध्यान दिया जाना चाहिए।

गोपाळ का भाई पाण्डुरंग आम्बेडकरवादी कार्यकर्ता है। आरम्भ में सुनन्दा के घर बार-बार जाता है। उसके बाद वह मध्यवर्गीय की भाँति जीवन यापन करता दिखता है। बच्चों को वह अपने गाँव नहीं ले जाता। उसे अपनी जाति, अपनी महारों की बस्ती का संकोच होता है। पिता की मृत्यु के बाद पाण्डुरंग गाँव जाता है और हिन्दू धर्म पद्धति के मुताबिक उनका अन्तिम संस्कार कर लौट आता है। इस तरह गोपाळ, नलिनी और पाण्डुरंग आम्बेडकरी अनुयायी बनने के बजाय हिन्दू धर्म के अनुयायी बनते हैं। इसलिए कर्णिक लिखते हैं, "धर्मान्तर धूल में मिलकर हवा हो गया था। यहाँ के महार न हिन्दू थे और न बौद्ध।" (पृ. 141) बाबासाहब द्वारा दलितों को दिये गये धर्मान्तर के आदेश की दुर्गति दिखाने के लिए ही यह उपन्यास लिखा गया है।

गोपाळ और पाण्डुरंग के पश्चात् आनन्द का क्रम है। स्वयं लेखक ने लिखा है कि 'आनन्द' और 'राजा ढाले' (प्रसिद्ध दलित कार्यकर्ता) में साम्य है। (पृ. 9) इसलिए आनन्द नामक पात्र को समझते हुए पाठकों की जिज्ञासा बढ़ती जाती है। उपन्यास के अन्तिम दो-चार पृष्ठों में आनन्द का प्रवेश होता है। मानो आनन्द इस उपन्यास का सूत्रधार ही प्रतीत होता है। आजादी की रजत जयन्ती के निमित्त आयोजित सभा में आनन्द अपने अन्दर की आजादी विषयक भड़ास को व्यक्त करता दिखता है। वह क्रान्तिकारी एवं प्रसिद्ध साहित्यकार है, इसीलिए मुख्यमन्त्री की बैठक में बुलाया गया है। इतना क्रान्तिकारी और प्रख्यात लेखक अपनी बहन वेणु का खोत द्वारा बलात्कार किये जाने पर कहाँ गायब हो गया था? कम से कम मुख्यमन्त्री के सम्मुख तो इस घटना का उल्लेख वह कर सकता था। सत्य साईं बाबा के बहकावे में फँसी नलिनी भाभी को वह क्यों नहीं रोकता? रामेश्वर मन्दिर के आगे बड़बड़ाने वाले भाई गोविन्द को क्यों नहीं फटकारा? गोपाळ तथा पाण्डुरंग द्वारा किये जाने वाले हिन्दू धर्म के अनुनय को उसने कैसे सहन किया? इन प्रश्नों

के उत्तर कर्णिक नहीं देते। आनन्द कहता है, "आज बाबासाहब होने चाहिए थे।" इसे स्पष्ट करते हुए वह कहता है, "दलितों के कुँए में डाली गयी गन्दगी को उन्हें देखना चाहिए था। हमारी औरतों के चौपाल में दिन दहाड़े किये गये बलात्कार उन्हें देखने चाहिए थे।" क्यों देखें, इसकी वजह बताते हुए वह कहता है, "मुझे पूरा विश्वास है, बाबासाहब झल्ला उठे होते और आपे से बाहर होकर उन्होंने एक-एक को गोली से भून दिया होता।" (पृ. 128)

अपनी सगी बहन का बलात्कार होने के बावजूद भी आनन्द खुद गुस्सा नहीं करता, गोलियाँ नहीं चलाता। बल्कि इसके लिए बाबासाहब का इन्तजार करता है, यह कैसी अपेक्षा है? यह यदा-कदा वाली भाषा है। बाबासाहब नहीं है, यह वस्तुस्थिति है। इसका यह मतलब नहीं कि कोई झल्ला उठने वाला नहीं है। इस दौरान 'साधना' में लिखा गया राजा ढाले का लेख बन्दूक की गोलियों जैसा ही है। इस काल में उदित दलित पैन्थर बिगड़कर झपट पड़ने वाले चीते की तरह ही है। इस दौरान निर्मित समग्र दलित साहित्य झल्ला उठने वाले चीते की भाँति ही है। मधु मंगेश कर्णिक यह सब कैसे नहीं समझ पाये। इसके विपरीत कर्णिक ने लिखा है, "पच्चीस साल पूर्व की महारों की बस्ती आज भी वैसी ही है। उदास, टूटी और छविहीन। एक भी घर की छत पर मंगळौरी खपरैल नहीं थी। एक भी घर में तराशा हुआ पत्थर नहीं था। पच्चीस सालों में एक भी नया मकान नहीं बना था। मिट्टी की वही दरारों से युक्त दीवारें, नसमा के पत्तों की टट्टियाँ, वही घड़े-बर्तन, एल्यूमिनियम के टूटे-फूटे बर्तन, बोतलें और जंग लगे डिब्बे, वही फटे हाल, कमजोर, भूखे, दयनीय बच्चे, आज भी अपने भाई बन्द रामेश्वर के मन्दिर की सीढ़ी नहीं चढ़ सकते। अभी भी उनका स्थान महार बस्ती में ही था।" (पृ. 141) मधु मंगेश कर्णिक ने आजादी के पच्चीस वर्षों में न बदले हुए महार एवं उनकी बस्ती का चित्र खींचा है। आजादी के साठ साल बाद भी यह चित्र वैसा ही है। आजादी अभी भी अन्तिम आदमी तक नहीं पहुँची है।

3

कर्णिक का 'रोटी और फूल' एक अच्छा उपन्यास है। उन्होंने निरक्षर महारों की लाचारी एवं शिक्षित महारों के विद्रोह को ठीक भाँपकर उसे चित्रित किया है। गोपाळ अपनी बहन को न्याय नहीं दिला सकता। पाण्डुरंग महार रेजिमेंट के मामा को वॉचमैन की नौकरी नहीं लगा सकता। इस बात का गोपाळ और पाण्डुरंग को बुरा लगता है। अपनी विवशता के विषय में वे खुलकर बोलते हैं। उपन्यासकार ने

गोपाळ और पाण्डुरंग के अन्तस्थ नफरत और विवशता को योग्य शब्दों में व्यक्त किया है। कर्णिक की इस लिखावट का जवाब नहीं। गैर-दलित होकर भी कर्णिक का दलित विषयक लेखन असाधारण है। बावजूद इसके ऐसा प्रतीत होता है कि उनके इस उपन्यास में कुछ कमियाँ हैं।

तातू सुनार का बैल मरा है। महार मृत बैल को खींचकर लाते हैं। मृत जानवर को महारों की बोली में 'पड़' कहा जाता है। महार उस मृत बैल का चमड़ा निकालते हैं। उसके गोश्त के हिस्से बनाते हैं। महारों की बस्ती में यह गोश्त बाँटा जाता है। कर्णिक यह सब नहीं जानते। वे कल्पना की मदद से यह लिखते हैं। उन्होंने अपने मन्तव्य में लिखा है, "सोन्या महार द्वारा उधेड़ा गया मृत बैल उसके पास बैठकर देखा था।" (पृ. 6) अपने बचपन में देखे इस प्रसंग को उन्होंने 'रोटी और फूल' में चित्रित किया है। इस प्रसंग में कर्णिक द्वारा किये गये निम्न विधानों को देखें—

1. आज महारों की बस्ती में 'पड़ी' के मृत गोश्त का मजा लूटा जाने वाला था।
2. इसके पूर्व घर लायी गयी 'पड़' को उसने खाया था।
3. शिवनाक पाण्डुरंग की न सुनकर लालच से आगे बढ़ा।
4. 'पड़' के दौरान उपस्थित सभी का हिस्सा निकाला जाता था।
5. उक्षी की ऊँची-ऊँची धान की आड़ में वे मृत जानवर का मांस निकालने लगे।
6. 'पड़ी' का समाचार महारों की पूरी बस्ती में फैल गया।
7. अब 'पड़' का गोश्त लाएँगे या नहीं?
8. गोपाळ के घर में होते हुए चूल्हे पर 'पड़' के गोश्त वाला मटका रखने की माँ की तो क्या उसके बापू की भी हिम्मत नहीं थी।
9. अब संध्या काल में घर लाने वाले गोश्त का क्या करें?
10. बापू आया है और वह कम्बल में छिपाकर 'बड़ा' अर्थात् 'पड़' लाया है।
11. उसके द्वारा लाया गया पड़ तब तक जीजी ने उतावलेपन से खोल दिया था। चौके में चूल्हे के उजियारे में सामने सागौत के पत्ते पर रखी 'पड़' बड़ी विचित्र लग रही थी।
12. पड़ की समूची राशि को फिर उसने कम्बल से ढक दिया—(पृ. 10 से 16)

कर्णिक द्वारा लिखे गये उपर्युक्त वाक्यों के अर्थ एवं सन्दर्भ को समझना गैर-दलितों के लिए सम्भव नहीं। 'पड़' का अर्थ है—'मरा हुआ जानवर'। जानवर का गोश्त मटन, सागुती या डल्ल्या कहलाता है। बकरी और भेड़ गाय-बैल से छोटे होते हैं, इसलिए गाय-बैल का मांस 'बड़ा' कहलाता है। हम जानवर का मांस खाते हैं, इसका पता अन्यों को न हो, इसलिए ऐसे शब्दों का प्रयोग किया जाता है।

गोपाळ हड़ताल के दौरान गाँव आता है और रामेश्वर के मन्दिर में प्रवेश करता है, तब आबू खोत एवं गोपाळ के बीच कहा-सुनी हो जाती है।

"तो यह सफेदपोश चुप नहीं बैठेगी! भ्रष्टचार करने वाले का कुल-नाश करेगी वह।" आबू खोत।

"तो फिर यदि मेरा कुलनाश होने वाला है तो फिर हो जाने दो। मैं आज पुरानी प्रथा को तोड़कर रामेश्वर के मन्दिर में प्रवेश करूँगा। मन्दिर प्रवेश करूँगा।" (पृ. 24)

आगे आबू खोत का वक्तव्य सही साबित होता है। सफेदपोश चुप नहीं बैठे। गोपाळ की सन्तान नहीं होती। उसका कुलनाश हो गया। यदि गोपाळ मन्दिर-प्रवेश नहीं करता, तो क्या यह शाप उसे बाधित करता? क्या मन्दिर-प्रवेश कर भगवान को भ्रष्ट करने वालों को लेखक ने यह भयसूचक सन्देश तो नहीं दिया है?

मधु मंगेश कर्णिक ने अपने इस उपन्यास में रोमांचक समर प्रसंगों को टाला है। गोपाळ मुम्बई चला जाता है। क्या मन्दिर प्रवेश का यह सत्याग्रह टाला जाता है? पाण्डुरंग अपने गाँव में स्थित महारों के सामुदायिक धर्मान्तर हेतु आता है। उसके लिए बौद्ध भिक्खु रत्नागिरी में रुके हुए हैं। बौद्ध भिक्खू का तार आता है और दलितों के धर्मान्तर का कार्यक्रम खारिज कर दिया जाता है। सर्वत्र आजादी की रजत जयन्ती—महोत्सव मनाया जा रहा था। आनन्द निषेध-जुलूस निकालता है। इस जुलूस को भी उपन्यास में टाला गया है। मात्र पाँच पंक्तियों में उसका उल्लेख है। उपन्यासकार ने दो तार एवं एक छोटे-से समाचार में इस समर प्रसंग को निपटा दिया है। दलित लेखक ऐसे प्रसंगों को अधिक महत्त्व देता है। दलित एवं गैर-दलित लेखकों में यह महत्त्वपूर्ण अन्तर है।

कन्यादान

(विजय तेन्डुलकर)

विजय तेन्डुलकर मराठी के एक लब्धप्रतिष्ठ एवं चर्चित लेखक हैं। उनके 'कन्यादान' (1983) नाटक को 'सरस्वती सम्मान' नामक राष्ट्रीय पुरस्कार से नवाजा गया है। तेन्डुलकर की अधिकांश रचनाएँ तथा उनके वक्तव्य भी चर्चित एवं विलक्षण रहे हैं। 'खामोश! अदालत जारी है', 'घासीराम कोतवाल', 'गिद्ध', 'सखाराम बाईंडर' जैसे उनके नाटक बड़े चर्चित रहे हैं। विजय तेन्डुलकर का मिजाज, उनका साहित्य एवं उनके विचार साफ एवं साहसी रूप लिए हुए हैं। उनका 'कन्यादान' नाटक भी इसका अपवाद नहीं है।

'कन्यादान' की रंगमंचीय में प्रस्तुति के बाद उसके सम्बन्ध में उलटी-सीधी चर्चा हुई। इससे यह नाटक विवाद-फँसा और उसे लेकर दलितों में सन्तप्त प्रतिक्रियाएँ व्यक्त हुईं। अनेक लोग ऐसी चर्चा करते पाये गये कि इसका नायक नामदेव ढसाळ (प्रख्यात मराठी दलित कवि-साहित्यकार) पर आधारित है। विजय तेन्डुलकर ने नामदेव ढसाळ के 'गोलपिठा' शीर्षक कविता संग्रह के लिए प्रस्तावना लिखी है। प्रस्तावना लिखते हुए उन्होंने 'गोलपिठा' में चित्रित जीवन एवं जगत की विस्तृत जानकारी प्राप्त की है। मुझे लगता है कि इसी समय तेन्डुलकर के अन्तर्मन में यह बात आयी होगी कि 'दलितों के जीवन पर एक नाटक' लिखा जाये। यही कारण है कि इस नाटक में 'गोलपिठा' की उग्र दुर्गंध फैली है। 'गोलपिठा' की लिखी प्रस्तावना का ही नाटक में रूपान्तरण हुआ है। 'सेवादलीय संघीष्ट भौचकपन' (पृ. 50), 'जीवन किस गधी का मल-मूत्र होता है?' (पृ. 49) जैसे शब्द प्रयोग पढ़ते हुए 'कन्यादान' पर 'ढसाळी' प्रभाव का एहसास होने लगता है। 'कन्यादान' का नायक दलित लेखक है। उसका नाम अरुण आठवले है। 'अरुण कांम्बले एवं रामदास आठवले' (दलित राजनेता) के नामों से क्रमशः नाम तथा कुलनाम जोड़कर यह नाम बनाया गया है। नाथ देवळालीकर इस नाटक का प्रमुख पात्र है। उनके बेटे का नाम जय प्रकाश तथा बेटी का नाम ज्योति है। ऐसा प्रतीत होता है कि 'जय प्रकाश नारायण' में से जय प्रकाश तथा 'ज्योतिबा फुले' में से ज्योति शब्द

लेकर उपर्युक्त नाम गढ़े गये हैं। नाथ देवळालीकर तथा उनकी पत्नी सेवा–दोनों समाज सेवा में इतने व्यस्त रहते हैं कि स्वयं के बच्चों को उनसे संवाद हेतु समय माँगना पड़ता है। 'समाज सेवा' में से सेवा शब्द लेकर 'सेवा देवळालीकर' यह नाम गढ़ा गया है।

विजय तेन्डुलकर ने 'सरस्वती सम्मान' स्वीकार करने के उपरान्त दिये गये अपने वक्तव्य में कहा है, "प्रस्तुत कृति इन पीढ़ियों तथा उनके कालखण्ड के सन्दर्भ से युक्त कथा है। वह वीरता की विजय गाथा नहीं है। वह पराजय की तथा वैचारिक उलझन की स्वीकृति है।" (पृ. 9) बतौर विजय तेन्डुलकर उनका 'कन्यादान' नाटक किस पराजय की तथा कौन से वैचारिक उलझन की स्वीकृति है, इसकी पड़ताल करनी होगी।

1

'कन्यादान' नाटक में दो परिवार हैं। पहला–नाथ देवळालीकर तथा सेवा का सजातीय ब्राह्मण परिवार है, तो दूसरा ज्योति देवळालीकर एवं अरुण आठवले का अन्तर्जातीय विवाह वाला परिवार है। नाथ देवळालीकर विधान परिषद के सदस्य हैं। इस नाटक में जय प्रकाश की भूमिका नगण्य है। पूरा नाटक ज्योति के इर्द-गिर्द अन्धेरे की भाँति लिपटा हुआ है। अरुण आठवले बी. ए. तृतीय वर्ष में पढ़ने वाला, 'श्रमिक समाचार' में पत्रकारिता करने वाला, समाजवादी विचार मण्डल के शिविरों में उपस्थित रहने वाला तथा कविता लिखने वाला दलित युवक है। अरुण तथा ज्योति की भेंट इन्हीं शिविरों में होती है। अरुण की कविताओं से ज्योति प्रभावित होती है। वह कहती है, "आत्मकथा लिख रहा है वह। उसे पढ़कर लगा, इसे सुखी बनाने के लिए, कुछ भी किया जाये।" (पृ. 8) ज्योति अरुण के दुःख से प्रभावित होती है और उसे सुखी बनाने के लिए उससे शादी करने का निर्णय लेती है। अरुण आठवले का सुख कहाँ है, यह ज्योति ही तय करती है। ज्योति ने अपनी शादी का निर्णय स्वयं लिया है। इसलिए 'कन्यादान' करने का सवाल ही नहीं उठता। यहाँ कन्या ने ही अपने दूल्हे का चयन किया है। यह शादी 'अन्तर्जातीय विवाह पंजीकरण' के मुताबिक हुई होगी। क्योंकि अन्तर्जातीय विवाह वर्ण व्यवस्था द्वारा निषिद्ध ठहराया गया है। 'कन्यादान' शब्द से लेखक के आधुनिक मन में स्थित पुराण-प्रेम के अवशेष ध्वनित होते दिखते हैं।

अरुण समाजवादी विचार मण्डल के शिविरों में अन्तर्जातीय वधू ढूँढ़ने के लिए जाता है। यहाँ लेखक ने व्यंग्यात्मक ढंग से यह सूचित किया है कि समाजवादी

विचार मण्डल के शिविर यानी वधू-वरों के मेले ही हैं। नाथ देवळालीकर तथा सेवा की शादी भी इसी तरह हुई है।

'कन्यादान' नाटक महार एवं ब्राह्मणों के भीतरी सांस्कृतिक संघर्ष पर आधारित है। महार असभ्य (असंस्कृत) और ब्राह्मण सभ्य ऐसा मान कर ही इस नाटक की रचना हुई है। क्योंकि ज्योति की माँ तथा उसका भाई इस शादी का विरोध करते दिखाई देते हैं। इस पर उनकी 'उसे संस्कृति नहीं है' यह दलील है। 'हम सभ्य हैं', ऐसा देवळालीकर परिवार का जातीय घमण्ड है। 'उसे संस्कृति नहीं है', इसका मतलब 'महारों' को संस्कृति नहीं है तथा 'हम सभ्य हैं', इसका मतलब ब्राह्मण सभ्य हैं, ऐसा है। 'ब्राह्मण सभ्य' तथा 'महार असभ्य' यह मानकर ही नाटक लिखा गया है। इसी कारण इस नाटक का महार शराब पीने वाला, पत्नी को पीटने वाला, असभ्य तथा गाली-गलौज करने वाला दिखाना स्वाभाविक है। शराब पीकर पत्नी को पीटने वाले हर जाति में होते हैं। ऐसा करने वाले असभ्य या संस्कारहीन ही कहलाएँगे। फिर वे महार हों या ब्राह्मण।

नाथ देवळालीकर अपनी बेटी के फैसले का स्वागत एवं समर्थन करते दिखते हैं। इस कारण वे प्रगतिशील प्रतीत होते हैं। उन्हें अपनी बेटी का विवाह सामाजिक परिवर्तन का प्रयोग लगता है इसलिए वे कहते हैं, "इस ब्याह को बचाना होगा। मात्र अपनी ज्योति के लिए नहीं। यह केवल हमारी बेटी की जिन्दगी का सवाल नहीं है सेवा। इसकी बड़ी अलग महत्ता है। यह बड़ा मूल्यवान प्रयोग है।" (पृ. 36) ऐसे मूल्यवान प्रयोग हेतु लेखक द्वारा चयनित नमूना शराबी, गाली-गलौज करने वाला तथा पत्नी को पीटने वाला है। ऐसा गलत नायक चुनकर लेखक क्या सिद्ध करना चाहता है? 'कन्यादान', 'दलितों को संस्कार नहीं है' जैसा बोल्ड भाष्य करने वाला यह नाटक है। दलित कितना भी पढ़-लिख लें, वे नहीं सुधरेंगे, ऐसा बोल्ड करने वाला यह नाटक है। तेन्डुलकर ने अपने नाटक के लिए बदतमीज तरह का पात्र चुनकर उसकी समूची जाति को ही बदतमीज ठहराने की कोशिश की है। 'कन्यादान' अन्तर्जातीय विवाह को थ्रेट देने वाला नाटक है। वेद एवं श्रुति-स्मृति में रक्तसंकर का विरोध करने वाली जो भूमिका है, वही भूमिका 21वीं सदी की दहलीज पर तेन्डुलकर ने अपनी सुसंस्कृत आवाज में उच्चारित की है। न केवल अरुण आठवले नामक चरित्र के विषय में बल्कि उसकी जाति के विषय में घृणा पैदा करने वाला तथा ज्योति के विषय में सहानुभूति पैदा करने वाला यह नाटक है।

'कन्यादान' में अरुण आठवले का हर प्रवेश वीभत्स ही है। अरुण जब पहली बार ज्योति के घर जाता है, तब उससे पूछता है, "मेरी माँ के साथ महारबाड़े में हगनहटी में जाकर शौच करना पसन्द करोगी? क्या गोठ की भैंस के लिए बस्ती-बस्ती घूमकर घास की भीख माँगेगी।" (पृ. 15) पत्रकार, लेखक एवं पढ़ा-लिखा अरुण

अपनी होने वाली पत्नी को ऐसे प्रश्न क्यों पूछता है? ज्योति महारबाड़े की हगनहटी में शौच के लिए क्यों जायेगी? वह जानती है कि उसका होने वाला पति पढ़ा-लिखा, पत्रकार एवं लेखक है। उसे आरक्षित सीट पर नौकरी मिलने वाली है। इसलिए महारबाड़े में क्यों रहेगी? बावजूद इसके तेन्डुलकर ऐसा भयंकर चित्र निर्माण करने का प्रयत्न क्यों करते हैं? घर की भैंस के लिए बस्ती-बस्ती जाकर घास की भीख माँगे? ऐसा इनकार का राग तेंडुलकर क्यों अलापते हैं?

देहातों में जिनके घर भैंस होती है, वह परिवार सुखी होता है। अरुण के घर यदि जानवरों का गोठ होगा, तो उसकी बीवी भीख क्यों माँगेगी? दलित की बीवी भीख ही माँगे, क्या यही तेन्डुलकर का विचार है? महार अपने पेट की भूख मिटाने के लिए रोटी माँगते दिखेंगे। जानवरों के घास के लिए नहीं। ऐसे वक्तव्यों के द्वारा तेन्डुलकर ब्राह्मणों की बेटियों को इशारा तो नहीं करना चाहते—ब्राह्मण की बेटियों! महार से शादी करोगी तो महारबाड़े की हगनहटी में शौच के लिए जाना पड़ेगा और जानवरों की घास के लिए बस्ती-बस्ती घूमकर, गिड़गिड़ाकर भीख माँगनी पड़ेगी।

अरुण ज्योति के घर पहली बार आया है। वह ज्योति की माँ, पिता एवं भाई से पहली बार मिलता है। ऐसी स्थिति में वह सभ्य की तरह बर्ताव करेगा तो फिर दलित कैसा? इसीलिए वह अपनी होने वाली पत्नी से कहता है, "तुझे इयाट भी मालूम नहीं।" (पृ. 18) उसकी होने वाली सासू माँ उसकी कल की गृहस्थी के विषय में बात करती है, तब वह उससे टेढ़ी बात करता है—"हाथ-भट्टी में पर्याप्त रुपये मिलते हैं। दो लोगों का फर्स्ट क्लास धन्धा। आदमी बाहर के हप्ते बिप्ते मैनेज करेगा और औरत ग्राहक को सर्व करेंगी। आंटी कहते हैं सब उसको। आंटी दिखने में जितनी सुन्दर उतना उतना धन्धा तेज।" (पृ. 18) अपनी होने वाली सासू माँ को अरुण अपनी जीविका का उपाय इस तरह समझाता दिखाई देता है। पढ़ा-लिखा, समाचार-पत्र में काम करने वाला एवं समाजवादी विचार-मण डल के शिविरों में जाने वाला साहित्यिक दलित युवक इस तरह क्यों बोलता है? 'शोले' फिल्म का जय बसन्ती की माँ से वीरू के विषय में इस तरह के फिल्मी डायलॉग बोलता दिखेगा। अरुण आठवले 'श्रमिक समाचार' छोड़कर हाथ-भट्ठी की ज़बान क्यों बोलता है? क्या हाथ-भट्ठी के धन्धे में आंटी होती है? सर्व करना होता है? वेश्या व्यवसाय कराने वाली औरत आंटी कहलाती है, लेडिज बार में औरतें ग्राहक को सर्व करती हैं, इस काम में बार में आने वाले ग्राहक को पेग बना कर देने पड़ते हैं, उसके साथ बैठकर शराब पीनी पड़ती है, उसके साथ सेक्स एन्जॉय करना पड़ता है—हाथभट्ठी में ऐसा माहौल नहीं होता। तेन्डुलकर बार में

गये होंगे। ऐसा प्रतीत होता है कि उन्हें हाथभट्ठी की जानकारी नहीं होगी। अरुण अपने बारे में कहता है, "असल में महारबाड़े की आदत हमारी।" (पृ. 15) एक मध्यवर्गीय समाजवादी महार इस तरह क्यों बोलता है? इस बारे में तेन्डुलकर लिखते हैं, "मात्र मध्यवर्गीय ही नहीं, बल्कि दलित है। अति दरिद्रता और अपमान के बीच पला-बढ़ा। इन लोगों का मानसशास्त्र अलग तरह का होता। उन्हें हमें ठीक से समझ लेना चाहिए और यह आसान नहीं है।" (पृ. 24) कुल मिलाकर दलित मनुष्य सामान्य मनुष्य की अपेक्षा भिन्न होकर, उसकी सोच भी साधारण जनों की अपेक्षा हटकर होती है, इस तरह का प्रतिपादन किया गया है। यही सुर सेवा के मुँह से और पैना होता हुआ दिखता है। वह कहती है, "मुझे तो यही प्रश्न सताता है कि कृतज्ञता नामक चीज ही इन पददलितों को मालूम है कि नहीं?" (पृ. 46) दलित कृतघ्न होता है। उसे कृतज्ञता का ज्ञान नहीं होता, इस तरह का यह बयान है। नाटक अरुण आठवले के विषय में है किन्तु बेइज्जती तमाम पद दलित समाज की होती हुई दिखाई देती है।

विजय तेन्डुलकर अरुण आठवले को शराब पिलाकर मंच पर लाते हैं और उसके मुँह से महारों को जी भरकर गालियाँ दिलवायी हैं। अरुण आठवले कहता है, "मेरे जैसा ढेंढ़ आखिर, गन्दगी में ही मरेगा।" (पृ. 38) आगे चलकर वह कहता है, "मैं बहुत बुरा हूँ, पाजी हूँ, मादरचोद हूँ।" तेन्डुलकर ने महार को 'तुम बुरे हो, पापी हो, मादरचोद हो। तेरे जैसा ढेंढ़ आखिर गन्दगी में ही मरेगा' जैसे बोल सुनाये हैं। फर्क यही है कि उन्होंने स्वयं कहने के बजाय यह सब अपने पात्र द्वारा कहलवाया है। तेन्डुलकर का 'कन्यादान' मध्यवर्गीय दर्शकों के जातीय घमण्ड की तुष्टि करने वाला नाटक है।

जिस कालखण्ड में तेन्डुलकर ने यह नाटक लिखा, उस पर ध्यान देना आवश्यक है। यह कालखण्ड दलित साहित्य एवं आन्दोलन की चकाचौंध का कालखण्ड है। इस काल में दलित साहित्य पर तूफानी गोष्ठियाँ होती थीं। प्रगतिशील लेखक-विचारक दलित साहित्य के पक्ष में लिख रहे थे, बोल रहे थे। एक ओर दलित साहित्य की बेहद प्रशंसा हो रही थी, तो दूसरी ओर इसके सम्बन्ध में एक ईर्ष्या एवं झल्लाहट सुनायी दे रही थी। दलित विषयक झल्लाहट व्यक्त करने का साहस कोई नहीं कर पा रहा था। जिसे कोई व्यक्त नहीं कर सकता, उसे व्यक्त करने का ढाढ़स तेन्डुलकर सदैव दिखाते रहे हैं। 'कन्यादान' का दलित लेखक (नायक) जो बोल रहा है, वे दलितों के मन की बातें नहीं हैं। बल्कि यहाँ के जातिवादी मनुष्य के चित्त में स्थित दलित विषयक जलन को वह व्यक्त कर रहा है।

विजय तेन्डुलकर के मस्तिष्क में एक काल्पनिक महारबाड़ा है, जहाँ से वह अरुण

आठवले नामक अजीबो गरीब व्यक्ति को लाते हैं। 'कन्यादान' का दलित नायक विकृत, वीभत्स और असभ्य प्रतीत होता है। यही कारण है कि यह पात्र दलितों का प्रतिनिधि नहीं लगता। किन्तु तेन्डुलकर को लगता है कि अरुण आठवले, "उस समाज का प्रतिनिधि चरित्र है।" (पृ. 8) तेन्डुलकर जैसे विद्वान लेखक जब ऐसा प्रतिपादन करते हैं, तब दलितों को तलवों से आग लगना स्वाभाविक है। इसी कारण नागपुर स्थित एक समारोह में एक दलित कार्यकर्ता ने तेन्डुलकर को चप्पल फेंक मारी थी। दलित कार्यकर्ता का यह सिरफिरापन है। ऐसे निंदित कृत्य का समर्थन कतई नहीं किया जा सकता। तेन्डुलकर ने 'सरस्वती' सम्मान ग्रहण के दौरान इस घटना का जिक्र किया है—"इस नाटक के कारण कुछ अरसा पहले एक समारोह में मुझ पर जाहिर रूप से चप्पल फेंकी गयी थी। वह चप्पल और यह सरस्वती सम्मान—ऐसी प्रस्तुत नाटक की संयुक्त नियति होनी चाहिए।" (पृ. 11) तेन्डुलकर के मुताबिक यह 'नियति' न होकर हकीकत है। दलितों का चित्रण किसी ने दया बुद्धि से, तो किसी ने सुधारवादी दृष्टि से तो किसी ने विकृत एवं घिनौनेपन के साथ किया है। 'कन्यादान' इसका धधकता हुआ उदाहरण है।

तेन्डुलकर ने महार अरुण आठवले को जिस तरह बदमाश दिखाया है, उसी तरह समाजवादी ब्राह्मण का भीतरी दिखावटीपन भी खुल कर प्रस्तुत किया है। छँटे हुए ब्राह्मण और उद्धत महार की उन्होंने भिड़न्त लगायी है और इस भिड़न्त को वे बड़ी शरारत के साथ देखते हैं। तेन्डुलकर ने दुनिया को रिपेयर करने निकले मैकेनिक की भूमिका से इस नाटक का लेखन किया है, पर दुनिया रिपेयर होने की बजाय बिगड़ी हालत में ही दिख रही है।

2

'कन्यादान' में तेन्डुलकर द्वारा प्रस्तुत सिद्धान्त को गम्भीरता से समझने की आवश्यकता है। क्योंकि यह इस नाट्यकृति का निचोड़ है। जय प्रकाश जैसे नगण्य पात्र के मुख से इस हिडन एजेंडा को प्रस्तुत किया है। उसे गहराई से समझ लेना जरूरी है।

जय प्रकाश : यदि आपका मूड हो तो ही...एक सुनाना चाहता था। वैसा कुछ नहीं, एक विचार जी में आया...।

नाथ : (सँभल कर) श्योर। सुनाओ ना।

जय प्रकाश : (श्याम का समाचार-पत्र दिखाते हुए) इसमें एक समाचार है।

नाथ : समाचार? कैसा समाचार?

जय प्रकाश : विशेष नहीं। मध्य पूर्व में पैलेस्टाइनियन आतंकवादियों के अड्डों के खिलाफ इज्राइल की सेना ने जोरदार चढ़ायी की है। इस हमले में; आतंकवादियों की रसद बन्द करना, उन्हें पनाह और दाना-पानी न मिले इसके लिए सुना है इज्राइल की फौज पैलेस्टाइनियन अरबी नागरिकों के गाँव के गाँव तहस-नहस कर रही है। न केवल आदमी, बल्कि औरतों और बच्चों को भी गोलियों से भून रहे हैं, उन पर घोर अत्याचार कर रहे हैं...ऐसा इसमें कहा गया है।

नाथ : वह लड़ाई है, पक्या...

जय प्रकाश : जी। पर ऐसे ही एक बात याद आयी। चालीस साल पहले हिटलर की नाजी सेनाओं ने ज्यू लोगों की अमानुष हत्याएँ कीं। आपने उसके बारे में पढ़ने को मुझे कहा था। मुझसे पढ़ा नहीं जा रहा था, फिर भी आपने कहा था, पढ़ पक्या, यह इतिहास तुम्हें मालूम होना चाहिए और आज पैलेस्टाइनी अरबी बाल-बच्चों, औरतों को मौत के घाट उतारने वाले ज्यू ही हैं।

नाथ : (बेचैन) तो तुम कहना क्या चाहते हो?

जय प्रकाश : कहना यही कि तब जिनकी हत्याएँ हुईं, वे आज और किसी की हत्याएँ कर रहे हैं।

नाथ : किन्तु वह उनकी सुरक्षात्मक जरूरत होंगी।

जय प्रकाश : होंगी। बाल-बच्चों और औरतों को गोलियों से भूनना उनकी सुरक्षात्मक जरूरत होंगी। किन्तु एक बार जो अत्याचारों के शिकार होते हैं, वही आगे चलकर वैसे ही गन्दे अत्याचार कर सकते हैं। वैसा करने में उन्हें एक तरह की खुशी भी मिलती होगी। एक बार किसी काल में जिन पर अत्याचार होते हैं, मौका मिलने पर उन्हें दूसरों को छलने में मजा आता होगा। जिसका दमन होता है, वह अवसर मिलने पर और किसी का दमन खुशी-खुशी करता होगा।

नाथ : (गम्भीर) यानी उसका छल या दमन हुआ इस कारण, 'ऐसा किसी के साथ न हो।' कम से कम हमें ऐसा नहीं करना चाहिए, ऐसा वह मानता ही नहीं। तो उलटे मौका मिलने पर स्वयं बहुत बड़ा छलवादी बनता है और बहुत दमन करता है क्योंकि उसमें उसे बड़ी खुशी प्रतीत होती है।

नाथ : (बेचैन) तो कल का दमन का शिकार आज का शोषक बनता है। कल गोलियाँ झेलने वाला और गोलियाँ दाग सकता है। यानी कि मनुष्य अनुभव से अधिक अच्छा मनुष्य ही बनेगा यह नहीं कह सकते, बड़ा शैतान भी बन सकता है। (पृ. 45)

तेन्डुलकर ने वैश्विक सन्दर्भ देते हुए यह सूचित किया है कि ब्राह्मण एवं दलितों में प्रेम के रिश्ते असम्भव हैं, मात्र वैमनस्य ही सम्भव है। अरुण आठवले अपनी पत्नी पर अत्याचार करता है, इस बात को लेकर उसकी सास सेवा कहती है,

"सवर्णों ने उसके पुरखों को सदियों से लताड़ा जो है; उसी को वह इस तरह लौटा रहा है।" (पृ. 42, 43) कितना गन्दा एवं जहरीला प्रचार है यह?

3

'कन्यादान' के नाथ देवळालीकर पसोपेश में पड़े हुए हैं। वे परिस्थितियों के आगे हताश एवं निराश तथा अपने आप पर क्षुब्ध दिखते हैं। वे मंच पर अपने दलित दामाद की झूठी प्रशंसा करते हैं और घर में उसे गालियाँ देते हैं। "वही, आत्मकथा के भीतर का यह। इस पर यकीन नहीं हो रहा था। यहाँ उसके मात्र होने से यह ड्रॉईंग रूम, यह मकान, आज का यह दिन गन्दा हो गया, ऐसा लगता था। सेवा, मन करता है नहा लूँ। यह फर्नीचर, यह जगह, सब धो लीजिए। यह सब अपवित्र हो गया है।" (पृ. 51) 'कन्यादान' में बिल्कुल प्रारम्भ से आखिर तक अरुण आठवले को लेकर जातिवादी और एकांगी सुर सुनायी देते हैं। इसी कारण ज्योति कहती है, "अरुण के प्रति तुम्हारे मन में मात्र तिरस्कार ही है, दूसरा कुछ नहीं।" (पृ. 61)

बेटी ने महार से शादी कर अपनी जिन्दगी का सत्यानाश कर लिया। यह प्रयोग झूठा साबित हुआ। बेटा इसे न दोहराये इस कारण नाथ पसोपेश में पड़े हैं। वे अपने बेटे से कहते हैं, "बेचारी ज्योति का यदि गुनाह है तो एक ही। पिता की होशियारी पर उसने बहुत भरोसा रखा। पिता के संस्कार प्राप्त किये। पिता के मानवतावाद एवं उदारवाद का व्रत लिया। प्रकाश जी, अब तुम एक ही काम करो, पिता को नकारो। उसका भोलापन, बड़प्पन ठीक से जाँचना सीखो। उसके भरोसे पर मत रहो। तुम भी गड्ढे में जा पड़ोगे।" (पृ. 56) विधान परिषद के सदस्य समाजवादी नाथ देवळालीकर का यह स्वगत है। एक परास्त मन की यह स्वीकृति है। नाटक के आरम्भ में प्रगतिशील प्रतीत होने वाले नाथ नाटक के अन्त में अपनी प्रगतिशीलता को त्यागते दिखाई देते हैं।

किन्तु ज्योति प्रतिकूल परिस्थितियों में भी अपनी भूमिका पर अडिग है। नाटक के अन्त में हम देखते हैं कि ज्योति अरुण के उत्कट एवं उद्धत सानिध्य से पुनीत हुई है। वह कहती है, जो तुमने मुझसे छिपाया, वह अरुण ने मुझे दिया है। उसका मुझ पर बड़ा एहसान है।" (पृ. 61) ज्योति अन्तर्जातीय रिश्ता नहीं तोड़ती। यही नहीं, बल्कि इसका श्रेय वह अपने पिता को देने के बजाय अपने पति को देती है। इसलिए समाजवादी विचारों की जीत होने के बजाय शराब की जीत होती दिखाई देती है। ज्योति कहती है, "मैं एक ढेंढ़ औरत हूँ...मुझे मत छुओ। मेरी छाँव के पास भी न फटको। वरना इसकी आग में तुम्हारे समूचे सुखासीन मूल्य झुलसकर खाक

बन जाएँगे।" (पृ. 63) ज्योति जन्म से ढेंढ़ न होकर भी कहती है, 'मैं ढेंढ़ औरत हूँ।' यह उसका दिखावटीपन है। ऊपर से यह एक दिखावा, 'मुझे मत छुओ, मेरी छाँव के पास न आओ' जैसी अस्पृश्यता का ऐलान करती है। फर्क यही है कि ब्राह्मण महिला को ढेंढ़ महिला का रूप देकर उसके मुँह से यह सब कहलवाया है। ज्योति न तो ब्राह्मण पर हमला करती है और न ही जाति के खिलाफ बोल पाती है। उसके मुँह से मात्र कट्टरता से युक्त विचार ही व्यक्त होते दिखाई देते हैं।

पुरुष

(जयवन्त दळवी)

जयवन्त दळवी कृत 'पुरुष' दलित-सवर्ण समस्या को स्पर्श करने वाला नाटक है, इसलिए इस नाटक का दलितों की चर्चा में कई बार उल्लेख होता रहता है। समकालीन घटना, प्रसंग एवं समस्याओं को आधार बनाकर लिखा जाने से काल्पनिक होकर भी सत्य होने का आभास पैदा करता है। नायिका प्रधान नाटक होकर भी 'पुरुष' में स्त्रियों पर होने वाले बलात्कार का क्षोभपूर्ण प्रस्तुतिकरण किया हुआ दिखता है।

औरंगाबाद स्थित मराठवाडा विश्वविद्यालय को डॉ. बाबासाहब आम्बेडकर का नाम दिलवाने के लिए दलितों ने लगभग पन्द्रह साल संघर्ष किया। इस दौरान अनेक स्थलों पर दलितों पर अन्याय-अत्याचार की घटनाएँ हुईं, जिसमें अकोला में गवई बन्धुओं की आँखें निकाला जाना तथा मराठवाडा में पोचीराम काम्बळे की हत्या—ये घटनाएँ काफी चर्चित रहीं। इन दो घटनाओं का एकत्रित विचार कर 'पुरुष' नाटक की रचना हुई है, ऐसा प्रतीत होता है। नाटक के प्रारम्भ में ही अकोला में माया गवई का बलात्कार करने वाले खण्डेराव पाटील की आँखें हाथ काटने के समाचार का आकाशवाणी से पता चलता है और नाटक का अगला विस्फोटकारी विस्तार देखने हेतु दर्शक आप ही कुर्सी से चिपका रहता है। इस नाटक का प्रारम्भ अत्यन्त क्षोभपूर्ण समाचार से होता है और अन्त भी बेचैनी को बढ़ाने वाली घटना से होता है। इसके प्रारम्भ और अन्त को छोड़ें तो शेष नाटक मध्यवर्गीय ब्राह्मण परिवार की खींचतान एवं व्यथा को व्यक्त करता है।

'पुरुष' नाटक पुरुष समाज को कटघरे में खड़ा करता है। यह नाटक इस बात की पोल खोलता है कि पुरुष किस तरह स्त्रियों का शिकार करते हैं? इस नाटक में दिखाया गया है कि माया गवई नामक दलित महिला तथा अम्बिका नामक ब्राह्मण महिला का बलात्कार हुआ है। माया तथा अम्बिका की जातियाँ तथा उन पर हुए अत्याचार की तुलना के साथ यह नाटक समाप्ति की ओर जाता है। नारी फिर वह दलित हो या ब्राह्मण, उसके साथ बलात्कार होता है। यह बलात्कारी पुरुष मालदार, सत्ताधीश एवं सवर्ण होता है। दलित महिला के साथ बलात्कार होने पर क्या होता

है और ब्राह्मण महिला के साथ बलात्कार होने पर क्या नहीं होता; इसका सामाजिक ब्योरा प्रस्तुत करने वाला नाटक है 'पुरुष'।

माया गवई के साथ बलात्कार के पश्चात् इसकी कैफियत तलब करने गये गवई बन्धुओं की आँखें निकाल ली जाती हैं। क्योंकि अब यहाँ की परम्परा ने मानो यह इकतरफा ऐलान किया है कि दलितों को कैफियत तलब करने का अधिकार ही नहीं है। दूसरी ओर जब अम्बिका के साथ बलात्कार होता है तब किसी की आँखें नहीं निकाली जातीं। (यहाँ ऐसा नहीं कहना है कि उनकी भी आँखें निकाल ली जायें।) अम्बिका का पक्ष लेने वाले फौजदार गाडगीळ, पत्रकार नरवणे एवं दलित कार्यकर्ता सिद्धार्थ पवार को खरीदा जाता है। यहाँ हथियार के बजाय रुपयों का इस्तेमाल किया जाता है। गवई बन्धुओं के आक्रोश की पृष्ठभूमि में फौजदार गाडगीळ, पत्रकार नरवणे तथा सिद्धार्थ पवार का मौन अनुभव करते हुए दर्शक काँप उठता है। यह मध्यवर्गीय संज्ञाहीनता विषण्ण एवं बेचैन करती है। माया एवं अम्बिका की जाति कोई भी हो, उन पर होने वाला अन्याय दिल में गहरी चोट उत्पन्न करता है। 'पुरुष' समाज में स्थित घिनौनी एवं वीभत्स प्रवृत्तियों का पर्दाफाश करने वाला यह नाटक है।

माया गवई तथा खण्डेराव पाटील नामक पात्र प्रस्तुत नाटक में अदृश्य रूप में विद्यमान हैं। माया का दृश्य रूप अम्बिका तथा खण्डेराव पाटील का दृश्य रूप गुलाबराव जाधव है। माया गवई के दलित होने से उस पर हुए अन्याय को न्याय में बदलने हेतु कोशिश होती है, किन्तु अम्बिका के ब्राह्मण होने के कारण उसके साथ हुआ अन्याय दुर्लक्षित रह जाता है। इस तरह का समीकरण लेकर यह नाटक प्रस्तुत होता है। ब्राह्मण फौजदार गाडगीळ अथवा पत्रकार नरवणे एवं दलित कार्यकर्ता सिद्धार्थ पवार बिकाऊ प्रवृत्तियाँ हैं। इस तरह की प्रवृत्तियाँ हर जाति में होती हैं। सिद्धार्थ पवार माया के सम्बन्ध में समझौता नहीं करता, किन्तु अम्बिका के सम्बन्ध में समझौता करता है। दलित स्त्री पर अन्याय होने पर दलित क्षुब्ध हो उठते हैं। हो-हल्ला करते हैं और ब्राह्मण स्त्री पर अन्याय होने पर यही दलित चुप्पी साध लेते हैं। अन्याय से उनका कुछ लेना-देना नहीं होता। संक्षेप में दलित भी जातिवादी हैं, इस तरह का सुर व्यक्त करने वाला यह नाटक है।

माया गवई के साथ हुए अन्याय से किसी भी संवेदनशील व्यक्ति के मन में क्षोभ पैदा होगा। इसी संवेदनशीलता को जातियों में बन्दी बनाने का नाटककार दळवी का प्रयास है। "माया गवई के दलित होने से उस पर हुए अन्याय के खिलाफ आवाज तेज होती है।" यह दळवी का अहंवादी स्वर है। माया पर हुए अत्याचार की तरफ ध्यानाकर्षित करने के बजाय उसकी जाति की ओर निर्देश करें, यह कैसी विकृत मानसिकता है? जब अम्बिका पर अत्याचार होता है, तब संघी एवं जनसंघियों द्वारा जुलूस निकाले जाते हैं। किन्तु माया गवई की समस्या पर उनकी निष्क्रियता खटके

बगैर नहीं रहती। जबकि दलित कार्यकर्ता सिद्धार्थ पवार माया तथा अम्बिका दोनों के लिए जुलूस निकालता है। माया निरक्षर है तथा वह खण्डेराव पाटील का भक्ष्य बनी है, जबकि अम्बिका शिक्षित एवं कार्यकर्ता है। वह गुलाबराव पाटील के चंगुल में फँसी है। यहाँ पर माया तथा अम्बिका की जातियाँ महत्त्वपूर्ण नहीं हैं। किसी भी स्त्री पर हुआ अत्याचार महत्त्वपूर्ण है। उसे न्याय मिलना ही चाहिए। जबकि जयवन्त दळवी 'पुरुष' में न्याय-अन्याय का जतियों में विभाजन करते हैं। यही कारण है कि उनके 'पुरुष' नाटक के प्रति दलितों के मन में झुंझलाहट पैदा होती है।

अम्बिका आबा साहब आपटे नामक राष्ट्रीय पुरस्कार से विभूषित अध्यापक की बेटी है। उसका अपना स्कूल है। उसने स्कूल के लिए भवन-निर्माण शुरू किया है। लोग इस निर्माण में सहायता करते हैं। अम्बिका का पारिवारिक वातावरण प्रगतिशील है। आबा साहब आपटे समाजवादी विचारों के अध्यापक हैं। उन्होंने परित्यक्ता महिला के साथ ब्याह किया है। इसी आदर्श के तहत अम्बिका दलित युवक सिद्धार्थ पवार से प्यार करती है। वह सिद्धार्थ के साथ घूमती है। दोनों विवाहबद्ध होने वाले हैं। अम्बिका साधारण औरतों की तरह नहीं है। वह रात-बेरात अकेली घूमती है, जिला कलेक्टर को मिलने अकेली जाती है। (पृ. 3) अम्बिका के आधुनिक बर्ताव से उसकी माँ भी चिन्तित है। (पृ. 5) अम्बिका के खून में लड़ाकू वृत्ति है। आबा साहब आपटे न केवल अध्यापक, बल्कि सामाजिक कार्यकर्ता भी हैं। ऐसे लड़ाकू पिता की बेटी है अम्बिका।

अम्बिका एवं गुलाबराव जाधव में पूर्व वैमनस्य है। गुलाबराव को माळीबाई की जगह को हड़पना था, और वहाँ अपने साले के लिए पेट्रोल पम्प शुरू करना चाहता था। जाधव के इस कारनामे का अम्बिका ने विरोध किया था और उसे बारह घण्टे तक घेर लिया था। अम्बिका को अपना वह ढाढ़स याद आता है, वह कहती है, "मैंने उसकी नाक जो काट दी थी?" (पृ. 17) गुलाबराव जाधव अम्बिका के पिता को 'राष्ट्रीय अध्यापक सम्मान' दिये जाने पर उनके घर मिलने जाता है। वह आबा साहब आपटे का आशीर्वाद लेता है। बात-बात में अम्बिका अपना परिचय करवाने के साथ-साथ गुलाबराव को यह भी याद दिलाती है कि उसने किस तरह गुलाबराव के खिलाफ लड़ाई लड़ी थी। गुलाबराव मँजा हुआ राजनेता है, इसलिए विचलित नहीं होता। उलटे वह अम्बिका की सहायता की बात करता है। अम्बिका अपने स्कूल-निर्माण हेतु सीमेंट चाहती थी। गुलाबराव उसे सीमेंट दिलाने के लिए आश्वस्त करता है और इसके लिए अम्बिका को डाक बंगले पर बुलाता है। वहाँ उद्योगपतियों की सभा थी। गुलाबराव उन उद्योगपतियों द्वारा अम्बिका को आर्थिक सहायता की तैयारी दर्शाता है। अम्बिका भी पूर्व वैमनस्य भूलकर डाक बंगले पर पहुँची। यहाँ दर्शक के मन में सन्देह जागता है, क्योंकि लेखक यहाँ अम्बिका पर

बलात्कार घटित करवाना चाहता है। अतः दर्शक भी बलात्कार देखने के लिए अपना मन बना लेते हैं।

गुलाबराव जाधव पूर्वनियोजित ढंग से अम्बिका पर बलात्कार करता है और इस गुनाह को दबाने हेतु फौजदार गाडगीळ, पत्रकार नरवणे तथा दलित कार्यकर्ता सिद्धार्थ पवार को खरीद लेता है। यही नहीं, बल्कि गुलाबराव पर स्थित बलात्कार का इल्जाम पाण्डु नामक दलित पट्टे वाला अपने ऊपर लेकर पुलिस से कहता है, 'मैंने बलात्कार किया है।' गुलाबराव जाधव बाइज्जत बरी हो जाता है। इतना ही नहीं, बल्कि उसे सत्ताधारी दल की ओर से उम्मीदवारी भी मिल जाती है। (यह सत्ताधारी दल 'कांग्रेस' होना ध्वनित होता है।) जयवन्त दळवी ने भ्रष्ट एवं आपराधिक पृष्ठभूमि वाले राजनेताओं का पर्दाफाश किया है। सत्ता, सम्पत्ति एवं रोब तथा जाति के बल पर गुलाबराव जैसे उद्दंड लोग किस तरह मगरूर व्यवहार करते हैं, इसका धधकता हुआ चित्र 'पुरुष' में देखने को मिलता है। गुलाबराव जाधव के हाथों में स्थित तराजू कितना बड़ा हो सकता है? जिसके एक पलड़े में भ्रष्ट गुलाबराव है, तो दूसरे में कानून, न्याय, पत्रकारिता, आन्दोलन एवं राजनीति है। 'पुरुष' में स्थित यह नाप-तौल बेचैन करने वाला है।

अम्बिका अपने साथ हुए अन्याय के खिलाफ एकाकी लड़ाई लड़ती दिखाई देती है। शक्तिशाली गुलाबराव के खिलाफ उसकी जानलेवा लड़ाई शुरू है। यह लड़ाई तूफानी बरसात में कड़कने वाली बिजली की भाँति है। इस संघर्ष में अम्बिका की माँ ताराबाई जहर पीकर आत्महत्या करती है। फिर भी अम्बिका पीछे नहीं हटती। यहाँ एक बात समझ में नहीं आती, अम्बिका की लड़ाई में गुलाबराव को बारह घण्टों तक घेरने वाले लोग कहाँ गये? माळीबाई कहाँ गयी? राष्ट्रीय अध्यापक आपटे से मिलने वाले मामलेदार, कलेक्टर, मन्त्री कहाँ चले गये? आबा साहब आपटे के सभी विद्यार्थी कहाँ चले गये। एक राष्ट्रीय अध्यापक एवं उसकी बेटी की अवहेलना क्यों होती है? क्या केवल इसलिए कि वे ब्राह्मण हैं? कोई भी अमीर हाथ दस-पाँच लोगों को खरीद सकता है। हजारों लोगों को खरीदने की सामर्थ्य किसी भी तिजोरी में नहीं हो सकती। लेखक ने अपने कथ्य की सुविधा के लिए इस तरह सब को गायब किया है।

गुलाबराव जाधव की न्यायालय से निर्दोष मुक्ति हो जाती है और उसे सत्ताधारी दल की उम्मीदवारी मिलती है। विरोधकों द्वारा चुनाव प्रचार में अम्बिका-काण्ड का उल्लेख न हो इसलिए गुलाबराव एक बार फिर आबा साहेब आपटे एवं अम्बिका से मिलने जाता है। उनसे मदद की अपील करता है। यहाँ राजनेताओं की निर्लज्जता और बेशर्मी बड़ी निपुणता के साथ व्यक्त होती दिखाई देती है। अम्बिका भी उसे चुनावी सहायता के लिए तैयार हो जाती है। वह उसे मिलने डाक बंगले में जाती है।

अब एक बार फिर दर्शकों की भौंहें तन जाती हैं। इतिहास की पुनरावृत्ति हो जाती है किन्तु अब अम्बिका पूरी तैयारी के साथ आयी थी। माया गवई का बलात्कार करने वाले खण्डेराव पाटील की आँखें निकालने वाला और कुहनी से हाथ काटने वाला बंडा अपने साथियों सहित आता है। नाटक के अन्त में गुलाबराव जाधव का लिंग काट दिया जाता है। यों सनसनीखेज तरीके से बलात्कार का जवाब दिया जाता है। जब अदालत से न्याय नहीं मिलता, तब लोग कानून हाथ में लेकर स्वयं न्याय करते हैं। भि. शि. शिंदे कृत 'अन्धेरे की कोख में' शीर्षक चर्चित दलित नाटक का अन्त भी ऐसा ही है। वहाँ पोचीराम काम्बले के हत्यारे निर्दोष मुक्त हो जाते हैं, तब पोचीराम काम्बले का बेटा उनकी हत्या कर देता है। जयवन्त दळवी ने भि.शि. शिंदे के उक्त चर्चित नाटक का अनुकरण किया है। दळवी ने दलित नाटक में चित्रित विद्रोह को उधार लिया है। "ब्राह्मणों, हमें भी अब दलितों की भाँति आक्रामक बनना होगा, तभी हमारा भविष्य है।" जैसे अदृश्य भरत वाक्य के साथ 'पुरुष' का अन्त होता दिखाई देता है। पूरा नाटक अम्बिका के संघर्ष पर आधारित है। किन्तु अन्त में उसने बंडा नामक पुरुष की बैसाखियाँ ली हैं। अम्बिका का बलात्कार करने वाला भी पुरुष है और उसको न्याय दिलाने वाला भी पुरुष। इस कारण प्रस्तुत नाटक में नारीत्व की चमक कुछ कम हुई है।

'पुरुष' में स्थित सिद्धार्थ की भूमिका को लेकर अक्सर विवाद होता है। सिद्धार्थ पवार नामान्तर आन्दोलन का कार्यकर्ता है। वह माया गवई के साथ हुए अन्याय के खिलाफ लड़ने वाला कार्यकर्ता है। अम्बिका सिद्धार्थ की होने वाली पत्नी तथा प्रिय सहेली है। अम्बिका के घर में सिद्धार्थ का व्यवहार घर जमाई की तरह है। माया गवई के साथ हुए अन्याय-काण्ड में जब वह अकोला के लिए निकलता है, तब किराये के लिए वह अम्बिका से दो सौ रुपये माँग कर ले जाता है। तो सिद्धार्थ का बाप शराब पीने के लिए अम्बिका के पिता से दो रुपये माँगता है। सिद्धार्थ हो या उसका बाप अम्बिका के घर की ओर रुपये दिलाने वाली निश्चित जगह के रूप में देखते हैं। इसी कारण अम्बिका भी सिद्धार्थ से कहती है, "सिद्धार्थ अब तेरा बहुत हुआ! हँ निरा खोदता जा रहा है।" (पृ. 35) सिद्धार्थ की निगाह मूल्यों की अपेक्षा रुपयों पर अधिक दिखती है। माया गवई-काण्ड में वह सौ रुपयों की शर्त लगाता है। यह उथलापन है। माया के साथ हुआ बलात्कार शर्त का विषय नहीं हो सकता। यही नहीं, बल्कि वह गुलाबराव के विषय में कहता है, "अन्ना गुलाबराव तैयार हुआ न? फटकार कर रुपये जमा करो। वजनदार असामी है और बेकार माळीबाई के बेटे के विषय में तू-तू मैं-मैं मत करो।" (पृ. 34) सिद्धार्थ अम्बिका से रुपये निकालता दिखता है तथा उसे भी गुलाबराव से रुपये वसूलने हेतु उकसाता है। इससे स्पष्ट है कि सिद्धार्थ किस तरह मूल्यों से अधिक महत्त्व रुपयों को देता है। जब अम्बिका

का बलात्कार हुआ, तब सिद्धार्थ बड़ी तनख्वाह वाली नौकरी पाकर अम्बिका से मुँह मोड़ लेता है। सिद्धार्थ पवार, उसका बाप एवं दलित पट्टे वाला पाण्डु तथा अन्य सभी दलित पात्र भ्रष्ट, विकृत, बिकाऊ एवं दुराचारी दिखाये गये हैं।

सिद्धार्थ जैसा लड़ाकू कार्यकर्ता विचारशून्य तथा विवेकहीन दिखाया गया है। अम्बिका सिद्धार्थ से पूछती है, "एक जुलूस निकाला...बस्स? मुझे बताओ, मैं ब्राह्मण नहीं होती, दलित होती, तो क्या तुमने और जुलूस नहीं निकाले होते? क्या तुम सब मेरे लिए नहीं लड़ते? तुम लोग भी जाति कायम रखने वाले ही हो।" (पृ. 21) अम्बिका सवाल करती है सिद्धार्थ से और दोष देती है समूचे दलितों को। "तुम भी जाति कायम रखने वाले लोग ही हो।" इस वक्तव्य से क्या ध्वनित होता है? सिद्धार्थ को दलितों के प्रतिनिधि के रूप में चित्रित किया गया है। एकाध सिद्धार्थ भ्रष्ट हो भी सकता है, किन्तु सारा समाज और आन्दोलन कैसे भ्रष्ट हो सकता है? दळवी ने ऐसे छिपे घाव किये हैं। अम्बिका को जवाब देते हुए सिद्धार्थ कहता है, "हमारे आन्दोलन का इस्तेमाल तुम्हारे लिए...बामन की बेटी के लिए करूँगा, तो हमारे लोग मुझे बहिष्कृत करेंगे।" (पृ. 51) 'पुरुष' के सिद्धार्थ पवार के मुँह से निकले तमाम वक्तव्य असल में दळवी के विकृत दिमाग से उपजे हैं। जयवन्त दळवी ने सिद्धार्थ के मुख से दलित आन्दोलन एवं कार्यकर्ता को बदनाम करने का प्रयत्न किया है। 'हमारा आन्दोलन', 'बामन की बेटी के लिए', 'हमारे लोग मुझे बहिष्कृत कर देंगे' जैसे शब्द दळवी के उर्वर दिमाग से उपजे शब्द हैं। दलित आन्दोलन जिन पर अन्याय हुआ है, उनकी जाति कभी नहीं देखता। सिद्धार्थ अम्बिका से कहता है, "मेरे माँ-बाप हमारी शादी के खिलाफ हैं। वे पुराने खयालों के लोग हैं।" (पृ. 51) सिद्धार्थ जैसा नामान्तर आन्दोलन का कार्यकर्ता उपर्युक्त वक्तव्य कतई नहीं कह सकता। अम्बिका कहती है, "तुम अन्याय के खिलाफ नहीं हो, तुम मात्र अपने ऊपर होने वाले अन्याय के खिलाफ हो।" (पृ. 52) दलितों की अन्याय के खिलाफ लड़ाई सम्पूर्ण क्रान्ति की लड़ाई न होकर उनके जातीय घेरे में स्थित लड़ाई है, इस तरह की यह प्रस्तुति है। अम्बिका सिद्धार्थ की होने वाली पत्नी है। अपनी होने वाली पत्नी का बलात्कार के बावजूद भी सिद्धार्थ जैसा कार्यकर्ता अपनी जाति, माँ-बाप, अपने आदमियों और पुरानी मान्यताओं के बारे में सोचता दिखता है। न केवल सिद्धार्थ बल्कि किसी भी जाति का युवक अपनी होने वाली पत्नी का बलात्कार होने पर खामोश नहीं रह सकता। जबकि इस नाटक का सिद्धार्थ, जो परिवर्तन आन्दोलन का कार्यकर्ता है–हिजड़े जैसा बर्ताव करता है। अपनी होने वाली पत्नी के पक्ष में खड़ा होने के बजाय वह गुलाबराव जाधव का दब्बू बना है। यह कैसा क्रान्तिकारी दलित नायक है? दलित स्त्री के साथ बलात्कार के बाद सभी चिल्लाते हैं और ब्राह्मण स्त्री के साथ बलात्कार होने पर सब तमाशबीन बन जाते हैं–ऐसा रोना

जयवन्त दळवी ने रोया है और इसके लिए उन्होंने एक दलित कार्यकर्ता को नामर्द दिखाया है। दळवी ने ऐसा चित्रित किया है कि एक दलित युवक अंजान किन्तु जन्म से दलित माया गवई नामक महिला पर हुए अन्याय के खिलाफ लड़ सकता है, किन्तु वही दलित युवक जन्म से ब्राह्मण तथा अपनी होने वाली पत्नी के लिए नहीं लड़ सकता। 'पुरुष' नाटक ब्राह्मणों को कौन-सा सन्देश देता दिखता है? क्या प्रस्तुत नाटक से यही सूचित नहीं होता कि दलित और ब्राह्मणों में जानी दुश्मनी है? अन्तर्जातीय विवाह करने वाले युवकों के लिए यह कैसा सन्देश? क्या इस नाटक के माध्यम से दळवी जाति-व्यवस्था को मजबूत बनाने का विचार तो नहीं रख रहे?

गुलाबराव अम्बिका की इज्जत लूटता है तो सिद्धार्थ उसका विश्वासघात करता है। अम्बिका गुलाबराव के खिलाफ उग्र और जी-जान से लड़ती है किन्तु सिद्धार्थ के आगे हारती प्रतीत होती है। अम्बिका के मन में सिद्धार्थ को लेकर मात्र कड़वे भाव हैं। ऐसा सन्देह होता है कि क्या सिद्धार्थ का स्वार्थी एवं जातिवादी व्यवहार अम्बिका ने मान लिया था? ऐसा दिखाई देता है कि नाटककार दळवी ने अपने पात्रों को पट्टी पढ़ाकर प्रस्तुत किया है। "गुलाबराव जाधव बड़ा असामी है। वह जब डाक बंगले पर बुलायेगा तब जाओ। अम्बिका डाक बंगले पर अकेली आयेगी। उसका बलात्कार करो। उससे रुपये लो और चुप रहो।"—इस तरह के वर्णन प्रस्तुत नाटक में हैं। इसी दौड़-पथ पर यह नाटक दौड़ता हुआ दिखाई देगा। सिद्धार्थ को अम्बिका से अधिक रुपये गुलाबराव से मिलते हैं। सिद्धार्थ तुरन्त पटरी बदलता है। 'पुरुष' में से यह विचार व्यक्त हुआ है कि सत्ता, स्वार्थ एवं रुपयों के सामने दुनिया की समस्त चीजें गौण हैं। 'पुरुष' के सिद्धार्थ, सिद्धार्थ के पिता तथा पाण्डु आदि दलित पात्रों के प्रति यह नाटक सहानुभूति पैदा करता है। यह नाटक इस बात का प्रमाण है कि दळवी ब्राह्मण्य की सोच से मुक्त नहीं हुए हैं।

मुझे ध्वस्त होना है

(मलिका अमर शेख)

मलिका अमर शेख कृत 'मुझे ध्वस्त होना है' आत्मवृत्त काफी चर्चित रहा। इसके कई कारण हैं। मलिका अमर शेख, गोदावरी परुळेकर एवं विभावरी शिरूरकर–तीनों दलितों के जीवन से एकाकार होकर लिखने वाली लेखिकाएँ हैं। मलिका ने तो नामदेव ढसाळ नामक दलित कवि एवं कार्यकर्ता से ब्याह कर प्रत्यक्ष जीवन जिया है। मलिका के आत्मवृत्त के चर्चित होने का कारण नामदेव ढसाळ है। नामदेव ढसाळ जैसे प्रतिभावान, विद्रोही, कलाकार, कार्यकर्ता के निजी जीवन का परिचय उनकी सहधर्मिणी से प्राप्त हो, इसके जैसा सुअवसर और क्या हो सकता है? 'मुझे ध्वस्त होना है' में यदि नामदेव ढसाळ नामक पात्र नहीं होता तो प्रस्तुत आत्मवृत्त शायद ही इतना चर्चित हो पाता।

अमर शेख मुस्लिम थे तो उनकी पत्नी कुसुम जयकर पाठारे प्रभु (ब्राह्मण) थीं। मलिका इस विवाहित दम्पत्ती की बेटी है। अपने माता-पिता के कदमों पर कदम रखकर मलिका ने ढसाळ के साथ ब्याह किया। अमर शेख और नामदेव ढसाळ दोनों आन्दोलनों से सम्बद्ध रहे। दोनों वामपन्थी विचारों से प्रभावित हैं। एक शाहीर तो दूसरा कवि, एक क्लीनर तो दूसरा टैक्सी ड्राइवर। एक की आवाज ने लोगों पर जादू किया, तो दूसरे के भाषणों ने। अमर शेख के जीवन में कुसुम जयकर की भूमिका प्रेरक प्रतीत होती है, वहीं नामदेव ढसाळ के जीवन में मलिका की भूमिका विध्वंसक। मलिका की माँ हो या नामदेव की माँ, दोनों त्यागी महिलाएँ हैं। मलिका के समूचे जीवन में भोग-लालसा और स्वामित्व भाव उबलता हुआ दिखाई देता है। मलिका तथा नामदेव दोनों कवि हैं। दोनों की गृहस्थी में कई पैबन्द लगे हैं। समूचे आत्मवृत्त में आसमान से टूटे तारे की भाँति मलिका नामदेव से पृथक होती है और नामदेव मलिका का अनुनय करता प्रतीत होता है। इस आत्मवृत्त में स्थित यह स्वर 'मुझे ध्वस्त होना है' का न होकर 'तुझे ध्वस्त करना है' का प्रतीत होता है।

1

मलिका का 'मुझे ध्वस्त होना...' को समझने से पूर्व उनके मिजाज को जान लेना जरूरी था। मलिका ने अपने स्वयं के स्वभाव के विषय में लिखा है–"हमेशा की बीमारी के कारण, कमजोरी के कारण, लालन के कारण तथा विपुल वाचन के कारण मैं एकाकीपन और मनस्वीपन के भावुक आवरण में उलझ गयी। आज तक मैं अपने आप को उससे अलग नहीं कर पायी।" (पृ. 3) मलिका यहाँ यह स्वीकार करती हैं कि वे अपने एकाकीपन और मनस्वीपन के भावुक आवरण में उलझी हैं। उनका मिजाज स्वप्नशील है। वे यथार्थ की अपेक्षा सपने की दुनिया में अधिक रमती हैं। "शुभ धवल परियाँ और राजपुत्र मेरी ओर आते थे, हँसते थे और मुझे इशारा करते थे।" (पृ. 4) बिल्कुल बचपन से ही उन्हें सपने देखने की आदत है। उन्होंने अपनी जिन्दगी में आने वाले राजकुमार का चित्र भी उकेरा है। "मैंने अपने राजकुमार का चित्र तैयार किया था। मनमौजी...कवि...दिखने में स्मार्ट...साँवला... उसकी चेष्टाओं में भी पौरुष हो। मर्दानगी हो।" (पृ. 26) जो मलिका यह अपेक्षा करतीं है कि अपने होने वाले संगी-साथी की चेष्टाओं में भी पौरुष हो, वही अपने अगले जीवन में पुरुषी व्यवस्था के खिलाफ विद्रोह करती है। मलिका ने जिस तरह अपने राजकुमार का चित्र उकेरा है, उसी तरह अपने मकान का चित्र भी तैयार किया है। "सौन्दर्य प्रसाधन, साड़ियाँ, मेकअप, बंगला कैसा हो...पियानो किस तरफ हो...काँच के दरवाजे...विशाल...विपुल रोशनी...खुली प्रसन्न हवा...लायब्रेरी...सामने छोटा-सा तालाब...मछलियाँ...लाल-पीली दौड़ती हुई...खिड़की से दिखने वाला मौलसिरी का पेड़...गुलमोहर...रजनीगन्धा के पेड़...पीछे घना जंगल...लाल पगडंडी..." (पृ. 27) यह है मलिका के फूल पंखी विश्व में स्थित बंगले का चित्रण। बंगला कैसा हो, उसके दरवाजे कैसे हो, खिड़की में कौन-सा पौधा हो, रोशनी कितनी हो, हवा कैसी हो, मछलियों के रंग कौन से हों, पगडंडी का रंग कौन-सा हो। ऐसी रुपहले विश्व में मलिका रमी हुई दिखती है। मलिका का मिजाज रोमांटिक है। वे कहती हैं, "मैं अपने ऊपर रोमांटिक होने का ठप्पा नहीं चाहती...किन्तु मेरा मिजाज ठीक वही है।" (पृ. 93) मलिका ने अपने सुख की कल्पना के विषय में लिखा है, "उबलती गर्म चाय...ठंडी बरसाती हवा...बरसात का झोंका....और हाथों में कॉमिक्स...ओ हो! फिर क्या? मानो ब्रह्म स्वरूप के साक्षात्कार के आनन्द में मैं खो जाती। मेरी वह चरम आनन्द के सुख की कल्पना होती है।" (पृ. 6) मलिका को ब्राह्मणी माहौल सचमुच भाता है। (पृ. 15) जीवन विषयक मलिका की एक भूमिका है। वे लिखती हैं, "पहले से मेरा दर्शन, भूमिका यही कि जीवन को बेहिसाब और पूरी बेहोशी तथा मस्ती के साथ जिया जाए।" (पृ. 26)

मलिका की यह मनोभूमिका मात्र उनके अपने व्यक्तिगत जीवन तक सीमित है। ऐसा बेहिसाबजीवन पति नामदेव ढसाळ द्वारा जिया जाना उन्हें स्वीकार्य नहीं है। मलिका शौकिया जिन्दगी का समर्थन करती दिखाई देती है। वे कहती हैं, "सब तरह के व्यसनों का अनुभव लेना चाहिए। एक बार लगा कि जिन्दगी सिर्फ एक बार नसीब होती है, अतः उसे किसी दरिद्र की भाँति गुजारना एक गुनाह है।" (पृ. 106) मलिका बियर पिये, सिगरेट के कश ले तो चलता है मगर ढसाळ द्वारा ऐसा किया जाना नहीं चलेगा। मलिका का मत है कि बीवी पति का एक्सप्लॉयटेशन करे। (पृ. 119) किन्तु ढसाळ (पति) यदि मलिका का एक्सप्लॉयटेशन करे तो नहीं चलेगा। प्रतिभा का किसी एक पार्टी के साथ कमिटमेंट हो, यह मलिका को मंजूर नहीं। (पृ. 94) ढसाळ का समग्र लेखन और जीवन एक कमिटमेंट से प्रभावित है। ऐसा नहीं कि मलिका को मात्र सुख की ही आस है, बल्कि उनमें दुःख का भी अनिवार आकर्षण है। वे लिखती हैं, 'एकाकीपन के बीच अनायास एक उदासी का भाव आता गया। दुःख...दुःख का, वेदनाओं का धधकता हुआ, प्रखर अनुभव। क्या होगा दुःख? उसे भोगते हुए क्या प्रतीत होता है? मुझमें दुःख का आकर्षण उत्पन्न हुआ। अनिवार दुःख का अश्वत्थामी रूप देखने को मैं बेताब हुई।' (पृ. 13) मलिका दुःख का अश्वत्थामी रूप देखना चाहती थी किन्तु परिस्थितियों ने मलिका के जीवन में अश्वत्थामी रूप से भी भयावह—अकाल-विक्राल दुःख का ढसाळी रूप उड़ेल दिया और मलिका की जिन्दगी के चीथड़े बन गये।

2

'मुझे ध्वस्त होना है', ऐसा मलिका क्यों कहती है? क्या यह उनकी रोमांटिक वृत्ति तो नहीं है? वे दुःख वेदनाओं के धधकते अनुभव चाहती थीं। फिर वे दुःख से मुँह मोड़कर क्यों चलती हैं? उन्हें ऐसा क्यों लगता है कि उनका जीवन "एक परास्त और असफल मन की यात्रा" है। कई दिन...वर्षों तक मैं गाढ़ी नींद का अनुभव नहीं कर पायी थी। ऐसा वे क्यों कहती हैं? "प्रेम...कितनी अत्यधिक तृष्णा थी मुझे...और कितना विशाल...असीम रेगिस्तान मिलता गया मुझे।" ऐसी जिन्दगी उनके हिस्से में क्यों आये? इसके कारण खोजने होंगे।

मलिका और नामदेव ने एक-दूसरे के साथ बहुत अधिक प्रेम किया है। फिर गड़बड़ कहाँ हुई? जब नामदेव आन्दोलन में एकाकी हो जाता है, तब उसका गुस्सा वह मलिका पर निकालता है। जब मलिका घर में अकेलापन महसूस करती है, तब उसका गुस्सा वह नामदेव पर निकालती है। नामदेव आन्दोलन से किस तरह

अकेला हो जाता है तथा मलिका कैसे नामदेव से अलग महसूस करती है, इसका चित्र प्रस्तुत आत्मकथा में रेखांकित किया गया है। नामदेव के विषय में मलिका की निम्न शिकायतें हैं :

1. नयी शादी हुई थी। अतः कम से कम थोड़ी देर हमें अकेले छोड़े, पर वह भी नहीं। नामदेव भी मुझे भूलकर उनमें रमता था। (पृ. 50)
2. न पास बैठना, न बात करना और न ही अभी-अभी जन्मे अपने स्वयं के बेटे की चिन्ता। (पृ. 65)
3. नामदेव मेरी आवाज के कारण भी मुझसे प्रेम करता था, फिर भी विवाह के पश्चात् उसने मेरी किसी भी कला को प्रोत्साहित नहीं किया। (पृ. 80)
4. मुझे बहुत बार लगता था कि वह मुझे समझाये। (पृ. 46)
5. मुझे उसके सान्निध्य की, उसके प्यार की प्यास थी। पर उसे मेरी जरूरत नहीं प्रतीत होती थी। (पृ. 67)
6. घर में चीजें लाना, घर सजाना, सौन्दर्य सृष्टि जैसी बातें थीं ही नहीं। (पृ. 73)
7. पिता का बनाया सोने का हार बेचा। (पृ. 51)
8. दो सोने की चूडियाँ और टॉप्स बेचे। (पृ. 52)
9. तुम्हारी जगह मैं होती, तो अब तीन नगरों में बंगले बनवाकर ऊपर से फिल्में तैयार की होती। (पृ. 88)
10. हजार बार गिरकर, हजार बार सिर फोड़कर और ठोकरें खाकर भी उसे वही एक काम है, संगठन बनाना। (पृ. 90)
11. नामदेव और उसका संगठन...कार्यकर्ता, मिटिंगें, सभाएँ। मैं बहुत एकाकी हो गयी। (पृ. 56)
12. झगड़े होते थे...उसके पीने के कारण, बहुत अधिक खर्च के कारण, अनुशासनहीनता और अशिष्ट बर्ताव के कारण, कार्यकर्ताओं को हमेशा घर में खाना खिलाने के कारण। (पृ. 66)

मलिका की शिकायतें वाजिब हैं। पति अपने साथ प्रेम करे, अपनी कला को प्रोत्साहन दे, अपने बच्चे का दुलार करे, घर सजाए, समय दे ऐसा मलिका को लगता है। इसमें गलत कुछ भी नहीं है। किन्तु नामदेव मलिका को समय नहीं देता। हजार ठोकरें खाकर भी संगठन बनाता रहता है। संगठन के लिए मलिका के गले का सोने का हार, सोने की चूडियाँ और टॉप्स बेचता है। कार्यकर्ताओं को घर लाता है, खाना खिलाता है, श्राब पीता है, बेहिसाब खर्च करता है। नामदेव को ऐसा बर्ताव मलिका को पसन्द नहीं। मलिका को बंगला बनाना है। नामदेव को संगठन बनाना

है। नामदेव को सार्वजनिक जमीं पर स्थित भीड़ का आकर्षण है, तो मलिका को नामदेव के साथ एकान्त की चाह है। दो भिन्न स्वभाव के व्यक्ति एक साथ होने पर उनमें से एक को 'मुझे ध्वस्त होना है' का उद्घोष करना पड़ता है।

3

'मुझे ध्वस्त होना है' में व्यक्ति की सार्वजनिक जीवन में तथा वैयक्तिक जीवन में होने वाली खींचातानी प्रकट हुई है। दूध की भाँति खराब हुए नामदेव के सार्वजनिक जीवन और टूटे आईने की भाँति हुए मलिका के वैयक्तिक जीवन के अनेक पहलू 'मुझे ध्वस्त होना है' में बिखरे दिखाई देते हैं।

नामदेव ढसाळ जैसा कार्यकर्ता अपनी पत्नी की ओर से तथा आन्दोलन से सम्बद्ध महिलाओं की ओर से बदनाम होता दिखता है। ढसाळ को यदि इतने लोगों ने इतनी बार बदनाम नहीं किया होता तो कदाचित् उनका जीवन एक भिन्न रास्ते से आगे गया होता। नामदेव ढसाळ के जरिये एक दलित कार्यकर्ता, दलित समाज एवं दलित आन्दोलन को जान लेना जरूरी है। आन्दोलन में दिन-रात परिश्रम करने वाला कार्यकर्ता अपने जीवन में सुस्थिर नहीं हो पाता। वह स्वयं का घरबार बरबादी की कगार पर होते हुए जिन्दगी की लड़ाई में उतरता है।

असल में उसका और उसके समाज का जीवन एक अस्थिर, असुरक्षित संघर्ष का प्रतिरूप है। मन में हो या न हो संघर्ष का सामना करना पड़ता है। नामदेव ढसाळ तो अग्रिम पँक्ति के नेता हैं। उन्हें अत्यन्त अभावग्रस्त स्थितियों में सर्वहारा आन्दोलन खड़ा करना है और हजारों साल के शत्रु का मुकाबला करना है। अत्यन्त प्रतिकूल एवं जटिल यथार्थ के होते हुए भी समाज को आन्दोलनमय बनाना है। यह एक ऐतिहासिक जिम्मेदारी है। स्वातन्त्र्योत्तर कालखण्ड में दलितों में बढ़ती गुटबाजी तथा स्थापित व्यवस्था द्वारा दलितों पर बढ़ते अत्याचार-जैसी गम्भीर परिस्थितियों में ढसाळ जैसे अनेक कार्यकर्ताओं को अपना वैयक्तिक जीवन होम करना पड़ता है। मलिका की भाँति रमणीय गृहस्थी के सपने क्या ढसाळ के चित्त में मोह उत्पन्न नहीं करते होंगे? ढसाळ तथागत की भाँति गृहत्याग नहीं कर सकते। ढसाळ ऐसी स्थिति में जीवनयापन करते हैं जिसके एक ओर गृहस्थी है तो दूसरी ओर संगठन। ढसाळ के जीवन का अग्रक्रम आन्दोलन है। उनकी जिन्दगी की प्राथमिकता कार्यकर्ता हैं। ढसाळ को समूचे तल का मंथन करना है। सत्ता, सम्पत्ति एवं प्रतिष्ठा का साथ न होकर भी हजारों कार्यकर्ताओं को कार्य प्रवण करना तथा स्थापित व्यवस्था को हिलाने का कार्य ढसाळ कर रहे हैं। दलित पैन्थर में काम करते समय 'दलित साहित्य' जैसी

नयी विद्रोही धारा प्रवाहित (स्थापित) करने के लिए ढसाळ भरसक प्रयत्न करते हैं। सामने दुश्मन के रूप में ताकतवर व्यवस्था है, तो पीछे पैर खींचने वाले स्वकीय हैं। 'मुझे ध्वस्त होना है' में ढसाळ कहीं भी रुके हुए या परास्त नहीं दिखते। समाज के गले का तावीज बनो, कार्यकर्ता को समाज के सम्मुख प्रस्तुत करते हुए उसकी सहधर्मिणी को क्या लिखना चाहिए? "देखो, तुम्हारा नेता शराबी है, रंडीबाज है, वह व्यवहार नहीं जानता। वह क्रान्ति करने निकला है। ऐसे कार्यकर्ता से तुम प्रेम करते हो। वह गुंडा है। गुप्तरोग का शिकार है। उसके मित्र भी उसके जैसे हैं। वे काहे के पैन्थर?" ऐसा राग मलिका अलापती है।

ढसाळ का न तो व्यवसाय है और न ही नौकरी। उसके घर में भीषण दरिद्रता है। ऐसा दरिद्र आदमी दरिद्री लोगों का ताकतवर संगठन बना रहा है। उसके लिए उसे हजार झंझटें करनी पड़ती हैं। ढसाळ जिन परिस्थितियों में काम कर रहे हैं, वह दलदल में फँसे हाथी की भाँति है। दलित पैन्थर का आक्रामक आन्दोलन पनप रहा है और ढसाळ को बदनाम कर उनका नेतृत्व छीनने का प्रयत्न हो रहा है। इस विषय में मलिका ने लिखा है, "कम्युनिस्ट के रूप में उसी के समाज द्वारा गतिरोध पैदा करना। जल्दी मिली सफलता की हवा और असफलता से अपने फ्रस्ट्रेशन, इन सभी स्थितियोंवश नामदेव पूर्णतया बदल गया था।" (पृ. 73) बदनामी की भीषण चट्टान के तले ढसाळ को दबाने का प्रयत्न होते हुए भी ढसाळ बदनामी से मुँह मोड़कर आन्दोलन में बने रहने का प्रयास करते हैं। आन्दोलन से उपजे फ्रस्ट्रेशन को हजम करने के लिए क्या ढसाळ औरत और शराब के वशीभूत तो नहीं हुए? आन्दोलन के उतार-चढ़ाव के कारण ढसाळ पूर्णतया बदल गये हैं और ढसाळ के आमूलचूल परिर्वतन या कायापलट के कारण मलिका भी पूरी तरह बदल गयी है।

शादी के पूर्व का नामदेव शादी के बाद नहीं रहा। वह आन्दोलन की उथल-पुथल से युक्त रेले में बदल जाता है। वह निरन्तर व्यस्त और त्रस्त रहता है। इसकी चपत मलिका के भाव जगत को बैठती है। मलिका भी बदलती दिखती है। "मैं बदलती जा रही थी अन्तर्बाह्य। किसी का लिहाज किये बगैर बोलने लगी। झगड़ने लगी। आखिर, सुखी बनना है तो चुप बैठकर या सिसककर रोने से काम नहीं चलेगा। सुख चाहिए? छीन लो। आजादी चाहिए? नोच लो।" (पृ. 88) भावुक एवं संवदेनशील मलिका परिस्थितिवश आक्रामक बनती दिखती है। केवल आक्रामक ही नहीं बल्कि वह भी व्यसनाधीन बनती है। "एकाकीपन का जहर पचाना बहुत कठिन होता है। मैं बियर पीने लगी। सिगरेट्स खींचने लगी। खान-पान तक भूलने लगी। दिन भर चाय के कप और रात में बियर...मैंने सब तरह से अपने आप को नष्ट, ध्वस्त कर लेना तय किया।" (पृ. 83)

नामदेव और मलिका का बदलना उन्हें जितना ध्वस्त कर रहा था, उतना ही उनके बेटे आशुतोष को भी ध्वस्त कर रहा था।

4

नामदेव की जनमान्यता एवं कविता मलिका की अपेक्षा बड़ी जबरदस्त है। नामदेव के जनप्रिय व्यक्तित्व के सामने मलिका बौनी प्रतीत होती है। इसका तीखा शल्य मलिका के मन में जगह बनाये हुए हैं। नामदेव ढसाळ के एकछत्र व्यक्तित्व के लिए वे अपने अस्तित्त्व और व्यक्तित्व की बलि देने के लिए तैयार नहीं हैं। (पृ. 26) नामदेव ने भी ऐसा आग्रह नहीं किया है। मलिका को भी यह चुभता है कि समाज उसे नामदेव ढसाळ की पत्नी कहे। (पृ. 51)

मलिका चाहे कितनी भी स्वतन्त्र व्यक्तित्व की हो, फिर भी उन्हें यह चुभना क्यों हो कि वे ढसाळ की बीवी हैं। ढसाळ का सार्वजनिक जीवन और व्यसन मलिका के अन्तर्बाह्य जगत् पर छा गया है और मलिका है कि उससे स्वयं को मुक्त करने का प्रयत्न कर रही है। कभी वे फिल्मसिटी में नौकरी करती हैं, तो कभी वे अपने ही मकान में पार्टीशन बनाकर रहती है। ढसाळ का गर्भ फिर से अपनी कोख में न पले, इसलिए वे घण्टों तक बाथरूम में खड़ी रहती हैं और अन्तिम उपाय करते हुए ढसाळ का घर त्यागकर चली जाती है। मलिका ढसाळ से पृथक होने का प्रयत्न करती हैं किन्तु नामदेव उन्हें उस रास्ते से लौटाता प्रतीत होता है। मलिका कहती हैं, "राजनेता पुरुष के साथ जीवन में खींचातानी ही एक स्वाभाविक और अटल बात होती है। इसी में से ठोकरें खाते हुए वह सयाना बनता है और फिर सुरक्षा हेतु अधिकाधिक समझौते कर जीने का प्रयास करता है। यह मेरा निष्कर्ष। परन्तु वह खींचातानी उसके द्वारा स्वीकृत तत्त्वों का नतीजा होती है। इसलिए उसे वह सह सकता है। परन्तु उसके अनुयायी, कार्यकर्ता और पत्नी का उसमें क्या रोल हो?" (पृ. 98) वाल्या (बाद के वाल्मीकि) की पत्नी की भाँति मलिका की अवस्था हुई है। नामदेव को राजनीति के कारण मिलने वाले रुपये मलिका को चाहिए। जिससे वह बंगला बनाना चाहती है। सिनेमा तैयार करना चाहती है, किन्तु खींचातानी उसे पसन्द नहीं। यह मलिका का रोल है। नामदेव आन्दोलन से अलग हो जाता है और हिन्दुत्ववादी शिवसेना की दिशा में जाता है। मलिका नामदेव से अलग ब्राह्मणी संस्कृति की दिशा में जाती है। मलिका कहती है, "मेरा बेटा ब्राह्मणी संस्कृति का बने तो भी मुझे वह स्वीकार है किन्तु तेरे भीतर का एक भी दोष उसमें न उतरे।" (पृ. 125) मलिका सम्भ्रमित दिखती है। नामदेव के दोष दोष ही हैं। उनकी निन्दा

होनी ही चाहिए। किन्तु ब्राह्मणी संस्कृति दोषमुक्त कैसे ठहर सकती है? अमर शेख ने मलिका को 'चिंध्यादेवी' सम्बोधित किया है। क्योंकि बचपन में मलिका को 'चिंध्या' (पुराने कपड़े का टुकड़ा) पसन्द थी। बड़ी होने के बाद उन्होंने अपने जीवन की धज्जियाँ बना दी।

5

मलिका अमर शेख (संयुक्त महाराष्ट्र आन्दोलन के अग्रिम पंक्ति के सैनिक एवं प्रसिद्ध कवि/शाहीर) की पुत्री तथा नामदेव ढसाळ की पत्नी हैं। वामपन्थी आन्दोलन एवं दलित पैन्थर को उन्होंने समीप से देखा और अनुभव किया है। इन दो आन्दोलनों का चित्र प्रस्तुत ग्रन्थ में अपेक्षित था। किन्तु ऐसा नहीं हुआ है। फुले-आम्बेडकर के विचारों की अस्पष्ट-सी छाप भी इस आत्मवृत्त पर नहीं दिखाई देती। दलित साहित्य की आँधी को लेकर लेखिका ने एक शब्द तक नहीं लिखा है। मलिका ने अपनी रोमांटिक नजरों से सब ओर देखा है। 'मुझे ध्वस्त होना है...' में दलितों के सन्दर्भ में मलिका ने जो वक्तव्य किये हैं, उनमें से कुछ निम्नांकित है:

1. दलित समाज पर धर्मान्तर का कुछ भी प्रभाव नहीं हुआ है, ऐसा प्रतीत होता है। फर्क केवल इतना ही है कि मरीआई और यल्लमा देवियों के स्थान पर बुद्ध की मूर्ति आ गयी। (पृ. 94)
2. दलित समाज के प्रत्येक पुरुष की दो-दो शादियाँ हुई दिखती हैं। ऊपर से बाहर एकाध मामला। अधिकांश ऐसे कि प्रथम पत्नी को छोड़ा है। (पृ. 116)
3. 'दलित पैन्थर' अत्यन्त प्रसिद्ध एवं कामयाबी की लहर पर सवार आन्दोलन। साक्षात्कार, गोष्ठियाँ आदि छपकर आते थे। एक अद्‌भुत और रमणीय भ्रामक वलय। (पृ. 47)
4. चरम कोटि का राजनीतिक अज्ञान तथा वैचारिक योग्यता और प्रतिबद्धता का एकदम अभाव, ऐसे ये छोकरे। सिर्फ भड़कीली हवा बहे, वैसा जीना पसन्द करने वाले। जुलूस, नारेबाजी, पथराव, मारामारी और भाषण को छोड़कर इन्हें कुछ मालूम नहीं था। न आम्बेडकरवाद का पता था, न संगठन के अनुशासन का और न कोई वैचारिक पृष्ठभूमि। सब केवल कागज पर। पूरी ताकत लगा कर गालियाँ देने मात्र से विरोधी न डरते हैं और न पीछे हटते हैं। बल्कि उन्हें यह भी मालूम नहीं था कि राजनीतिक संगठन का अध्ययन करने वाले, दुनिया की राजनीति को पहचानने वाले

और कम से कम वैचारिक अध्ययन-चिन्तन कर विरोधियों को अचूक मुद्दे पर घेर लेने वाले कार्यकर्ता तैयार होने चाहिए। (पृ. 49)

5. थोड़ी-सी रोमांटिक क्रान्तिकारिता थी सभी में। (पृ. 32)
6. देसी बम कैसे बनाये, यह चर्चा सुनकर मुझे अद्‌भुत-विलक्षण प्रतीत होता था। बहुत रोमांटिक क्रान्तिकारिता। (पृ. 33)

उपर्युक्त उद्धरणों को पढ़ने के बाद ध्यान में आयेगा कि मलिका पर रोमांटिकता का कैसा प्रभाव है। 'धर्मान्तर का दलित समाज पर कोई परिणाम नहीं हुआ है' जैसा बचकाना वक्तव्य मलिका ने किया है। असल में धर्मान्तर एक सांस्कृतिक क्रान्ति ही थी। धर्मान्तर से दलितों को नया आत्मज्ञान प्राप्त हुआ। दलितों से फटक कर दूर रहने की अभिलाषी मलिका कैसे समझ पायेगी कि धर्मान्तर के कारण दलितों पर कौन-सा दूरगामी प्रभाव हुआ। 'दलित पैन्थर के कार्यकर्ताओं में चरम कोटि का राजनीतिक अज्ञान था'—जैसा बचकाना वक्तव्य मलिका ने किया है। पैन्थर की भूमिका के कारण ही उपचुनाव में रोजा देशपाण्डे की जीत हुई, यह जानते हुए भी मलिका पैन्थर्स को क्यों दोष देती है? मलिका ने कहा है कि पैन्थर्स को आम्बेडकरवाद पता नहीं था। मलिका के प्रस्तुत आत्मवृत्त में पैन्थर्स के कार्यकर्ताओं के रूप में नामदेव ढसाळ के साथ-साथ राजा ढाले, ज. वि. पवार, अर्जुन डांगळे एवं प्रह्लाद चेंदवणकर का उल्लेख है। पैन्थर्स के आन्दोलन ने दलित साहित्य को विद्रोह रूपी रसायन मुहैया कराया है। मलिका का वक्तव्य विपर्यस्त और उथला प्रतीत होता है। 'दलित समाज के पुरुष दो-दो शादियाँ करने वाले और पत्नी को छोड़ने वाले' जैसा बेसिर-पैर का वक्तव्य मलिका ने किया है। यह समग्र दलित समाज का चित्र नहीं हो सकता। प्रत्येक समाज में दो-दो शादियाँ करने वाले और औरतों को छोड़ने वाले पुरुष होते हैं। दलित समाज इसका अपवाद नहीं है। किन्तु मलिका बिना सोचे-समझे समग्र दलितों को दोष दे रही है, यह गलत है। इतना ही नहीं बल्कि दलित समाज की ओर देखने का उनका यह दूषित दृष्टिकोण है। मलिका ने अपने आत्मवृत्त में ऐसा आभास पैदा किया है कि ढसाळ के कारण उनका जीवन झुलस गया। वह भी दिखावटी प्रतीत होता है। मलिका ने एक स्थान पर ढसाळ के विषय में लिखा है, "प्रेम और घृणा एक ही मनुष्य के बारे में! मजा ही एक-एक।" (पृ. 109) क्या कहें इस प्रवृत्ति को? एक ओर ऐसा कहना कि 'ध्वस्त होना है...' और दूसरी ओर कहना कि 'मजा ही एक-एक'। क्या झूठ और क्या सच? क्या मलिका ने दुःख का अश्वत्थामी रूप देखने के लिए ढसाळ के साथ शादी कर अपना शौक तो पूरा नहीं किया?

ढसाळ की जिन्दगी के उग्र ब्योरे को जानने के लिए उनके चर्चित कविता संग्रह 'गोलपिठा' की कविताओं को समझना होगा। 'गोलपिठा' ढसाळ की जिन्दगी के

साथ चिचड़ी की भाँति चिपका हुआ है। असल में 'गोलपिठा' के कारण ही ढसाळ का माहात्म्य बढ़ा हुआ है। ढसाळ की जो अनन्य पहचान है, उसे मिटा देने के लिए ढसाळ तैयार नहीं है। गाँजा, शराब, चरस, गुप्त रोग, वेश्या, हिजड़े, महामारी ढसाळ को त्याज्य नहीं है। उलटे ये उनके जीवन और लेखन के भीतरी वलयांकित इकाइयाँ हैं। ढसाळ का अभद्रपन भी समझ लेना पड़ता है। ढसाळ का जीवन असल में भिन्न तरह का जीवन है। वह चौखट के बाहर का जीवन है। मलिका ढसाळ का जीवन ऐसे सीधा करना चाहती है, जैसे कुत्ते की पूँछ को सीधा किया जाये। ढसाळ असंख्य कार्यकर्ताओं को अलग और मलिका को अलग प्रतीत होते हैं। ढसाळ की पत्नी के रूप में मलिका की जितनी खींचातानी हुई, उससे कहीं अधिक ढसाळ के साथ काम करने वाले कार्यकर्ताओं की हुई है। पैन्थर की स्थापना और विकास के लिए कई कार्यकर्ताओं ने स्वयं को दफना दिया है, किन्तु फिर भी उन्होंने कभी भी 'मुझे ध्वस्त होना है...' जैसी भाषा का प्रयोग नहीं किया है। हमें लगता है, मलिका जीवन को परीकथा के रूप में जीना चाहती है। असल में, 'जीवन' जीने के लिए की गई तमाम कोशिशों का नाम है।

मलिका ने अपनी आत्मकथा कहने के लिए जैसे कविता का आधार लिया है, वैसे नारी-मुक्ति का भी अवलम्ब किया है। मलिका का संघर्ष पुरुषी व्यवस्था के खिलाफ है या अकेले ढसाळ के खिलाफ? मलिका केवल ढसाळ के खिलाफ बोलती है और दिखावा ऐसा करती है जैसे सम्पूर्ण नारी समाज की ओर से बोल रही है। कैसे कह सकते हैं कि मलिका की पाण्डुलिपि ढसाळ ने पढ़ी ही नहीं होंगी? "हमारी इतनी विवादास्पद चर्चा हो रही है। उसमें और वृद्धि होगी। तुम छापो अपनी आत्मकथा। सनसनी फैलनी चाहिए।" हो सकता है ऐसा स्टंट करने के लिए यह पुस्तक लिखी गयी हो। ढसाळ और मलिका तरह-तरह से आन्दोलन को बदनाम करते दिखाई देते हैं। चरित्रहीन कार्यकर्ता आन्दोलन पर कलंक की तरह होता है। मलिका ने नामदेव के साथ समग्र आन्दोलन को ही दाँव पर लगाया है, यह कहाँ तक समर्थनीय है? 'शोले' फिल्म में धर्मेन्द्र लोगों का ध्यान अपनी ओर खींचने के लिए पानी की टंकी पर आत्महत्या करने के लिए जाता है और वहाँ से 'सुनो गाँव वालो' कहता है। मलिका भी 'सुनो गाँव वालो' के सुर में सुर मिलाती दिखती हैं। सनसनी फैलाने के लिए स्वयं को सब पर जाहिर कर देने जैसा यह प्रकार है।

मलिका के जीवन की तबाही को देखकर मलिका के प्रेम में दीवाना वह कवि याद आता है। मलिका के इनकार के बाद उसकी दारुण स्थिति याद आती है। मुझे लगता है, 'मुझे ध्वस्त होना है...' शीर्षक इस पुस्तक का दूसरा नाम 'पोएटिक जस्टिस' होना चाहिए।

द गॉड ऑफ स्मॉल थिंग्ज

(अरुंधती रॉय)

'द गॉड ऑफ स्मॉल थिंग्ज' अरुंधती रॉय का बुकर सम्मान प्राप्त उपन्यास है। इस उपन्यास की उत्कृष्टता को लेकर विपुल लेखन किया गया है तथा यह उपन्यास अद्वितीय प्रतीत हो ऐसा है। इस उपन्यास को पढ़ते हुए तथा पढ़ चुकने के पश्चात् भी इसके पात्र, प्रसंग, परिवेश एवं वातावरण पाठक के मस्तिष्क पर जो असर करते हैं वह बना रहता है। उपन्यास में स्थित यथार्थ और काल एक घटित का आविष्कार बनकर व्यक्त हुए हैं। इसलिए यह उपन्यास समाज-जीवन के किसी अनगढ़ प्रदेश में घटित हकीकत प्रतीत होने लगता है।

केरल में स्थित 'आयमेनेम' नामक पर्यटन स्थल के रूप में जाने जाने वाले देहात में उपन्यास की प्रमुख घटनाएँ घटित होती हैं। प्रस्तुत उपन्यास के कालक्रम के एक प्रमुख एवं प्रथम पात्र के रूप में रेवरंड ई. जॉन आयपे का उल्लेख करना होगा। रेवरंड आयपे आयमेनेम स्थित मार थामा नामक चर्च के धर्म गुरु हैं। उन्हें सीरियन ईसाईं चर्च के सार्वभौम सम्राट बिशप अन्त्योख का प्रत्यक्ष आशीर्वाद प्राप्त हुआ है। पत्नी अली युट्टी अम्माची, बेटा बेनन जॉन आयपे तथा बेबी कोचम्मा नामक बेटी ऐसा उनका परिवार है और वे 'आयमेनेम हाउस' नामक टीले पर बने घर में रहते हैं। बेबी कोचम्मा अट्ठारह वर्ष की अवस्था में पिता के घर आने वाले आयरिश फादर मुलीगन को चाहने लगी थी। बाद में वह फादर मुलीगन से विभक्त होती है और अपने पिता के घर—'आयमेनेम हाउस' में रहने लगी। बेनन जॉन आयपे विख्यात कीटक वैज्ञानिक के रूप में ख्याति प्राप्त करते हैं। उनकी सोशम्मा नामक पत्नी, चाको नामक बेटा तथा अम्मू नामक बेटी है। चाको लन्दन स्थित ऑक्सफोर्ड विश्वविद्यालय में उच्च शिक्षा प्राप्त कर रहा है। तो अम्मू दिल्ली में उच्च शिक्षा पूरी कर रही है। बेनन जॉन आयपे अवकाश ग्रहण करने के बाद पत्नी सोशम्मा को लेकर अपने मूल गाँव 'आयमेनेम' में वास्तव्य के लिए आते हैं। सोशम्मा, जिसका उपन्यास में 'माम्माची' के रूप में उल्लेख किया गया है; आयमेनेम में अचार का घरेलू व्यवसाय शुरू करती है। उसका व्यवसाय उत्कर्ष की स्थिति में पहुँचता है।

बेनन जॉन आयपे की हृदयगति बन्द पड़ने से मृत्यु हो जाती है। 'आयमेनेम हाउस' में बेबी कोचम्मा तथा माम्माची–दोनों एक साथ रहती दिखाई देती हैं। कोचू मारिया उनके घर रसोई पकाती है।

चाको ऑक्सफोर्ड विद्यापीठ में पढ़ाई के दौरान होटल में वेटर का काम करने वाली मागरिट नामक युवती से प्यार करने लगता है और उससे विवाहबद्ध भी हो जाता है। उसकी सोफी मॉल नामक एक बेटी है। चाको आर्थिक खींचातान का सामना करता है। इसलिए उसकी पत्नी मागरिट चाको से विभक्त होकर जो से शादी कर लेती है। चाको निराश होकर आयमेनेम वापस आकर अपनी माँ द्वारा शुरू किया गया अचार का व्यवसाय बढ़ाता है। चाको ऋण लेकर अचार, मुरब्बा, जैम, जेली, शरबत, सांबर का मसाला आदि बनाने का कारखाना शुरू करता है। इस कारखाने का नाम है 'पैराडाइस पिकल्स एण्ड प्रिजर्वज'। अम्मू को उच्च शिक्षा पूरी करने के पश्चात् दिल्ली छोड़कर आयमेनेम जैसे देहात में आकर रहना पसन्द नहीं। वह अपनी मर्जी से आसाम के चाय की खेती में काम करने वाले मैनेजर से शादी कर लेती है। वह दो जुड़वा बच्चों को जन्म देती है, जिसमें पुत्र का नाम इस्था तथा पुत्री का राहेल है। अम्मू को अब पता चलता है कि उसका पति शराबी है। व्यसन के कारण उसकी नौकरी खतरे में आती है। चाय की खेती में गोरा साहब हॉलीक अम्मू के पति को नौकरी से हटा देने की धमकी देता है। यह सुनकर अम्मू को पति के पाँव तले जमीन खिसक जाती है। धूर्त हॉलीक अम्मू के पति को इस शर्त पर नौकरी पर रखने के लिए तैयार है, कि अम्मू उसे मिल जाये। यह जानकर अम्मू अपने शराबी पति को छोड़कर जुड़वा बच्चों के साथ हमेशा के लिए आयमेनेम लौट आती है।

'आयमेनेम हाउस' में अब ननद बेबी कोचम्मा और भाभी माम्माची ये दो बूढ़ी औरतें तथा तलाकशुदा चाको और अम्मू ये भाई-बहन हैं। चाको के काम-जीवन का बढिया बन्दोबस्त किया गया है। चाको के कमरे का स्वतन्त्र दरवाजा रखा गया है, ताकि बाहर से स्त्रियों का आना-जाना सुलभ हो। यही नहीं बल्कि, अपने बेटे को शरीर-सुख देने वाली औरतों को माम्माची स्वयं रुपये देती है। (पृ. 214) किन्तु इस माम्माची को अपनी बेटी अम्मू नहीं दिखती। फैक्टरी की मजदूर औरतों से चाको के शारीरिक सम्बन्ध हैं। (पृ. 213) पुरुष के रूप में चाको का व्यभिचार बिना किसी शिकायत के स्वीकृत दिखाई देता है। इस परिवार के हर व्यक्ति ने नियम-भंग किया है। सबने समाज की लक्ष्मण रेखा को बिना दिक्कत लाँघ दिया है। (पृ. 40) इस तरह स्वैराचार करने वाले ये पात्र हैं।

चाको की भूतपूर्व पत्नी मागरिट के पति जो की दुर्घटना में मृत्यु हो जाती है। तब मागरिट सोफी मॉल के साथ चाको के पास आने के लिए तैयार होती है। वह लन्दन-मुम्बई-कोचीन ऐसी हवाई यात्रा करने वाली है। भूतपूर्व पत्नी और बेटी के

वापस आने के समाचार से चाको बड़ा खुश है। 'आयमेनेम हाउस' में उत्सवी माहौल बन जाता है। अंग्रेज सभ्यता और उत्सव जैसी तैयारियाँ शुरू होती हैं।

चाको, बेबी कोचम्मा, अम्मू, इस्था तथा राहेल सभी लोग मागरिट तथा सोफी मॉल को लाने हेतु हवाई अड्डे की ओर निकलते हैं। रास्ते में कम्युनिस्टों का जुलूस उनका रास्ता रोकता है। वे गाड़ी की खिड़की का शीशा नीचे कर बेबी कोचम्मा के साथ असभ्य बर्ताव करते हैं। इससे बेबी कोचम्मा को बहुत बुरा लगता है। इस मोर्चे में वेलूथा भी था, जो चाको के घर बढ़ई का काम करता है। बेबी कोचम्मा के मन में वेलूथा के प्रति दंश पैदा होता है।

कोचीन पहुँचने के बाद चाको सबकी निवास व्यवस्था हेतु 'हॉटेट सी क्वीन' की ओर जाता है, तो बेबी कोचम्मा, अम्मू, राहेल और इस्था फिल्म देखने 'अभिलाष टॉकीज' की ओर जाते हैं। थिएटर में कोल्ड ड्रिंक बेचने वाला, ऑरेंज ड्रिंक, लेमन ड्रिंक वाला इस्था से हस्तमैथुन करवाता है। फिल्म खत्म होने पर सभी होटल सी क्वीन में आते हैं। दूसरे दिन सुबह कोचीन हवाई अड्डे पर मागरिट और सोफी मॉल का आगमन होता है।

सोफी के कारण आयमेनेम हाउस में खुशी का माहौल तैयार होता है। किन्तु सोफी इस खुशी में शामिल होने की बजाय बेगाने की तरह बर्ताव करती है। वह जन्मदाता चाको के बजाय अपने पालक जो को अधिक प्यार करती है। जो की आकस्मिक मृत्यु के कारण वह हताश और उदास हो गयी थी। सोफी, राहेल और इस्था—तीनों का पिता के अभाव में बड़ा बुरा हाल होता है। परिस्थितिवश तथा माँ-बाप की गलतियों के कारण उनका बचपन खत्म हो जाता है। यह उपन्यास सोफी, राहेल और इस्था—इन मासूम बालकों के शोकात्म जीवन पर आधारित है।

चाको की फैक्टरी में काम करने वाला दलित मजदूर वेलूथा बीच-बीच में 'आयमेनेम हाउस' में आता रहता है। राहेल और इस्था के साथ खेलता है। वेलूथा का इस तरह घर आना बेबी कोचम्मा को खटकता है। वह उसे टोकने का प्रयास करती है। बच्चे चोरी-छिपे वेलूथा की झोंपड़ी में जाते हैं। वेलूथा उन्हें नाव चलाना और तैरना सिखाता है। सोफी मॉल भी वेलूथा की झोंपड़ी में हो आयी है। वेलूथा एवं बच्चों की इस तरह बड़ी गहरी दोस्ती है।

एक दिन वेलूथा राहेल को अपने कन्धे पर खेला रहा था। अम्मू का ध्यान अचानक वेलूथा की ओर जाता है। अपनी बेटी के साथ खेल रहे वेलूथा को देखकर वह उत्तेजित हो जाती है। वेलूथा की मजबूत और मरोड़दार देह अम्मू को आकर्षित करती है। अम्मू उसे चाहने लगती है और वेलूथा अम्मू को। दोनों के प्रेम की गाँव भर में चर्चा होती है। अपने बेटे और अम्मू के प्रेम-सम्बन्धों की बात जानकर वेल्लया पाप्पेन काँप उठता है।

रात का समय था। मूसलाधार बरसात हो रही थी। अन्धड़ सबको डरा रही थी। बिजलियाँ कड़क रही थीं। ऐसी तूफानी रात में वेल्लया 'आयमेनेम हाउस' में जाता है। अपने बेटे द्वारा किये गये गुनाह के बारे में वह माम्माची को बताना चाहता है। वेल्लया द्वारा बतायी जानकारी पाकर माम्माची थर्रा उठती है। वह बेबी कोचम्मा को सारी कहानी सुनाती है। दलित एवं कम्युनिस्ट वेलूथा से प्रतिशोध लेने का अच्छा मौका बेबी कोचम्मा को मिलता है। बेबी कोचम्मा और माम्माची अम्मू को एक कमरे में बन्द कर बाहर से ताला लगा देते हैं। अपनी माँ को इस तरह बन्द देखकर इस्था और राहुल चिन्तित होते हैं। वे अम्मू के पास जाते हैं। अम्मू अपना गुस्सा उन पर निकालती है। राहेल और इस्था घर त्यागने का निर्णय लेते हैं। बारिश रुक जाती है। रात हो जाती है। मीनाचल नदी में बाढ़ आ जाती है। राहेल और इस्था मीनाचल नदी के परे 'हिस्ट्री हाउस' में जाकर रहना चाहते हैं। सोफी मॉल भी उनके साथ निकलती है। वे तीन बच्चे मीनाचल की बाढ़ में नाव में बैठकर निकल पड़ते हैं। घना अन्धेरा और पानी के वेग के कारण नाव उलट जाती है। सोफी मॉल बाढ़ में बह जाती है। राहेल और इस्था तैरते हुए किनारे पहुँचते हैं। सोफी के बह जाने के बारे में उन्हें पता चला। वे सोफी को आवाज देते हैं, आक्रोश करते हैं। सोफी का शव बह जाता है।

रात में वेलूथा 'आयमेनेम हाउस' आता है। माम्माची और बेबी कोचम्मा दोनों वेलूथा की भर्त्सना करते हैं। "कल सुबह यदि यहाँ दिखाई दिया तो, तो आवारा भटकने वाले कुत्तों को पकड़कर जैसे उनका लिंग काटकर फेंक देते हैं वैसी तुम्हारी हालत करूँगी। तुझे कुचल दूँगी। याद रख! मुफ्त में मारा जाएगा।" (पृ. 357) वेलूथा बेचैन हो जाता है। वह मदद के लिए कॉमरेड के.एन.एम. पिल्लई के घर पहुँचता है। कॉमरेड़ उसे भगा देते हैं। "याद रख, कार्यकर्ता के वैयक्तिक जीवन से सम्बद्ध मामला निपटने के लिए दल की स्थापना नहीं हुई है।" (पृ. 360) वेलूथा को काम से निकाल दिया जाता है। वेलूथा उस रात मीनाचल के परे 'हिस्ट्री हाउस' में जाकर सो जाता है। राहेल और इस्था भी अन्धेरे में भटकते हुए 'हिस्ट्री हाउस' के पास पहुँचते हैं। अँधेरे में उन्हें कुछ नहीं दिखता। वे वेलूथा के पैरों के पास आकर सो जाते हैं। वे वेलूथा को नहीं देखते।

बेबी कोचम्मा कोट्टायम जाकर पुलिस में शिकायत दर्ज करती है कि 'वेलूथा नामक एक दलित ने अम्मू के साथ बलात्कार किया है।' पुलिस इन्स्पेक्टर थॉमस मैथ्यू इस मामले पर तुरन्त कार्रवाई करते हैं। पुलिस की एक टुकड़ी आयमेनेम भेजी जाती है। पुलिस सो रहे वेलूथा को गिरफ्तार करती है। उसके पास सोये राहेल और इस्था को भी पुलिस ले जाती है। पुलिस वेलूथा से बड़े अमानुष तरीके से मारपीट करती है, जिसमें वेलूथा की मौत हो जाती है। पुलिस आफत में फँस जाती हैं,

क्योंकि जिसके साथ बलात्कार हुआ था उसकी शिकायत पुलिस के पास नहीं है। पुलिस बेबी कोचम्मा को बुलाकर उसे मामले की गम्भीरता से अवगत करती है। पुलिस और बेबी कोचम्मा द्वारा वेलूथा पर बच्चों को भगा ले जाने का गुनाह दर्ज किया जाता है। राहेल और इस्था से गवाही कहलवायी जाती है। अपहृत बच्चों को मुक्त करने के दौरान हुई मुठभेड़ में वेलूथा के मारे जाने के फर्जी कागजात बनाये जाते हैं। राहेल, इस्था और अम्मू ही सोफी मॉल की मौत के जिम्मेदार हैं, ऐसी चाको की धारणा बना दी जाती है। सोफी मॉल की मौत से चाको होश खो बैठता है। वह अम्मू को घर के बाहर निकाल देता है। अम्मू जुड़वा बच्चों को लेकर कोट्टायम पुलिस थाने में पहुँचकर पुलिस को बताती है कि 'वेलूथा निरपराध है।' तब तक पुलिस ने वेलूथा के शव को ठिकाने लगा दिया था। पुलिस इंस्पेक्टर थॉमस मैथ्यू अम्मू को अमानवीय रूप से पुलिस थाने से निकलवा देते हैं।

अम्मू को 'आयमेनेम हाउस' में से निकाल दिया गया था। उसके दोनों बच्चों को रखने से उपद्रव होगा इस भय से केवल राहेल को 'आयमेनेम हाउस' रखा गया। अम्मू इस्था को अपने पिता के पास कलकत्ता भेज देती है। इकतीस वर्ष की अवस्था में अम्मू एक लॉज में लावारिस स्थिति में मृत्यु का सामना करती है।

राहेल 'आयमेनेम हाउस' में रहकर पढ़ाई करती है। उच्च शिक्षा के लिए वह दिल्ली स्थित आर्किटेक्चर कॉलेज पहुँचती है। यहीं पर राहेल की लॅरी मॅक कॅस्लीन से भेंट होती है, जो अपने प्रबन्ध के लिए सन्दर्भ-साहित्य जमा करने हेतु दिल्ली आया हुआ है। राहेल और लॅरी की शादी हो जाती है। राहेल शादी के बाद लॅरी के साथ बोस्टन चली जाती है। राहेल की आँखों में स्थित परायापन, दुःख और नैराश्य लॅरी को चुभता है। इसलिए ऊबकर वह राहेल को तलाक दे देता है।

तलाक के पश्चात् राहेल न्यूयार्क स्थित एक भारतीय रेस्टॉरेंट में वेट्रेस का काम करती है। बाद में वॉशिंग्टन में एक पेट्रोल पम्प पर भी काम करती है। एक दिन उसे बेबी कोचम्मा का खत मिलता है। इस्था आयमेनेम आया है, यह जानकर वह अमेरिका से विदा लेकर आयमेनेम पहुँचती है। राहेल को अपना पूर्व जीवन, अपना इतिहास, बिल्कुल रेवरंड आयपे से लेकर स्वयं तक के जीवन का स्मरण होने लगता है। इस स्मरण में से ही प्रस्तुत 'द गॉड ऑफ स्मॉल थिंग्ज' उपन्यास खुलता जाता है। प्रस्तुत उपन्यास राहेल के भाव जगत की मानो आत्मकथा ही है। अरुंधती रॉय ने घटना, प्रसंग, सन्दर्भ, विवरण एवं पात्रों का जबरदस्त मिश्रण कर एक बहुत अच्छे उपन्यास को अंजाम दिया है।

चाको की अचार की फॅक्टरी 'पॅराडाइस पिकल्स एण्ड प्रिजर्वज' की वृद्धि के लिए चाको द्वारा ली गयी प्लायमाऊथ, मन्दिर में स्थित कोचू थोम्बन नामक पवित्र हाथी, बाग में स्थित उल्लू, हिस्ट्री हाउस, मीनाचल नदी, रबर की खेती, वेल्लया

पाप्पेन की काँच की बनी कृत्रिम आँख, बाल सँवारने पर इस्था की जुल्फों का मुर्ग, राहेल के सिर पर स्थित 'लव इन टोकिया', सोफी मॉल की बैग 'मेड इन लन्दन', रास्ते में मरा हुआ हाथी, गाड़ी के नीचे कुचला मेंढक, मरे हुए तिलचटे को खींचकर ले जाने वाली चींटियाँ, पुलिस के टेबल पर स्थित पेपरवेट आदि अनगिनत मामूली बातें भी पाठकों को हमेशा याद रहती हैं। अभिलाष टॉकीज में HER में स्थित माड का वर्णन हो, कम्युनिस्ट जुलूसवालों द्वारा की गयी हुल्लड़बाजी हो या सोफी मॉल अथवा अम्मू का अन्तिम संस्कार हो—हर जगह लेखिका के लेखन की सामर्थ्य का पता चलता है। लेखिका की कल्पना शक्ति पाठकों को अचम्भित करती है।

चाको की फैक्टरी के मजदूरों का संगठन बनाने वाला कॉमरेड के.एन.एम. पिल्लई, उसकी पत्नी कल्याणी, बेटा लेवीन, 'आयमेनेम हाउस' के निचले हिस्से में रहने वाला दलित वेल्लया पाप्पेन, उसकी पत्नी चेला, उसके दो बेटे—वेलूथा और कुटप्पन, कोट्टायम पुलिस थाने का इंस्पेक्टर थॉमस मैथ्यू राहेल का पति लॅरी मॅक कॅस्लिन, मिस मिटन, आयरिश फादर मुलीगन, कोचू मारिया, ऑरेंज ड्रिंक, लेमन ड्रिंक वाला, सैपुकरी, कथकली के कार्यक्रम करने वाले नर्तक जैसे कई दोयम पात्र भी बड़ी सुस्पष्टता के साथ पाठकों के मस्तिष्क पर प्रतिबिम्बित होते दिखाई देते हैं। ऐसा प्रतीत होता है कि लेखिका को जीवन्त पात्रों के सृजन की निपुणता हासिल हुई है। इसी कारण कथ्य की आवश्यकता के अनुरूप निर्मित सामान्य से सामान्य पात्र को भी अपना पृथक व्यक्तित्व प्राप्त हुआ है।

महाभारत की कथा का वर्णन हो, कत्थक नृर्तकों का चित्रण हो, ऑरेंज ड्रिंक, लेमन ड्रिंक वाले द्वारा इस्था के साथ किये गये दुराचार का चित्रण हो, पुलिस थाने में टेबल पर रखे पेपरवेट का वर्णन हो अथवा अम्मू और वेलूथा के प्रणय का वर्णन हो; इसमें लेखिका की विलक्षण प्रतिभा के दर्शन होते हैं। इस उपन्यास का प्रारम्भ सोफी मॉल की दर्दनाक मृत्यु से होता है, तो अन्त वेलूथा की दिल दहलाने वाली मौत से। यह उपन्यास मीनाचल नदी की धारा की भाँति कभी शान्त, तो कभी नटखट ढंग से प्रकट होता दिखता है। उपन्यास के अन्त में इस्था को विदा करने का प्रसंग दिल दहलाने वाला है। रहस्य और शोक के संयोग से यह उपन्यास पूर्णत्व को प्राप्त होता है। अम्मू और वेलूथा के प्रेम-प्रकरण से उपन्यास का कथ्य वेग प्राप्त करता है। सुखासीन जीवन जीने वाले आयपे परिवार पर अम्मू और वेलूथा के प्रेम-प्रकरण से विपत्ति आ गिरती है और पूरा परिवार मानो ऐसे ध्वस्त हो जाता है, जैसे उस पर किसी के द्वारा बम गिरा दिया गया हो। उपन्यास का अन्त प्रतिशोध-नाट्य का रूप प्राप्त करता है। साजिश, षड्यन्त्र, विश्वासघात और मानवीय सम्बन्धों की हत्या; इस कारण प्रस्तुत उपन्यास का अन्त त्रासद होता है।

'द गॉड ऑफ स्मॉल थिंग्ज' उपन्यास का कथ्य आरम्भ, मध्य और अन्त की

प्रणाली में प्रस्तुत नहीं हुआ है। इस उपन्यास के कथ्य को जान लेने के लिए कुछ इस तरह का प्रयास करना पड़ता है कि कॉपी में लिखे गये पृष्ठ को फाड़कर उसके टुकड़े बना दिये जायें और फिर से उस पर लिखे गये मैटर को पढ़ने का मोह हो और इसके लिए पुनः उन टुकड़ों को जोड़ा जाये। पूरे उपन्यास में कथ्य को उलटा-सीधा प्रस्तुत किया गया है। अतीत और वर्तमान के अनेक सन्दर्भों को उलट-पुलट करते हुए यह उपन्यास उभरता प्रतीत होता है। कथ्य का सातत्य अनेक बार खंडित होते हुए भी प्रस्तुत उपन्यास के प्रवाह में कहीं भी बाधा नहीं आती। अत्यन्त साधारण कथ्यवाला यह एक असाधारण उपन्यास है।

'द गॉड ऑफ स्मॉल थिंग्ज' अरुंधती रॉय का पहला ही उपन्यास है। अपने उपन्यास-लेखन के लिए उन्होंने केरल राज्य में स्थित प्राकृतिक-सौन्दर्य तथा वामपन्थी आन्दोलन का बहुत अच्छा उपयोग किया है। इस उपन्यास में स्थित प्रकृति और वामपन्थी आन्दोलन यदि घटा दिया जाये, तो यह उपन्यासरूपी भवन किसी रेत के किले की भाँति ढह जायेगा। लेखिका ने अपने इस उपन्यास में केरल की जातिगत समस्या को बखूबी स्पर्श किया है। अरुंधती रॉय जैसी यशस्वी रचनाकार दलितों का चित्रण किस तरह करती है, यह देखना मेरी दृष्टि में अत्यन्त महत्त्वपूर्ण है। गैर-दलित रचनाकार जब दलितों के विषय में लिखता है, तब उसके लेखन का स्वरूप एवं सीमाएँ क्या होती हैं, इसकी पड़ताल आवश्यक है। यही कारण है कि अरुंधती रॉय जैसी प्रख्यात लेखिका तथा उनके बुकर पुरस्कार प्राप्त 'द गॉड ऑफ स्मॉल थिंग्ज' जैसे उपन्यास का चयन महत्त्वपूर्ण ठहरता है।

'द गॉड ऑफ स्मॉल थिंग्ज' एक धर्मांतरित ईसाईं परिवार की त्रासदी पर आधारित उपन्यास है। इसमें एक छिपा एजेंडा है, उसे जान लेना अत्यन्त महत्त्वपूर्ण है जिसके बिना इस उपन्यास में लेखिका के दृष्टिकोण को नहीं जाना जा सकता है। रेवरंड आयपे को बिशप अन्त्योख का आशीष प्राप्त हुआ है। रेवरंड आयपे मार थामा चर्च के धर्म गुरु हैं। ऐसे धर्म गुरु के परिवार में जन्मी अगली चार पुश्तें संस्कारहीन एवं नीतिभ्रष्ट जीवन जीती दिखाई देती हैं। संस्कार-सम्पन्न परिवार में जन्म लेकर भी उनका पतन होता है। 'हिन्दू आयपे परिवार धर्मान्तर कर 'ईसाई' बनता है। इस कारण कि क्या नवीन जीवन शैली का नतीजा है कि उनके आचार-व्यवहार एवं विचारों में शिथिलता का एहसास होता है। रेवरंड आयपे 'हिन्दू' धर्म का त्याग करने के कारण अछूतों के लिए स्वतन्त्र स्कूल शुरू कर सकता है तथा अपने घर के पास स्थित जगह अछूत केलन को दे सकता है। एक ओर रेवरंड आयपे की अगली पुश्तों का पतन होता है तो दूसरी ओर आयरिश फादर मुलीगन हिन्दू धर्म के कट्टर विरोधी हैं। धीरे-धीरे उनका मानसिक परिवर्तन होता है और वे अपना ईसाईं धर्म छोड़कर 'हिन्दू' धर्म का स्वीकार करते हैं। हिन्दू धर्म का त्याग करने वाले आयपे

परिवार का पतन और हिन्दू धर्म के कट्टर विरोधी आयरिश फादर मुलीगन का हिन्दू धर्म में प्रवेश जैसी प्रसंग-योजना से लेखिका क्या दर्शाना चाहती है? क्या यह हिन्दू धर्म का माहात्म्य सिद्ध करने की लेखिका की हठधर्मिता तो नहीं? चाको की पत्नी मागरिट हो, राहेल का पति लॅरी हो अथवा चाय की खेती वाला गोरा साहब हॉलिक हो—ये तीनों गोरे तथा ईसाई हैं। मागरिट चाको को छोड़ देती है, लॅरी राहेल को छोड़ देता है और हॉलिक अम्मू से शरीर-सुख की माँग करता है। यह देखना भी महत्त्वपूर्ण है कि गोरे इंग्लिश मनुष्य की ओर देखने का लेखिका का कौन-सा दृष्टिकोण इसमें से व्यक्त होता है।

रेवरंड आयपे की चार पुश्तें धर्मांतरित ईसाई के रूप में जीती हैं, फिर भी उनकी हिन्दू मानसिकता नहीं बदली है। वे 'आधे ईसाई और आधे हिन्दू हैं।' (पृ. 111) "पारायार लोगों को घर की दहलीज के भीतर प्रवेश नहीं करना चाहिए।" यह पाप्पी जी की चेतावनी है। (पृ. 95) वह भी ईसाई बने अछूत के बारे में। यह कड़वा सत्य है कि धर्मान्तर करने से न सवर्णों की जाति बदलती है और न अस्पृश्यता। बाबासाहब गायकवाड ने 'ईसाई महार' नामक आत्मवृत्त लिखा है। दलितों ने ईसाई धर्म का अंगीकार किया, फिर भी उनके मूल प्रश्न कायम हैं। इब्राहिम खान ने 'मुस्लिम महार' नामक आत्मवृत्त लिखा है। मुस्लिम बने दलितों से मुसलमान भी कितना बुरा व्यवहार करते हैं, इसका चित्रण प्रस्तुत ग्रन्थ में है। बलबीर माधोपुरी कृत 'छांग्यारूख' शीर्षक आत्मवृत्त भी प्रकाशित हुआ है। इसमें धर्मांतरित सिख अछूतों की समस्या पर तीखा प्रकाश डाला है। पंजाब में धर्मांतरित सिख दलितों के लिए अलग गुरुद्वारा बनाये गये हैं। 'द गॉड ऑफ स्मॉल थिंग्ज' उपन्यास में भी धर्मान्तरित अछूतों के लिए अलग चर्च तथा अलग धर्म गुरु निर्धारित किये जाने का उल्लेख है। (पृ. 95) केरल के पारायार, पारावार और पुलोयार नामक अछूत जातियों ने धर्मान्तरण कर अँग्लिकन चर्च से रिश्ता जोड़ा। उन्हें धर्मान्तर के लिए रुपये और अनाज मिला इसलिए 'चावल पर क्रिश्चिन' जैसे तुच्छ सम्बोधन का उल्लेख है। (पृ. 95)

'द गॉड ऑफ स्मॉल थिंग्ज' में एक उपकथानक है, जो मुख्य कथ्य में यत्र-तत्र बिखरा हुआ है। यह उपकथानक इतना प्रभावी है कि उसी के लिए प्रधान कथ्य की योजना हुई है, ऐसा आभास होता है। अम्मू और वेलूथा के प्रेम पर आधारित यह कथानक है। दलित स्त्री के साथ सवर्ण पुरुष को अनैतिक सम्बन्ध रखने के लिए धर्म ने ही छूट दी है। इसी कारण चाको का व्यभिचार बिना किसी शिकायत के सहन किया जाता है। सवर्ण पुरुष दलित स्त्री की देह को अपनी मिल्कीयत समझता दिखाई देता है। 'अक्करमाशी' एवं 'छोरा कोल्हाटी का' शीर्षक आत्मकथाओं में इस विषय को उठाया गया है। 'द गॉड ऑफ स्मॉल थिंग्ज' में सवर्ण ईसाई परित्यक्ता एवं अछूत

ईसाईं युवकों के शारीरिक सम्बन्धों की कथा है। ईसाईं धर्म में जाति व्यवस्था नहीं है, फिर भी ऐसा दिखाई देता है कि धर्मांतरित हिन्दुओं का अपनी जाति व्यवस्था के साथ धर्मान्तर किये जाने का यह परिणाम है। लेखिका ने ढोंगी कम्युनिस्टों का मजाक उड़ाने का अवसर हाथ से नहीं जाने दिया है। (पृ. 86) कॉमरेड चाको किस तरह व्यभिचारी है तथा कॉमरेड के.एन.एम. पिल्लई किस तरह हिन्दुत्ववादी इसके अनेक उदाहरण दिये गये हैं। कम्युनिस्टों की पूँजीवादी एवं जातिवादी प्रवृत्ति का लेखिका ने पर्दाफाश किया है।

अरुंधती रॉय ने अपने लेखन में दलित विषयक यथार्थ और विलक्षण ब्योरा देना टाला है। असल में यह लेखिका की सीमा ही है। इसके लिए लेखिका ने अपने लेखन में बहुत बड़ी सुविधा से काम लिया है। उपन्यास के लिए लेखिका द्वारा चुना गया दलित परिवार दलित-बस्ती में रहने वाला परिवार नहीं है। नतीजा बहुत अधिक ब्योरे की आदी लेखिका यहाँ अछूतों की बस्ती के, उनके जीने तथा रीति-रिवाजों के सन्दर्भ देना भी कुशलता से टाल सकी है। रेवरंड आयपे ने अछूत केलन द्वारा ईसाई धर्म का स्वीकार करने के पश्चात् उसे अपने मकान के समीप की जगह मुफ्त में दी है। इसी केलन का बेटा वेल्लया पाप्पेन रेवरंट आयपे के बेटे के घर गुलामी कर रहा है। यह गुलामी पीढ़ी दर पीढ़ी चलती दिखती है। केलन रे. आयपे की गुलामी करता है। वेल्लया पाप्पेन बेनजॉन आयपे की गुलामी करता है। वह तथा वेल्लया का बेटा वेलूथा चाको की गुलामी करते हैं। काम करते हुए वेल्लया आँख खो देता है। इसलिए माम्माची अपने रुपयों से उसे कृत्रिम आँख लगवा देती है। वेलूथा रे. आयपे द्वारा अछूतों के लिए स्थापित स्कूल में पढ़ा है। इस तरह वेलूथा, वेलूथा का बाप वेल्लया और आजा केलन आयपे खानदान के एहसान के बोझ तले दबे हुए हैं।

चाको के यहाँ बढ़ई का काम करने वाला वेलूथा प्रस्तुत उपन्यास का नायक है। वेलूथा की झोंपड़ी नदी तट पर जंगल में है। इसलिए ऐसे स्थान का वर्णन करना आसान बन गया है। समाज व्यवस्था ने जिस तरह दलितों के लिए अलग जगह आरक्षित कर रखी है, उसी तरह अलग जगह लेखिका ने भी प्रस्तुत उपन्यास में आरक्षित रख छोड़ी है। यह भी सही है कि दलितों की बस्ती का, उनके जीने का तथा आन्दोलन का समग्र ब्योरा इस उपन्यास के कथ्य के दायरे में नहीं आ सकता। यहाँ निम्न सन्दर्भों की ओर ध्यान देना आवश्यक है—

(अ) केलन नामक धर्मांतरित अछूत को रहने के लिए रेवरंड आयपे ने अपनी जगह मुफ्त में दी है।

(आ) केलन का बेटा वेल्लया जब काम के दौरान अपनी आँख खो देता है, तब उस पर उपचार तथा उसे कृत्रिम आँख की सुविधा का खर्च माम्माची ने किया है।

(इ) रेवरंड आयपे द्वारा अछूतों के लिए स्थापित स्वतन्त्र स्कूल में वेलूथा ने अपनी शिक्षा प्राप्त की है।

दलितों को निवास के लिए मुफ्त में जगह देना, आँखों का मुआवजा देना तथा उनके लिए स्वतन्त्र स्कूलों को स्थापित करना जैसे धर्मार्थ उपकार के लालच मिशनरीपन का एक हिस्सा हो सकता है। ऐसे लालच का लाभ उठाकर जीने वाला यह धर्मांतरित दलित परिवार है। केरल में महाराष्ट्र का आम्बेडकरी आन्दोलन नहीं है। वहाँ कम्युनिस्ट आन्दोलन का प्रभाव अधिक है। वेलूथा कम्युनिस्ट पार्टी का कार्यकर्ता है। कम्युनिस्ट पार्टी का कार्यकर्ता होने के बावजूद भी उसका कॉमरेडपन जुलूस में नारे लगाने से अधिक नहीं है। अपनी अलग झोंपड़ी के विषय में, अलग स्कूल के विषय में अथवा अपने पिता की कृत्रिम आँखों को लेकर उसके मन में प्रश्न उपस्थित नहीं होते। असल में वेलूथा को कोई प्रश्न नहीं सताते। वह एक आवारा युवक प्रतीत होता है। बढ़ईगिरी करना, मालिक के घर जाकर छोटे बच्चों के साथ मस्ती करना तथा उसके आधार पर छोटे बच्चों की माँ के साथ शारीरिक-सम्बन्ध स्थापित करना यही सीमित अवतार-कार्य वेलूथा ने किया है। इससे अधिक उसकी कोई पहचान नहीं।

वेलूथा पर मोहित अम्मू तीस वर्षीय परित्यक्ता नारी है। वह सात साल से लैंगिक भूख से पीड़ित है। ऐसी अम्मू को प्रेम के लिए अछूत युवक भी चलता है। अछूत के बदन की बदबू और उसकी काली चमड़ी भी अम्मू को आकर्षित करती है। "ऐन जवानी के जोश में स्थित वह फूलती मजबूत देह उसकी नजरों के आगे से हिलने को तैयार न थी...भरे-पूरे, चमकदार देह वाला। उसके गालों पर भी बाँकदार उभरे हुए और सफेद दाँतों में से हँसी लुढ़क रही थी। पुकार रही थी।" (पृ. 222) इसमें अम्मू का सेक्स स्टार्वेशन कितना और प्रेम कितना? इसकी पड़ताल होनी चाहिए। ''वह प्रौढतापूर्वक हँसी और उसने उस अजनबी जवान को सीने से लगाते हुए आलिंगन में कस लिया।'' (पृ. 427) यह है अम्मू का बर्ताव। इसमें से उसकी शरीर-सुख की लालसा स्पष्ट दिखाई देती है। अम्मू को अथवा उसके बच्चों को वेलूथा का स्पर्श प्रिय लगता प्रतीत होता है। किन्तु इसी वेलूथा के विषय में माम्माची को घृणा है। "एक अछूत पुरुष का काला कलूटा हाथ अपनी बेटी की खुली छाती पर घूम रहा है, दो गोरे रस-भीने ठोस उभारों को मसल रहा है, उसका मुँह उसके मुँह पर...होठों में होंठ...जीभ पर जीभ...दोनों कामोत्तेजित...साँसे तेज चल रही हैं। वह जोश में...अम्मू के चीत्कार...अस्त-व्यस्त फैली दो गोरी-गोरी जंघाओं के बीच में नीचे-ऊपर हिलने वाला, टकराने वाला, जोर-जोर से ठोकने वाला चूतड़। माम्माची को मिचलाई हुई। चौखट के परे जाकर उसने धड़ाधड़ उल्टी की।" (पृ. 327)

चाको और अम्मू घरवालों के विरोध को ठुकराकर अपनी मर्जी के मुताबिक जीते हैं। परित्यक्त चाको अपने शरीर सुख के लिए मजदूर औरतों का उपभोग करता है,

तो परित्यक्त अम्मू अपने शरीर सुख के लिए वेलूथा जैसे मजदूर का इस्तेमाल करती है, चाको के व्यभिचार का परिवार में से विरोध नहीं हो पाता, क्योंकि वह पुरुष है। किन्तु अम्मू के प्रेम सम्बन्धों का पता चलने पर उसे घर से बाहर निकाला जाता है। क्योंकि वह औरत है। उपन्यास के आरम्भ में अम्मू को निडर और विद्रोही दिखाया गया है। किन्तु अन्त में इसी अम्मू को परास्त और हताश दिखाया है। अपनी मर्जी से चाय की खेती के मैनेजर के साथ शादी करने वाली और अपनी मर्जी से उसे त्यागने वाली अम्मू यदि उपन्यास के अन्त में वेलूथा को अपने साथी के रूप में स्वीकार करने का ढाढ़स दिखाती और उसके लिए घर का त्याग करती, तो इस उपन्यास को एक अलग सामाजिक पैमाना प्राप्त होता। लेखिका में इतना विद्रोह नहीं है। अम्मू द्वारा सिगरेट के कश लगाना, पुरुषी वस्त्र पहनना, मनचाहे पुरुष से शादी करना, फिर उसका त्याग करना जैसा बर्ताव विद्रोही नहीं प्रतीत होता। वेलूथा के साथ समाज-मान्यता के बावजूद अनैतिक सम्बन्ध प्रस्थापित करने का ढाढ़स करने वाली अम्मू समग्र व्यवस्था को ही नकारने की हिम्मत क्यों नहीं दिखा पाती। मात्र चोरी-छिपे सम्बन्ध रखने से अधिक अम्मू कुछ नहीं कर पाती। जब उसे घर के बाहर निकाला जाता है, तब भी वह विरोध करने के बजाय घर के बाहर चली जाती है। अम्मू पुलिस चौकी में जाकर पुलिस से कहती है कि 'वेलू निरपराध है।' पुलिस इंस्पेक्टर थॉमस मैथ्यू उसे वेश्या कहकर अपमानित करता है। उसके वक्ष पर लाठी रखता है। फिर भी अम्मू कुछ नहीं कहती। अम्मू का यह मौन अनाकलनीय प्रतीत होता है।

वेलय्या पाप्पेन को जब अपने बेटे के अनैतिक बर्ताव का पता चलता है, तब वह काँप उठता है। वेलूथा और अम्मू के प्रेम की चर्चा पूरे गाँव में हो रही है। इसके नतीजे से वाकिफ होने पर उसकी स्वामी-निष्ठा उभर कर आती है। घनघोर बारिश में भीगता हुआ वह इस मामले की जानकारी देने हेतु सुध-बुध खोकर निकल पड़ा। इस तरह का बरसाती चित्रण हिन्दी फिल्मों में हमेशा देखने को मिलता है। वेल्लया अपने बेटे को नहीं समझाता न ही ऐसे सम्बन्धों को रोकने के लिए अम्मू की याचना करता है। अपनी ईमानदारी सिद्ध करने के लिए वह 'कनफेस' करने निकला है। उसे इस बात की परवाह नहीं कि उसके ऐसे बर्ताव से अम्मू और वेलूथा की जान खतरे में पड़ेगी। वह बारिश में नख-शिख भीगा हुआ है। सीधे रसोई घर में घुसकर अपने बेटे का गुनाह माम्माची को सुनाता दिखाई देता है। उसका यह बावला रूप दलितों की लाचारी का प्रतीक है। रेवरंड आयपे परिवार ने ईसाई धर्म की दीक्षा दी, रहने के लिए मुफ्त में जगह दी, किन्तु उन्हें स्वाभिमान का एहसास नहीं कराया है।

अपनी बेटी एक अछूत के साथ शारीरिक-सम्बन्ध बना रही है, यह सुनकर माम्माची विचलित हुई। वह विवेक खो बैठी। उसे इस मामले की छान-बीन करने की आवश्यकता नहीं प्रतीत होती। वह अपनी ननद बेबी कोचम्मा को पूरी कहानी सुनाती

है। वे दोनों मिलकर अम्मू को एक कमरे में बन्द कर बाहर से ताला लगा देती हैं। बेबी कोचम्मा और कॉमरेड पिल्लई के मन में दलितों के प्रति घृणा का भाव कायम है। ये दोनों खल पात्र हैं। बेबी कोचम्मा वेलूथा पर 'बलात्कार का झूठा इल्जाम' लगाती है और बाद में उसे बच्चों के झूठे अपहरण के मामले में फँसाती है। "यह आदमी कभी ना कभी हमारे लिए व्यवधान बनेगा। जान पर बीतेगी, तब समझोगे।" इस तरह बेबी कोचम्मा की वेलूथा विषयक धारणा है। तो कॉमरेड पिल्लई का भी यही मत है। "यह निचली जाति का नालायक मनुष्य कब ना कब तुम्हारी जान ले बैठेगा, ध्यान में रखो।" (पृ. 350) बेबी कोचम्मा हो अथवा कॉमरेड पिल्लई, दोनों का वेलूथा के प्रति दृष्टिकोण पूर्वाग्रह दूषित है। कॉमरेड पिल्लई ने यदि वेलूथा को भाग जाने की सलाह दी होती या अम्मू और वेलूथा की शादी की जिम्मेदारी उठायी होती, तो लेखिका प्रस्तुत उपन्यास का अपेक्षित अन्त नहीं कर पाती।

पुलिस वेलूथा को बड़े अमानुषिक तरह से पीटती है। उसकी पुलिस क़स्टडी में मृत्यु हो जाती है। इस तरह का चित्रण हिन्दी फिल्मों में देखने को मिलता है। पुलिस जहाँ वेलूथा को पीटती है, तब वेलूथा एक लब्ज भी नहीं बोलता। चुपचाप पुलिस की मार सहता है। उसका मौन मृत्यु में तब्दील होता है। लेखिका ने वेलूथा को बोलने ही नहीं दिया। यदि वह बोलता, तो उसका विद्रोह व्यक्त हुआ होता, इसी को लेखिका टालना चाहती है। लेखिका ने वेलूथा का मात्र 'सेक्स' के लिए इस्तेमाल कर लियाहै।

वेलूथा और अम्मू के प्रेम से परिचित होने पर माम्माची के पास जाने वाला वेल्लया तथा यह जानने के बाद कि वेलूथा को झूठे इल्जाम में फँसाया जा रहा है; पुलिस चौकी में जाने वाली अम्मू ये दो (भिन्न) मानवीय प्रवृत्तियाँ हैं। अम्मू को जहाँ वेलूथा के प्रति प्रेम है वहीं वेल्लया को अपनी गुलामी के प्रति। वेल्लया न अपने बेटे को कुछ कहता है, न बेटे के पक्ष में कुछ बोलता है। वह व्यवस्था के पक्ष में बोलता है तो वेलूथा व्यवस्था के खिलाफ मुँह नहीं खोलता। वह मृत्यु का चयन करता है। हो सकता है अम्मू से अत्यधिक प्रेम करने के कारण उसने मौन धारण किया होगा।

अरुंधती रॉय एक प्रतिभावान लेखिका हैं। उनके द्वारा उपन्यास में निर्मित पात्र अत्यन्त जीवन्त और यथार्थ प्रतीत होते हैं। उपन्यास को पढ़ चुकने के पश्चात् वे इस तरह याद आते हैं, जैसे एकाध परिस्थिति की याद आती है। यही नहीं, बल्कि उपन्यास में वर्णित काल्पनिक स्थल भी पाठकों के हृदय में अटल स्थान प्राप्त करते हैं। ऐसा प्रतीत होता है कि हम इस उपन्यास के हर स्थल की यात्रा कर आए हैं। अपने लेखन या साहित्य पर लेखक का किस तरह प्रभुत्व हो, इसका एहसास यह उपन्यास कराता है।

गैर-दलित चेतना : स्वरूप तथा विशेषताएँ

* गैर-दलित चेतना दलितों की समस्याओं की ओर मानवाधिकार की दृष्टि से न देखकर मानवतावादी दृष्टि से देखती है।
* गैर-दलित चेतना सुधारवादी विचारों से प्रेरित चेतना होकर क्रान्तिकारी कदम उठाते हुए नहीं दिखाई देती।
* गैर-दलित चेतना हिन्दू धर्म एवं समाज के प्रति आस्था रखने वाली चेतना है। इसलिए उसमें से दलितों के धर्मान्तर को लेकर उपहासात्मक सुर व्यक्त होता है।
* गैर-दलित चेतना दलितों की यातनाओं का चित्रण इस तरह करती है कि जिससे सवर्णों के भीतर दलितों के प्रति अनुकंपा पैदा होती है। दलितों के मन में क्रान्ति और विद्रोह का भाव जागने के बजाय 'हमें साफ-सुथरा रहना चाहिए, शुद्ध बोलना चाहिए, अच्छे सभ्य लोगों की भाँति बर्ताव करना चाहिए' जैसे विचारों का निर्माण करती है।
* गैर-दलित चेतना पर गाँधीवाद और साम्यवादी विचारों का प्रभाव दृष्टिगोचर होता है।
* गैर-दलित चेतना जाति-व्यवस्था के खिलाफ बोलते हुए भी हिन्दू धर्म और हिन्दू ईश्वरशाही के खिलाफ नहीं बोल पाती।
* गैर-दलित चेतना में प्रगतिशील विचारों से प्रेरित होते हुए भी, ब्राह्मण्य के विषाणु हैं, ऐसा प्रतीत होता है।

भारतीय समाज-व्यवस्था पर इस्लाम तथा क्रिश्चन धर्म द्वारा प्रचंड आक्रमण किया गया दृष्टिगोचर होगा। ये दोनों धर्म भारतीय भूमि पर विजेताओं के धर्म के रूप में प्रवष्टि हुए थे। इसलिए इन धर्मों के प्रचार-प्रसार को तत्कालीन राज्यकर्ताओं का समर्थन प्राप्त था। हिन्दू धर्म में स्थित जुल्म और अत्याचारों से ऊबकर अनेक दलितों ने इस्लाम और क्रिश्चन धर्म में प्रवेश किया है। एक ओर इस्लाम तथा क्रिश्चन धर्म का प्राबल्य तो दूसरी ओर दलितों द्वारा बड़ी मात्रा में होने वाले धर्मान्तर के कारण हिन्दू समाज के धुरीण हड़बड़ा कर जाग गये हैं। मुस्लिम शासनकालीन

सन्तों का कार्य तथा ब्रिटिश शासनकालीन समाज सुधारकों का कार्य एक ही उद्देश्य से प्रेरित था। हिन्दू समाज में प्रगतिशील विचारों के बीजारोपण का यह प्रयास था। ब्रिटिशकालीन भारत में म. फुले, राजर्षि शाहू महाराज तथा बाबासाहब आम्बेडकर का उदय होता है। म. फुले से प्रेरणा पाकर गैर ब्राह्मण आन्दोलन और सत्यशोधक जलसे शुरू हुए तो बाबासाहब आम्बेडकर की प्रेरणा से दलित आन्दोलन तथा आम्बेडकरी जलसे शुरू हुए है। फुले-आम्बेडकर के विचारों और आन्दोलन के कारण हिन्दू समाज थर्रा उठा। इसी कालखण्ड में ब्राह्मण विरोधी किन्तु ब्रिटिश समर्थक 'जस्टिस पार्टी' (1927) का कार्य शुरू हुआ है। पेरियार ई.वी. रामस्वामी नायकर का ब्राह्मण विरोधी आन्दोलन (1927) आक्रामक हुआ दिखता है। ब्रह्म समाज (1828), प्रार्थना समाज (1867), सत्यशोधक समाज (1873), आर्य समाज (1875) तथा रामकृष्ण मिशन (1897) के हिन्दू समाज सुधार विषयक आन्दोलन भी हुए हैं।

हिन्दू समाज में स्थित अभेद्य जाति व्यवस्था तथा मानवता पर कलंक की भाँति स्थित छुआछूत के कारण अंत्यज जातियों ने हिन्दू धर्म के खिलाफ विद्रोह किया, जो उत्तरोत्तर व्यापक एवं तीव्र स्वरूप धारण करता दिखता है। हिन्दू धर्म के सम्मुख निर्मित चुनौती के कारण हिन्दू समाज में पुनरुज्जीवनवादी और प्रगतिशील नामक दो प्रवृत्तियों का जन्म हुआ। पुनरुज्जीवनवादी विचार का स्वरूप उग्र था, तो प्रगतिशील विचार का स्वरूप कोमल था। इन दोनों का सुर एवं रूप भिन्न होकर भी अन्तिम लक्ष्य एक ही था और वह है, हिन्दू धर्म रक्षण।

एक ओर आजादी का आन्दोलन व्यापक और उग्र रूप प्राप्त कर रहा था, तो दूसरी ओर सामाजिक स्वतन्त्रता का आन्दोलन गतिमान हो रहा था। 'आजादी मिली तो ब्राह्मणों के हाथ जाएगी' इस भय से गैर ब्राह्मण जातियाँ शंकित थीं। शूद्र, अतिशूद्र और अल्पसंख्यक जनसमूह संगठित होकर अपने राजकीय लाभ का विचार करने लगे थे। महात्मा गाँधी जी के नेतृत्व के कारण साधारण मनुष्य आजादी की लड़ाई में उतरा था। समूचे देश में मानसिक एकता की लहर उछल पड़ी थी। स्वतन्त्रतापूर्व कालखण्ड में भीषण सामाजिक और राजनीतिक उथल-पुथल हो रही थी और इसी के भीतर से हिन्दू समाज का पुराना चेहरा परिवर्तित हो रहा था।

महात्मा गाँधी की हत्या के पश्चात् ब्राह्मणों पर हमले हुए। स्वातन्त्र्योत्तर काल में समाज में स्थित ब्राह्मणों की श्रेष्ठता को नकारने की यह शुरुआत थी। समाज प्रबोधन का आन्दोलन, शोषितों का पक्षधर साम्यवाद तथा महात्मा गाँधी जी द्वारा हरिजनों का पक्षधर बनना जैसे कारणों से अछूतोद्धार को लेकर अनुकूल विचार होने लगा था। इसी काल में शोषित और दलित संगठित होकर अपनी समस्याओं को केन्द्र में लाते दिखेंगे। इन सबका सम्मिलित असर तत्कालीन लेखकों की मानसिकता

पर होना अनिवार्य था। सन् 1910 में रवीन्द्रनाथ ठाकुर ने अपनी 'गीतांजलि' में निम्न पंक्तियाँ लिखी–

'ऐ मेरे अधम देश!
आज तक तूने जिन्हें चूसा-मरोड़ा
और कुचला
अधिकारों से वंचित रखा
कभी भी आलिंगन में नहीं लिया
उनकी अवहेलना तुझे साझा करनी चाहिए थी
क्या तुझे दिख रहा है वह चौखट में खड़ा मृत्यु दूत
तेरे घमण्डी वर्चस्व को शाप देता
अभी भी तू उन्हें दूर रखते हुए
निज घमण्ड में रमता रहा
तो तेरा विनाश अटल है

रवीन्द्रनाथ ठाकुर के काव्य में चित्रित उपर्युक्त भावना उस काल की प्रातिनिधिक भावना है, जो अनेक भारतीय लेखकों के साहित्य में से व्यक्त हुई है। अन्य भारतीय भाषाओं के साहित्य की अपेक्षा मराठी साहित्य में स्त्री एवं शूद्रातिशूद्रों का पक्षधर साहित्य विपुल मात्रा में प्रकाशित हुआ है।

1

'यह व्यवस्था ईश्वर द्वारा निर्मित व्यवस्था है। यह जन्म पूर्व जन्म में किये गये पापों के कारण प्राप्त हुआ है। इससे यदि मुक्ति प्राप्त करनी हो, तो इस जन्म में सत्कर्म कर पुण्य प्राप्त करना ही एकमात्र रास्ता है, अन्यथा नर्क में जाना पड़ेगा', इस तरह दैवी धमकी के कारण दलितों की हजारों पीढ़ियाँ चुपचाप हीन और लाचार जीवन जीती रहीं। उन्होंने 'अपना यह किस्मत का भोग है, यह अपना नसीब है, जिसे बदला नहीं जा सकता क्योंकि वैसी ईश्वरी इच्छा है' इस तरह की समझ अपना कर परम्पराशरणवृत्ति को स्वीकार किया है। 'अपना जीवन ईश्वर के हाथ में है और उसी के द्वारा अपना भाग्य लिखा जाने के कारण, यह छल, यह अपमान अपनी किस्मत का हिस्सा है, उसके सम्बन्ध में शिकायत किससे करें', यह सोच कर दलितों ने दासता को ही अपना जीवन माना। ईश्वर और भाग्य के खिलाफ उन्होंने कभी भी विद्रोह नहीं किया। प्रेमचन्द के 'रंगभूमि' का सूरदास हो, वि. दा. सावरकर के 'संगीत उःशाप' का चोखामेळा हो अथवा र. वा. दिघे के 'कार्तिकी' का कान्हया

महार हो, ये पात्र आँख मूँदकर जीवन जीने वाले पात्र हैं। समाज-व्यवस्था में आखिरी सीढ़ी पर स्थित ये पात्र अपने शोषण और दुःख के खिलाफ शिकायत नहीं करते हैं। उलटे उन्हें सर्वहारा के रूप में जीते हुए धन्य प्रतीत होता है। ईश्वरी व्यवस्था का पालन करने के लिए उन्होंने मौन धारण किया है।

– मैं हिन्दू समाज के पैरों तले का एक जूता हूँ। मैं पाण्डुरंग (परमेश्वर) की परिक्रमा की राह साफ करने वाला महार हूँ।
(संगीत उःशाप ; वि. दा. सावरकर, पृ. 130)

– अब तेरी किस्मत में ही वह नहीं होगा, तो उसके लिए रोकर भी क्या होने वाला है?
(चोमा महार ; शिवराम कारंथ, पृ. 40)

शिवराम कारंत का 'चोमा महार', तकषी शिवशंकर पिल्लै का 'चुडलमुत्तू', विभावरी शिरूरकर का 'आबा' और र. वा. दिघे का 'कान्हया महार' जैसे पात्र दलितों के आँसू और पसीने के चित्र ही हैं। विवशता की भीषण यन्त्रणा लेकर जीने वाले ये पात्र परिस्थितियों के बोझ तले नामशेष होते हुए दिखते हैं।

2

गैर-दलित लेखकों के साहित्य में दलितों के सन्दर्भ में 'समता', 'स्वातन्त्र्य' और 'न्याय' की भावनाएँ व्यक्त हुई नहीं दिखाई देतीं। दया, सहानुभूति, अनुकंपा, मानवता जैसे बड़े-बड़े शब्द दलितों के सन्दर्भ में प्रयुक्त हुए हैं। दलितों को दया और सहानुभूति की अपेक्षा हक एवं अधिकारों की वास्तविक आवश्यकता है। गैर-दलित लेखक मानवाधिकार के विषय में बोलना (लिखना) टालते हैं। ऐसा दिखाई देता है कि गैर-दलित लेखकों ने 'सहभोज' और 'मन्दिर प्रवेश' के लिए ही अपनी प्रतिभा को खर्च किया है।

'जरा सब्र के साथ', 'धीरे-धीरे', 'सीढ़ी दर सीढ़ी'—ऐसे पैंतरे के साथ दलितों के सहभोज एवं मन्दिर प्रवेश की तरफदारी की गयी है। वेंकट पर्वतीश्वर कबलू कृत 'मातृमन्दिरम्' (1919) शीर्षक तेलुगु उपन्यास में, प्रेमचन्द के 'रंगभूमि' नामक हिन्दी उपन्यास में (1923), साने गुरुजी के 'राम का दुशाला' (1944) तथा मधु मंगेश कर्णिक के 'रोटी और फूल' (1982) नामक उपन्यासों में दलितों के मन्दिर-प्रवेश की चर्चा हुई है। प्रेमचन्द के रंगभूमि में, श्री. कृ. कोल्हटकर के 'श्यामसुन्दर' में, भा. वि. वरेरकर के 'मैं रामजोशी' (1941) में तथा र. वा. दिघे के 'कार्तिकी' में दलितों के सहभोज की चर्चा हुई है। प्रेमचन्द का सूरदास, श्री कृ. कोल्हटकर का

'श्याम' तथा र. वा. दिघे का 'ओंकारशास्त्री', ये पात्र दलितों के सहभोज की समस्या पर आग्रही प्रतीत होते हैं। गैर-दलित लेखकों को दलितों के साथ सहभोज करना चाहिए, की भूमिका का आग्रह करते हुए दलित अभक्ष्य का भक्षण बन्द करें, स्वच्छ रहें जैसे मत भी प्रस्तुत किये हैं।

— हम महार, भंगी आदि अछूत माने गये लोगों को स्वयं का रहन-सहन इतना शुद्ध रखें, स्वयं का चित्त इतना द्वेष रहित और हिन्दू धर्म परायण रखें कि हमारे उच्चवर्णीय बन्धुओं को हमें हीन और अशुभ मानने के लिए आप ही आप ग्लानि हो।
(संगीत उःशाप ; वि. दा. सावरकर, पृ. 20)

अछूतों को सवर्णों के साथ-साथ पानी पीने का समान अवसर मिले इसलिए डॉ. बाबासाहब आम्बेडकर ने महाड स्थित 'चौदार तालाब' में समुदाय के साथ पानी पीने का सत्याग्रह किया। 'हम हिन्दू हैं और हिन्दुओं के मन्दिर में जाने का हमारा भी अधिकार है' का नारा लगाते हुए उन्होंने नासिक स्थित 'कालाराम मन्दिर में प्रवेश' का सत्याग्रह किया। पानी मिले, देश-दर्शन हो—यह दलितों की माँग थी, किन्तु इसके लिए दलितों को अपना खून बहाना पड़ा। सवर्ण दलितों के सत्याग्रह के खिलाफ थे। वे दलितों को बराबरी का हक और दर्जा नहीं देना चाहते थे। इसी कारण डॉ. बाबासाहब आम्बेडकर ने 'मैं हिन्दू के रूप में जन्मा, इसमें मेरा दोष नहीं था, किन्तु मैं हिन्दू के रूप में नहीं मरूँगा' ऐसे धर्मान्तर का नारा लगाया। बाबासाहब आम्बेडकर के धर्मान्तर के नारे के कारण हिन्दू समाज भयभीत हो गया था। जब तक दलित चुपचाप अन्याय सहन करते हैं, तब तक उन पर पाशवी अत्याचार किये जाते हैं। किन्तु जब दलित धर्मान्तर की बात करना शुरू करते हैं, तब अन्याय करने वालों की सिट्टी-पिट्टी गुम हो जाती हैं।

3

हिन्दू समाज ने दलितों के साथ न कभी समता का व्यवहार किया और न कभी उन्हें सम्मान दिया। हिन्दू धर्म में अपना दोयम दर्जा और कलंकित जीवन को बदलने के लिए दलितों ने धर्मान्तर की राह अपनायी। दलितों का धर्मान्तर भी सवर्ण हिन्दुओं को कभी नहीं भाया। उसके दो कारण हो सकते हैं। हजारों वर्षों से जिनका स्थान अपने जूतों के पास था, वे धर्मान्तर के पश्चात् अपने बराबर बर्ताव करेंगे, यह बात जातिवादी मानसिकता को दंश करने वाली थी। दूसरे, दलितों के धर्मान्तर के कारण मुस्लिम और ईसाईयों की आबादी बढ़ेगी। सार्वत्रिक चुनाव तथा

सामुदायिक हिंसा के दौरान आबादी महत्त्वपूर्ण होती है। धर्मांतरित मुस्लिम और ईसाई अपमान एवं अवहेलना से युक्त पूर्व जीवन का प्रतिशोध लेंगे, यह विचार हिन्दुओं को छलता होगा।

गैर-दलित लेखकों ने दलितों के धर्मान्तर को लेकर बेचैनी अनुभव करते हुए लिखा है। प्रेमचन्द से लेकर वि. दा. सावरकर तक यह स्वर कड़ुआहट के साथ व्यक्त हुआ है।

– डोम चमार जो गिरजा में जाकर खा ले वही क्रिस्तान हो जाता है। वही बाद में कोट पतलून पहनकर साब बन जाता है। (रंगभूमि ; प्रेमचन्द, पृ. 114)
– जो दुःख दर्द को टालने मात्र के लिए, किसी लड़की को, किसी नरक के सुनहरे मटके भुलावे में लाकर केवल वैयक्तिक छल का प्रतिशोध लेने के लिए अपने हिन्दू धर्म को लताड़ता है, उसकी नीचता की पराकाष्ठा हुई, ऐसा मैं समझूँगा। (संगीत उःशाप ; वि. दा. सावरकर, पृ. 121)
– धर्म भ्रष्ट होकर पराए धर्म में जानेवाला प्रत्येक अछूत अपने धर्म का, संस्कृति का तथा देश का कमोबेश दुश्मन होता हे। (चन्दनवाड़ी ; गं. त्र्यं. माडखोलकर, पृ. 209)

धर्मान्तर के कारण पराए धर्म के लोगों की आबादी बढ़ेगी, इस भय से हिन्दुओं ने 'अब सिवाय स्वयं-सुधार के हमारे सामने कोई चारा नहीं है' का पैंतरा लिया है। इसमें दलितों की भलाई की अपेक्षा हिन्दुओं की भलाई का ही अधिक ध्यान रखा गया है। सभी प्रगतिशील हिन्दू लेखकों के लेखन में यही स्वर प्रकट हुआ है। अंग्रेजी में ए माघवरया के 'थिंकाई गोविन्दन' (1908) नामक आत्मकथात्मक उपन्यास में, हिन्दी में श्याम किशोर शर्मा के 'काशीयात्रा' (1916), मन्मनाथ द्विवेदी के 'रामलाल' (1916) तथा शरत्चन्द्र चट्टोपाध्याय के 'पथरेदोषी' एवं 'विप्रदास' नामक बंगला उपन्यासों में दलितों के धर्मान्तर के विषय में सहानुभूति का स्वर नहीं प्रकट हुआ है। बाबासाहब आम्बेडकर के धर्मान्तर को लेकर वि. दा. सावरकर ने अत्यन्त कटु प्रतिक्रिया व्यक्त की थी। आज भी दलितों के धर्मांतरण को लेकर चरम द्वेषमूलक भूमिका प्रकट होती दिखाई देती है। इसी मानसिकता के चलते 'धर्मांतरण विरोधी बिल' को पारित करने की आक्रामक एवं आग्रही भाषा बोली जाती है। 'दलितों को लालच दिखाकर उनका धर्मान्तर किया जाता है' जैसी भड़कीली चर्चा भी सुनने को मिलती है। अपने धर्म को लेकर आक्रामक प्रस्तुत सिरफिरे, दलितों के दुःख के विषय में बड़े सुनियोजित ढंग से मौन दिखाई देते हैं। भारतीय संविधान ने नागरिकों को 'धार्मिक आजादी' का मूलभूत अधिकार प्रदान किया है, कदाचित् इस बात को भी वे भूल गये हैं।

4

दलितों के विषय में सवर्णों में कई गलतफहमियाँ और दुराग्रहों का होना दिखाई देगा। दलित साफ-सुथरे नहीं होते, अभक्ष्य का भक्षण करते हैं, उनकी भाषा अशुद्ध होती है, वे व्यसनी और दुराचारी होते हैं, वे गन्दे और रूपाकार में बावले होते हैं, वे गन्दी बस्ती में रहते हैं, वे बराबरी के बर्ताव के योग्य नहीं हैं, उनकी वही औकात है, उन्हें वहीं रखना चाहिए, दलितों को बहुत नखरे हुए, बौद्धों को बहुत मस्ती चढ़ी है—इस तरह के भाष्य सरेआम सुनने को मिलते हैं। दलितों को लेकर सवर्णों के मन में घृणा, धिक्कार, निषेध और द्वेष का भाव दिखाई देता है। दलितों की सुन्दर लड़कियों को देखकर सवर्णों में वासना का उफान आता है। 'संस्कार' की चन्द्री हो अथवा 'चन्दनवाड़ी' की रखमा, इनकी ओर वासनाभरी निगाहें लगातार डटी रहती हैं। 'कार्तिकी' की कार्तिकी भी इसका अपवाद नहीं है। यही नहीं, बल्कि दलितों की सुन्दर लड़कियाँ देखकर सवर्णों के मन में विकृत कल्पनाएँ आती हैं।

– अछूतों की लड़कियाँ ब्राह्मणों की लड़कियों से गोरी और सुन्दर हैं। उनकी तरफ देखते ही मुझे धारूअण्णा नागे और कृष्णभट फुरशे याद आते हैं। इतना उनके चेहरे में साम्य है।
(इन्दु काळे और सरला भोळे ; वा. म. जोशी, पृ. 62)

– अरे उसकी माँ पुणे के कैम्प में पारसी के यहाँ काम करती थी। फिर सुन्दर होगी तो इसमें अचरज कैसा?
(कार्तिकी; र. वा. दिघे, पृ. 26)

5

समता के साथ पानी भरने दो, मन्दिर में जाकर भगवान के दर्शन करने दो, तुम्हारे साथ कतार में बैठकर खाना खाने दो, इस प्रकार दलितों की माँगे थीं। देश आजाद हुआ और भारतीय संविधान ने 'एक मनुष्य एक मूल्य' के तत्त्व का अंगीकार किया। छुआछूत को बाकायदा बन्द किया गया। स्वातन्त्र्योत्तर काल में लोकतान्त्रिक व्यवस्था के कारण वर्णव्यवस्था का उन्मूलन हुआ। दलित और सवर्णों में पंक्ति से लेकर गृहस्थी तक स्नेहबन्ध स्थापित हुए। एक नवीन भारतीय समाज का गठन होने लगा। अनेक अन्तर्जातीय विवाह हुए। जात-पाँत की दीवारें ढह गयीं। दलित और सवर्ण के भीतरी 'प्रेम' और 'विवाह' को लेकर गैर-दलित लेखकों ने लेखन किया। अडिगल कृत 'कोकिलपल कुट्टीकल' नामक उपन्यास में, पी.सी. मुदलियार के 'पीरामन्नानूम'

नामक नाटक में, विजय तेन्डुलकर के 'कन्यादान' और जयवन्त दळवी के 'पुरुष' नाटकों में, मलिका अमर शेख कृत 'मुझे ध्वस्त होना है' शीर्षक आत्मकथा में दलित और सवर्णों के भीतरी सम्बन्धों के अनेक आयाम व्यक्त हुए हैं। दलित और सवर्णों के भीतरी विवाहबाह्य सम्बन्धों का चित्रण भी हुआ है। 'कार्तिकी' के कार्तिकी और हेरंब के सम्बन्ध हो अथवा 'द गॉड ऑफ स्माल थिंग्ज' के अम्मू और वेलूथा के सम्बन्ध—इसी प्रकार के सम्बन्ध हैं।

6

गैर-दलित लेखकों के लेखन में जाति-व्यवस्था को लेकर अपराध बोध व्यक्त हुआ है। दलितों के साथ किये गये अमानुषिक व्यवहार को लेकर गैर-दलितों के लेखन में शल्य व्यक्त होता हुआ दिखता है। 'दलित हमारे बन्धु हैं, हमें उनकी समस्याओं को समझ लेना चाहिए और हमें उनके साथ मानवतापूर्ण व्यवहार करना चाहिए।' इस तरह की प्रांजल भावना गैर-दलित लेखकों के साहित्य में प्रकट हुई है। अछूत, आदिवासी, घुमन्तू जनजाति, गैर-दलित वर्ग तथा अल्पसंख्यक वर्ग की आबादी कुल आबादी की 85% प्रतिशत है। इन 85% प्रतिशत लोगों का जीवनमान, समस्याएँ आदि एक जैसे हैं। किन्तु ये जाति-जनजातियाँ भिन्न-भिन्न जातियों के खानों में विभक्त हो गयी हैं। सामाजिक ध्रुवीकरण की प्रक्रिया में ये जातियाँ एक हो रही हैं और आबादी की मात्रा में हक एवं अधिकारों की भाषा बोल रही हैं। प्रस्तुत सामाजिक परिवर्तन का एहसास श्री. कृ कोल्हटकर ने 'श्यामसुन्दर' (1925) में व्यक्त किया है। 'स्त्री शूद्र मिलकर होने वाले दस आनों के हिस्से' का वे विचार करते दिखाई देते हैं। यही नहीं, बल्कि 'अन्य जातियों को अछूत समझने वाले ब्राह्मण स्वयं अछूत न बन जायें ऐसा भय उत्पन्न होने लगा है।' (श्यामसुन्दर, पृ. 157) ऐसी स्पष्टोक्ति भी उन्होंने की है। श्रीपाद कृष्ण कोल्हटकर कृत 'श्यामसुन्दर' में व्यक्त भावनाएँ र. वा. दिघे के 'कार्तिकी' (1966) में और स्पष्ट रूप में व्यक्त होती दिखती हैं। दिघे कहते हैं, "लोग तुम्हारे खिलाफ (ब्राह्मणों के खिलाफ) गये तो क्या करेंगे? यदि एक दिन वे एक हो गये तो, उनके पैरों पर सिर रखकर उनकी शरण में जाना पड़ेगा।" (पृ. 117, 118) स्वातन्त्र्योत्तर काल में होने वाले सामाजिक अभिसरण के कारण हिन्दू धर्म की जाति-व्यवस्था का स्वरूप परिवर्तित हो रहा है और जातिगत समीकरण भी बदल रहा है। ऐसा प्रतीत होता है कि इस परिवर्तन का एहसास गैर-दलित लेखकों को हुआ है। इसलिए उन्होंने समझदारी दिखाते हुए प्रगतिशील दृष्टिकोण अपनाया है। गैर-दलित लेखकों का दलित विषयक प्रकाशित साहित्य सामाजिक परिवर्तन

की यात्रा में अत्यन्त महत्त्वपूर्ण भूमिका अदा करता है। गैर-दलित लेखकों द्वारा, विशेषतया ब्राह्मण लेखकों द्वारा समाज सुधार को जोश के साथ अंगीकार किये जाने के कारण सड़े-गले विचारों को चपत बैठ सकी। गैर-दलित पाठकों को इस साहित्य ने अन्तर्मुख किया। समाज में सौहार्दपूर्ण वातावरण के निर्माण हेतु प्रस्तुत साहित्य से बड़ी सहायता मिली है। यही नहीं, बल्कि विद्रोही दलित साहित्य के प्रवेश के लिए इस साहित्य ने दरवाजे खोलकर रखे। गैर-दलित लेखकों द्वारा आक्रामक होकर स्वसमाज के प्रति आत्मालोचना किये जाने के कारण यहाँ के गैर-दलित समाज की रूढिवादी मानसिकता विचार प्रवण हो सकी। सामाजिक समता की लड़ाई के खतरे गैर-दलित लेखकों ने उचित समय पर पहचान कर उस पर उपाय-योजना करने के लिए अपनी कलम की धार को तेज किया।

7

दलित एहसास जन्माधिष्ठित है, तो गैर-दलित एहसास कल्पनाधिष्ठित है। दोनों एहसास मूल्यगर्भ हैं। दलित लेखक का अपने यथार्थ से अनुभव का और वेदना से रक्त का रिश्ता है। गैर-दलित लेखक सामाजिक सरोकार और प्रगतिशील भूमिका के साथ लिख रहा है। इन दोनों चेतनाओं से प्रेरित साहित्य प्रगतिशील समाज-निर्माण की प्रक्रिया में महत्त्वपूर्ण है। ऐसा होते हुए भी मनुष्य जिस जाति में पैदा होता है, उस जाति के संस्कारों के साथ ही जीवनयापन करता है। बहुत कम लोग संस्कारों की यह चौखट बेध कर बाहर आते हैं। अपनी जाति के संस्कार, अहं और हित को नजरअन्दाज कर समग्र भारतीय समाज का विचार होना आवश्यक है। एक नवीन भारतीय मन के निर्माण हेतु व्यापक और धर्म निरपेक्ष भूमिका के साथ साहित्य सृजन किया जाना चाहिए। जातिग्रस्त मानसिकता के साथ लिखा जाने वाला साहित्य एक बार फिर मनुस्मृति के विचारों को मजबूत करने वाला सिद्ध होगा। कलाकार और विचारकों के आविष्कार में उनकी ब्राह्मण्यग्रस्त व्यक्त होने पर उनकी भूमिका के बारे में सन्देह उत्पन्न होता है। विषम व्यवस्था में स्थित कलाकार और विचारकों द्वारा सामाजिक न्याय की भूमिका के साथ व्यक्त होना आवश्यक है और यह इतिहासदत्त भूमिका गैर-दलित लेखकों के साहित्य में कमोबेश व्यक्त हुई है, यह मेरे लिए महत्त्वपूर्ण है।

□□